JN318200

目次

忘却の河

一章　忘却の河

レーテー。「忘却」の意。エリスの娘。タナトス（死）とヒュプノス（眠り）の姉妹。また、冥府《めいふ》の河の名前で、死者はこの水を飲んで現世の記憶を忘れるという。

「ギリシャ神話辞典」

私がこれを書くのは私がこの部屋にいるからであり、ここにいて私が何かを発見したからである。その発見したものが何であるか、私の過去であるか、私の生きかたであるか、私の運命であるか、それは私には分らない。ひょっとしたら私は物語を発見したのかもしれないが、物語というものは人がそれを書くことによってのみ完成するのだろう。ひょっとしたら私はまだ何ひとつ発見せず、ただ何かを発見したい、私という一個の微小な生きものが何を忘れ何を覚えているか、もし忘れたとしたらそこに何の意味があり、もし覚えているとしたらそこに何の発見があるかを知りたいと望んでいるだけのことかもしれない。それはつまりこの部屋のせいなのだ。この部屋の内部に閉じ籠《こも》っていると、ふと私が私ではなくなり、まったく別の第三者のように見え始めるのだ。そうすると私は「彼」の中に私の知らなかった別の人間を発見したような気になる。まるで彼が既に死んでしまった人間であるかのように。死んだ人間に向かって、なぜ生きているのか何のために生きているかと訊《き》いてみたところで、ノンセンス以外の何ものでもないだろう。私が発見したとか発見したいと望むとか言っても、実はそれはみな空《むな》しいことかもしれない。

しかし、これは部屋のせいだった。それは私の部屋と言えるような、言えないような、貧しいアパートの一室である。部屋は六畳一間きりで、入口のところに沓《くつ》脱ぎの狭い土間があり、下駄箱《げたばこ》の上にガスコンロが置いてある。小さな流しもある。部屋の中はがらんとしていて、真中に安物の卓袱台《ちゃぶだい》があり、そこに私が今、原稿用紙をひろげてこれを書いている。私の真上に裸電球がぶら下り、壁と、押入の襖《ふすま》と、窓に懸《かか》った花模様のプリント地のカーテンとを照らしている。私は時々立ち上って、そのカーテンを開きに行き、がらがらと厭《いや》な音のする硝子戸《ガラスど》を引いて冷たい夜風に吹かれ、すぐ下を流れている掘割の澱《よど》んだ水の臭《にお》いを嗅《か》ぐ。私の下の部屋は近頃はいつも電燈の点《つ》いていたためしはないが、私のいるこの部屋も、掘割の向う岸の道を歩く人から見たら、まず、いつでも真暗だろう。それほどたまにしか私はこの部屋に来ないのだが、しかし道を歩く人は夜になると数えるくらいしかいないから、私は窓の張出しに腰を下してその手摺《てすり》に凭《もた》れていても、人に見られるのをびくつく必要はない。私はよく調べたわけではないから掘割といってもどこかの河の支流なのかもしれないが、だいぶ先の橋のたもとに一つだけぽつんと立っている街燈の灯が水の表を照らしても、濁った鼠色《ねずみいろ》はいつまでも紙屑《かみくず》や藁束《わらたば》や、それに何だか見分けもつかない汚《きた》ならしい塵芥《ごみ》を浮べたまま、ちっとも流れて行くようには見えない。従って窓を開いても水の流れる音がするわけでもなく、ただ鼻につんと来る腐ったような動物的な臭いに悩まされるだけなのに、私はここに立って、ぼんやりと掘割を眺《なが》め、人の通らない向う岸の道を眺め、それから橋のたもとの街燈の灯を眺めて、空《から》っ風《かぜ》に首筋がぞくぞくして来るまで、あれこれと考えているのが好きなのだ。すると不意に私は何かを発見したような気になるのである。

私は卓袱台に凭れ、部屋の中を見廻すが、あの女は洗いざらい自分のものを持って行ったわけではなかったから、今でも窓に懸った薄地のカーテンの他《ほか》に、ハンガーが二つ、壁に貼《は》った映画スターの写真、それにこの脚《あし》のぎしぎししている安物の卓袱台、今私の敷いているけばけばしい色彩の座蒲団《ざぶとん》などが部屋に残っている。押入の中の夜具とか、私が手をあぶっている電気火鉢《ひばち》なんかは、私があとで買ってここへ運ばせたものだ。それから薬罐《やかん》とか急須《きゅうす》とか湯呑茶碗《ゆのみぢゃわん》とかも女の残して行ったものだ。この茶碗は縁の方が少し欠けていて、運悪く唇《くちびる》がそこに当るとざらざらする。

私は何かを書こうと決心し、ここへ来る途中の文房具店でありあわせの原稿用紙を三帖《じょう》ばかり買って来た。万年筆はパーカーで、これは私が社長室のマホガニイのテーブルの上で書類にチェックしたり小切手に署名したりする時に使うのと同じ万年筆だ。

私は少し書いてみて、馴《な》れないことなので直にくたびれる。何を書くつもりだったのかすぐに忘れてしまう位だ。そして茶を入れてゆっくりと味を愉《たの》しむが、この欠け茶碗で飲む茶の方が、秘書が恭々《うやうや》しくお盆に載せて運んでくれる蓋《ふた》つきの有田焼の焼物で飲むよりも、よほど風味のあるような気がする。それは勿論《もちろん》私の方が湯加減などに詳しいためだが、一つには今の私が何ものにも捉《とら》われないでいられるせいだろう。私はここで一人きりだ。誰も私がここにいることを知らないし、妻や娘たちが知ったら、とんでもないパパだと一層信用をなくしてしまうだろう。会社の者たちが知ったら、無理もないことだ、それ位は当然だ、とかえって私に同情してくれるかもしれない。しかし彼等が同情するようなものは何もありはしない。私はここに女を囲っているわけではない。私は一人きりで、たまにここに来て誰もそのことを知らないと思うだけで気持がほぐれて来るのだ。それは私の秘密といったものだろう。

　あら社長さん何かいいことでもあるんですか、と秘書が茶を運びながら私に言った。どうして。だって一人で笑っていらしたもの。近頃の娘というのは馴れ馴れしいもので、機会があれば自分の存在を認めさせようとする。私はこの女子大出の才媛《さいえん》とかいう秘書が、現代向きの美人の一種であることは認めるが、あまり好きではない。君のところの女秘書はなかなかの尤物《ゆうぶつ》じゃないか、と訪《たず》ねて来た友人などが声を潜ませて私をからかいたそうな様子を見せることもあるが、私が取り合わないために、君は真面目《まじめ》だからなあ、ときに奥さんの具合はどうだい、と友人の方で先に折れてしまうのだ。この女秘書のどこが気に入らないのか、年頃から言えば娘の美佐子と同じ位だろうが、如何《いか》にも女子大出だと言わんばかりの、才気ばしった、押しつけがましい、自我のかたまりみたいなところが、古風な私の感覚に一種の脅威のように映るのだろう。私は何も真面目一点ばりの、亭主の見本のような男ではない。妻が十年も寝たきりでいるような亭主は、ついふらふらとなりそうな気持をいつでも持っている。現にその時でも、私が何を思い出し笑いしていたのか分ったものではない。

　しかしその時、私は如才なく、笑ったつもりじゃなかったのだが、いま面白いものを見たんでね、と言った。秘書はあたりを見廻したが、社長室の中は私ひとりで客もいないかを見たんでね、と言った。秘書はあたりを見廻したが、テーブルの上に書類が置かれ、ソファの上に新聞紙が散らばっているばかり、社長室の中は私ひとりで客もいないから、何でしょう、と秘書は眼をきょろきょろさせながら自分でももう笑いかけている。教えようか、と私も気易《きやす》くなって、椅子《いす》から立ち上り窓の方へ歩いて行き、ここに今さっき鳩《はと》が二羽来ていたんだ、と教えた。鳩ですって。そう鳩さ、こんな高いところまでよく飛んで来たものさ。それが窓枠《まどわく》に二羽並んで、硝子ごしに私の方を見てひそひそ話をしていたのでね。まあ、と秘書は大袈裟《おおげさ》に頷《うなず》いて、何て言ってましたの、とうっとりしたような顔で尋ねたが、そういう人の気を惹《ひ》くような質問のしかたが私には面白くないのだ。可哀《かわい》そうな社長さんとか何とか言ってたんだろう、二羽で仲良くキスをしていたからね。

秘書は不意に赧《あか》くなり、社長室の奥まった窓際《まどぎわ》に倚《よ》り添って立っていることを危険に感じたのか、あら、と口の中で叫ぶなり、すうっと部屋を出て行った。安心しろ、己《おれ》は君のような上品ぶったBGにはちっとも気がないんだ、とその背中に向けて叫び出しそうな気持になっていながら、私は秘書の若々しい耳朶《みみたぶ》が桜貝のように光っていたとか、眼許《めもと》に媚《こび》を含んだ小皺《こじわ》が寄っていたとか、身のこなしに処女らしい機敏さがあったとか、そういうことを一人きりになってからもまだ詮鑿《せんさく》していたが、すると不意に、さっき私は一人で思い出し笑いをしていたのだろうか、自分ではそんな気もしないのに人が私を笑っているように見たというのは、二羽の鳩が窓枠に来ているというそのことで、私が何やら幸福そうな気分になっていたせいだろうか、と考え始めた。確かに息を凝らして鳩の動きを見詰めながら、私は何かを思い出しそうになっていた。そこに秘書が茶を持ってはいって来たのだ。その日一日じゅう私は機嫌《きげん》が悪くて、小さなミスを見つけては若い社員を代る代る呼びつけてぶつぶつ言っていた。

私は自分が社長であることを自慢らしく書いたようにも見えるが、戦後に営々として苦労をしたあげくやっと作り上げた会社で、ほんのちっぽけなものだ。六階建ての貸しビルのその五階と六階とを占めて、営業成績の方はそう悪くはないが、しかし私が十年前ころの、つまり妻が病気で倒れる以前の頃の、あの無我夢中の活動力を失ってしまったことは確かなのだ。それは年のせいなのか、それとも何か他に理由があるのか、私にはよく分らないが、私はしばしば社長室の窓の前に立ち、真下の電車通りの向うに、こちらよりぐんと高く聳《そび》えている十階建てのモダンなビルとか、その隣の私のところから見下せる背の低い建物の屋上でボール遊びをしている事務員たちとか、料理店の汚ならしい屋根に出っ張っている物干台とか、それからスモッグで曇った空とかを眺めて、自分が今ここにいることを忘れてしまう。すると不意に記憶というほどの明かな形を持つのではない過去の時間の流れが、灰色に濁ったまま、私の頭脳の中に逆流して来る。それは頭脳を充《み》たし、その中にきれぎれに未練がましい情景を浮ばせることもあるが、私は大抵は、意志的にそれを追い払おうとする。この意志的にということが大事なのだ。そういう訓練を続ければ、人は厭なことを忘れることが出来る。ただ時々、私の意志を無視して、過去の私が第三者のように私の前に立ちはだかって来ることがあって、それが私には恐ろしいのだ。

本当を言えば、私は未練を持ちながらでなければ生きることの出来ないような人間なのだろうか。あの時ああいうことがなかったならという仮定は恐ろしい。勿論世間一般の人はそうではないのだろうし、彼等は何の屈託もなく、晴れ晴れと毎日を送っているように見える。私の附き合っているような連中は、中共貿易の見通しとか、株の上り下りとか、ゴルフのハンディがどうだとかいうような表向きの会話の蔭《かげ》に、それぞれの生活の皺を額に刻みながら暮らしているのだろうが、さて本心はどうなのか。この人生は失敗だったと未練がましい気持を持ち、強《し》いてそれを抑《おさ》えつけて、如才なく取り繕《つくろ》いながら生きているのか。いや彼等には生活は一定の方式に従って歯車のように廻転しているのだろう。欲望の小さな愉しみが無数に重なり合って、過ぎて行った時間の空しさに気がついた時には、もうすべてが遅すぎて結局は人間であることを忘れていた時だけが愉しかったと、最後に、意識の溷濁《こんだく》した境にあって、思い出すことになるのだろう。しかし思い出したからといってどうなるものか。彼等が幸福なのは思い出さないことにあったし、その瞬間まで忘れていられればこそそれだけ幸福だったというものだ。私も亦《また》、人間であることを自分に問い続けることの無意味さを知っているから、自らに記憶を禁じて、自分を機械に仕立てて来たつもりだ。しかし人は生きながら、意識の中に死の溷濁を持つこともある。彼はそういうふうに生れついている。

それはまずこういうふうに始まったのである。夏の終りというよりも秋の初めで、今年はあまり大物の台風は来なかったが、それでも一晩大いに吹き荒れたことがある。朝になって風もやや収まり、この分なら学校もあるだろうと下の香代子を連れて、美佐子と女中とに見送られて表へ出た。その前の晩私は遅く帰宅し、その少し前に停電になったとかで蠟燭《ろうそく》の灯で照らし出された妻の顔はひどく不機嫌そうで、こんな台風の晩にどんな用があったのだと執拗《しつよう》に問いつめられたが、私はそういうことには馴れているので妻の寝床の側《そば》でトランジスターラジオの台風情況などを聞きながら、風音と時折激しく吹きつける雨の凄《すさま》じさに耳を澄ませて、いつしか妻が寝息を立てるようになっても私の方は殆《ほとん》ど睡眠を取っていなかった。そこで通りへ出てタクシイを拾い、香代子を彼女の通っている或《あ》る大学の前で下し、それから私の会社の方へ廻った。その間に、不思議なように風も凪《な》ぎ雨もすっかり歇《や》んで、タクシイが止った時には日が射《さ》し始めていた。私は金を払いドアを開いたが、車の止った場所と歩道との僅《わず》かの間隔に、溢《あふ》れ出した下水の水が凄じい勢いで流れているので、私は雨傘《あまがさ》をステッキの代りに、片手に鞄《かばん》を抱《かか》えて、そこを一飛びに飛び越さなければならなかった。そして自動車の中から馴れない芸当を演じて滑稽《こっけい》にも一跳《ひとは》ねしたのだが、睡眠不足がたたったのか、脆《もろ》くも足を滑《すべ》らせて、辛うじて雨傘の柄で身体《からだ》を支《ささ》え直したものの、舗道の上にあやうく引繰り返るところだった。そうして私はその一瞬に、私の会社の反対側にあるビルを仰ぎ見るような恰好《かっこう》で見た。というよりビルの側面にあるすべての窓が、私の眼の中になだれ込んだ。

私は身体を立て直しても、そのまま、十階建てのビルのこちら側の面をまじまじと見詰めていた。窓という窓は昨夜来の横なぐりの雨に叩《たた》かれてすっかり濡《ぬ》れ、そこに今、朝の烈《はげ》しい日射《ひざし》が射していた。それは無数の、涙に濡れた眼だった。四角な硝子の眼。どの眼も雫《しずく》をしたたらせながら、朝の太陽の新鮮な光を貪《むさぼ》るように吸い込んでいた。四角な眼、眼、眼。縦にも横にも、整然と連なったまま、これらの眼はひとしく私を見詰めていた。私ひとりを見詰めていた。

その時、この偶然が私に齎《もたら》したものを何と名づけたらよかったろうか。眩暈《げんうん》だろうか、放心だろうか、感動だろうか。私はこんなに数多くの眼を一度に見たことはない。それらの一つ一つが生きて、泣いて、訴えて、私の心の奥底を覗《のぞ》き込んで、何かを私に語っていたのだ。お前は忘れているのか、忘れたままで生きていることが出来るのか、と。いや、そうではない、もっと別のことを言っていたのだ。私たちはお前を見ているよ、と。そう、ただそれだけのことを語っていた。無心に語っていた。そして私の方が見られていることを強く意識したあまり、私の経て来た時間が私にとって何であったかを反省せざるを得なかったのだ。その眼は彼を見ていた。その二つの落ち窪《くぼ》んだ眼窩《がんか》は彼を見ていた。

社長、どうなさいました、と私は呼び掛けられ、社員の一人が訝《いぶか》しげに顔を寄せて来るのに気がついた。綺麗《きれい》ですなあ、とその男は私の向いている方向に顔を向け、きらきら光っているビルの窓の方を見上げ、台風も大したことがなくて結構でした、と言った。綺麗だとその男は言ったのだが、それまで私は、雨に濡れた上に日の射したこれらの硝子窓が綺麗だと思って見ていたわけではない。それはまるで別のものだった。しかしどうしてそれを説明する必要があろう。また恐らく説明する能力もないに違いない。私はその男と一緒にビルの玄関にはいり、一緒にエレヴェーターに乗った。エレヴェーターの戸がしまり、それはゆるやかに昇り出した。

スコールが猛烈な勢いで密林に叩きつける中を、彼は走っていた。彼は片手に水筒を摑《つか》んで、もとの場所へと逸散に走っていた。彼はただ一人で、その水筒を今はもう無駄だと感じながら、それでもしっかりと握りしめたまま走り続けた。彼、その時彼の中にあったものは、一つの生命の願いがこの水筒に懸っている筈《はず》なのに、こうしてスコールが降りさえすれば、つまり自分は無駄なことのためにこれだけの距離を走っているのだ、それならばなぜ自分にはスコールがやがて来ることが分らなかったのだろう、という後悔を含んだ憤《いきどお》りだった。それが何に対するものであるのかもう分らなくなるまで、彼は密林の間を抜けて、重い軍靴《ぐんか》の先で水たまりの飛沫《しぶき》を散らし、蔓草《つるくさ》に足を取られそうになりながら、あいつはもう駄目だ、己《おれ》はもう駄目だ、と叫んでいた。一体それは誰だったのだろう、この彼は。それは叫び続ける機械、走り続ける機械、逃げることだけを機能の中心にした敗残兵というロボットだった。一つのロボットが、もう一つのロボットに末期《まつご》の水を飲ませてやろうと、あらゆる危険を冒して、遠い距離を走っていた。彼はロボットだった。彼は。

もう一つのロボットは、密林の少し拓《ひら》けた窪地の斜面に、仰向けになって倒れていた。スコールは既に意外なほど迅速《じんそく》に歇《や》み、空は蒼《あお》く晴れ上り、樹々《きぎ》の梢《こずえ》から、枝々から、葉簇《はむれ》から、大粒の水滴が滴《したた》り落ち、あたりには植物性の強い香気が立ち昇った。窪地の斜面を伝わって雨水がまだ流れ落ち、彼（ロボット）の汚《よご》れたシャツやズボンを水びたしにして、そのカーキ色をどす黒く滲《にじ》ませた。彼は両手を横ざまに伸ばし、脚は少し開き目に片脚だけを捩《よ》じれたように曲げたまま、仰向けに天を見ていた。

そこにあるのは確かにもう生命のない一つの機械、壊《こわ》れてしまった一つの神の玩具にすぎなかった。しかし彼にとっては、それはやはり彼（戦友）だった。物を言い始める時に少し吃《ども》る癖のある奴《やつ》、汗ばんだ手をしている奴、どんな危険な状況にあっても決して悲観しない奴、頭の毛が薄くなりかけたといってこぼす奴、故国に可愛《かわい》い妻が待っているとしょっちゅう惚気《のろけ》を言っている奴、己はどうしても国へ還《かえ》るぞ、死んでたまるかと言い言いして彼を励ましてくれる奴、不死身のように敵の弾丸が避けて通る奴、そいつが一緒にいるからこそ生きよう逃げのびようと力づけられている奴、投降するぐらいなら自決した方がましだと息巻く奴、しかし決して自決する気はなく寧《むし》ろ彼の方がいつ死んでもいいのだともう諦《あきら》め切っていてその度《たび》に馬鹿《ばか》野郎と大声で罵《のの》る奴、もしも共に生きることが愛であるならば彼が確かに愛を感じている奴。

その男は両の眼を見開いたまま死んでいた。天を向いた二つの眼球に、雨が落ち、雨がたまり、落ち窪んだ眼窩は涙をたたえ、その涙は天の蒼さを映していた。その眼が彼を見ていた。茫然《ぼうぜん》と傍《かたわ》らに佇立《ちょりつ》し、言葉もなく、意志もなく見下している彼を、その二つの落ち窪んだ眼窩が見詰めていた。

私はエレヴェーターを出、社員たちの挨拶《あいさつ》を受けながら自分の部屋にはいり、すぐに窓に行って外を見た。向う側のビルの壁。私はそれをもう一度見たいと思ったのだ。電車通りの向うで、ビルの窓という窓はもうまるで違った、無感覚な、硝子《ガラス》というにすぎなかった。硝子は濡れてはいたが日は当っていなかったし、灰色の壁面の中に無表情に四角い枠《わく》を連ねて羅列《られつ》しているだけだった。それらはもう眼ではなかった。私を見詰めてもいなかった。

　しかしその二つの眼は、生きている時と少しも変らずに彼を見詰めていた。涙を湛《たた》えた眼窩は彼に微笑しているようだった。何の微笑することがあろう。やっぱり駄目だったと言いたかったのか。お前だけは国へ還れよと告げていたのか。彼は崩《くず》れるようにその側に膝《ひざ》を突き、烈《はげ》しくその身体を揺すぶったが、それが何になろう、顔の上にたまっていた雨水が眼窩から頬《ほお》に伝わって流れ、半ば開いた口から頤《あご》へと伝わって流れた。この男は彼が最後に置いて来たその場所から、密林の奥にある小さな洞窟《どうくつ》から、這《は》うようにしてこの窪地まで出て来たに違いなかった。水を求めて。スコールの中を、今は無尽蔵に天から授けられた水を求めて。しかしどうして彼は仰向けになって死んだのだろう。なぜその時に、この姿勢が彼の最期に最もふさわしいと無意識のうちに信じ込んだのだろう。その時、雨はまだ降っていたか、それとももう既に歇み、蒼空が、輝かしい光に充《み》ち溢れた蒼空が、彼の遥《はる》か上に、手の届かぬ遥かの上方に、彼の視線をそこに釘《くぎ》づけにするべく覆《おお》っていたのか。とにかくこの男は薄暗い名も知れぬ樹々の間をよろめきながら、この場所まで這って来、この斜面で力尽き、そして俯《うつむ》向きに倒れた身体を漸《ようや》くの思いで仰向かせて、天を見たまま最後の息を引取ったのだ。一人で。

彼（戦友）が最後に見たかったものは何だったか、と彼は考えた。天だったのか。この地球の上を覆い、遠い日本の空にまで連なっている天だったのか。故郷に残した若い妻や年老いた母親だったのか。故郷そのものだったのか。それとも時間、彼がそれと共に生き、それと共に滅びてしまう時間だったのか。いな、この落ち窪んだ眼窩は、この涙を湛え空の蒼さを映した眼球は、こう告げていたのだ。それはお前だ、己《おれ》がもう一度見たかったものはお前だ、と。

二人の人間が、というよりも二つの物が、そこに、密林の外《はず》れにある小さな空地の窪になった斜面に、一つの物は地に伏し、一つの物は石になったように片膝を立てたままの形で、共に身動き一つせずに存在していた。遠くで幽《かす》かに銃声がしていただろう。過ぎ去ったスコールがそんなに遠くないあたりで烈しい雨脚《あまあし》を立てている音さえも、ひょっとしたら聞えただろう。鳥が啼《な》いていた。けたたましく、警告するように、危険だぞ危険だぞ、と。しかし何が危険なのか。彼がその時もう生きるということが何であるかを忘れ、悦《よろこ》びを忘れ、呼吸することを忘れ、記憶さえも忘れていた以上、ほんの近くに敵がいるとか、この地点が見通しの場所だとかいうことに何の関《かか》わりがあったろう。彼が考えていたのはこういうことだ。己が死んだ方がよかった。己が死ぬべきだった。己はもう死んでいたのだから、その時に。その時とはいつのことか、その過去の時間の記憶が素早く回復されたような気もするが、しかし彼は常に意識して忘れようと努めながら、しかも無意識に、しばしば夢でもなく現《うつつ》でもないような状態の中でそのことばかり考えていたのだから、その時も今息を引取ったばかりの戦友の屍《しかばね》を眼の前に置いて、彼が、己は既に死んでいたのだからここでこいつの代りに己が死ねばよかった、と考えたかどうかは怪しい。寧ろ、己は今の瞬間まだ生きているし、己はそういうふうに罪深くあるべく出来ているのだ、と考えていたような気がするのだ。彼はいつも自分を罪深く感じていた。神に対して。いや彼が神を信じていたかどうかは疑わしい。彼はただぼんやりと、すべての人間に対して、自分に対して、生きていることは罪ではないか、取り返しのつかぬ罪ではないかと感じるように出来ていた。

私はもし出来たら何もかも忘れたいと望んでいる男だ。よく小説の中にあるように、過去の記憶を喪失して必死にそれを探《さが》し求めている人間の運命を選び取ることが出来るなら、私は悦んで今の私というものを擲《なげう》ちたい。もとより私は常識的には後ろめたい過去におびやかされているわけではないが、奇妙にこの罪という感じが附き纏《まと》って離れず、それが私に未練を持ちながらでなければ生きられないようにさせているのだろう。罪。罪は贖《あがな》えば許される。宗教はそう教えていた。それならば神と人との間に罪があり、人は罪を贖う身代金《みのしろきん》を納めさえすれば、その罪は取りのけられて元通りの神に許された存在となることが出来るだろう。しかしそれは約束にすぎない。刑期を果してしまえば並の人と同じ権利があるという法律の定めと同じことだ。ところが私には、その罪を贖うことが出来ないのだ。少くとも神に対しての罪だとは思わないから、神に赦《ゆる》される筋合はない。こういうのを傲慢《ごうまん》というのだろう。しかし神に赦されることのないこの罪は、永久に、不条理に、私をおびやかしてやまない。では私の怖《おそ》れているものの正体は何か。それは要するに、私の犯した罪を赦してくれる人がいないということから生じる恐ろしさなのだ。誰が私を赦してくれるだろう。赦してくれる筈の人は既に死に、私がどんなに叫んでも彼等から赦しを得ることは出来ない。どのように身代金を積もうと、彼等が虚無のうちに住んでいる以上私とはもう関係がない。相手が生きてさえいれば贖うことは出来る。現に私の妻はしょっちゅう私を責めるし、私はそれを甘受している。しかし死者に対してはどうなのか。もし審《さば》きというものがありさえすれば、それで人は済《すく》われる筈だ。宗教は地獄をつくり、法律は裁判をつくった。しかし、自らの意識に於《おい》て自らを審き、罰を課し、罰に服さなければならないような人間もいる。地獄を自らのうちに持たなければならないような人間もいる。未練がましくこの生に執着し、忘れたい、忘れたいと思い続けながら。

そこで私はこの物語を書こうと思う。それが物語として通用するものであるかどうか私は知らないし、それも私が物語を選んだのではなく、物語の方が私を選んだのだ。平凡な五十五歳の男がすべてを忘れたいと望みながら、何かを発見したような気になっただけのことだ。それはみんなこの部屋のせいなのだ。窓の下に濁った掘割の水の澱《よど》んでいるこの薄汚《うすぎた》ない部屋のせいなのだ。

その日私はしばしば窓の前に立って、向う側のビルの窓を眺《なが》め、まるで今朝私の見たのが幻覚だったかのようにそれらの窓が明るく九月の光に照らされているのを見ながら、昨晩の女のことを思い出していた。女、とただそう呼ぶことにしよう。私はその時その名前を知らなかったし、今でも本当に知っているかどうかは疑わしい。名前とはただの符牒《ふちよう》にすぎないし、その女がどんな名前であろうと私と何の関係もない。

思い出していたと私は書いたが、それは一日のことは一日だけで忘れようとする私の主義に反することで、こうなった原因は今朝私が雨に濡れた舗道で倒れかかった時に、私が何かを見、何かを思い出したせいだった。何か、つまり私がとうに忘れていてしかるべきことを。それが始まりだった。そしてその日、私は会社がひけると自宅に電話してそれらしい用事をつくり、表で簡単な食事を済ませると女のいる病院へと出掛けて行った。

しかし私はこうしたものを書くのに不馴《ふな》れだから、どうも途中から始めてしまった。やはり一番初めから書く方が自然だろう。前の晩、つまり台風が大いに吹き荒れていたその晩にこの偶然が起った。それが本当の始まりだった。

台風がいよいよ近づいていることは昼のうちから分っていたが、私はその晩どうしても片づけねばならぬ仕事があり、九時頃漸く会社を出た。いつも気軽に通りで車を拾って帰る癖があるので、この晩も既に台風の勢いがこれほど烈しくなっているとは知らずに、通りへ出てから、これはハイヤーを呼ぶのだったと後悔したが今更どうなるものでもない。雨はもう篠《しの》つくばかりの吹き降りで、いつもの繁華街も人影は疎《まば》らに、空車の通ることも殆どない。私は時折横なぐりに飛沫《しぶき》をあげて吹きつける風に傘を取られそうになりながら、少しでも空車の来そうな一方交通の裏通りをやれやれとばかり歩いて行ったが、ふと、街路樹の根本に腰を屈《かが》めている人影を認めた。どうしたことかと何げなく私はその側《そば》に近づいた。

それが女であることは、女物らしい華かな雨傘の色からもすぐに分ったが、傘は殆ど役に立たぬほど片側に投げ出されて、レインコートの肩と言わず、樹蔭《こかげ》にある髪と言わず、びしょびしょに濡れたまま坐《すわ》り込むようにしているから、どうしました、と声を掛けて、私の傘をその上に差し掛けてやった。その女は俯向いていた顔を起して、苦しい、というような言葉を吐いたが、眼を殆ど閉じて、僅《わず》かに唇《くちびる》をわななかせたその顔が、私の心に鈍痛のような重たい衝撃を与えた。それは見知らぬ女だった。まだ若く、幼な顔が残っていて、濡れた髪が額や頬のあたりにこびりついていた。私とは何の関係もない女だった。苦しい、と女は言った。

そういう時彼はいつも逃げたのだ。何が彼を逃げさせたのか。本能的な恐怖なのか、打算的な利己主義なのか、意志のない行為なのか。彼は見る見るうちに顔色を蒼くし、息苦しく呼吸し、いな呼吸することさえ不可能になり、眼の前にある深淵《しんえん》を両手をふるって押しやり、わけの分らぬことを心の中で呟《つぶや》きながら、そして逃げたのだ。そこにどんなもっともらしい理由があろうとも、彼が逃げたことに間違いはない。まるであとでそのために苦しみ、後悔し、地団駄《じだんだ》を踏み、自分を卑怯者《ひきようもの》だと嘲《あざけ》ることが一種の快感ででもあるかのように。しかしどのような後悔も、彼が自らの意志で（しかしそれはもっと大いなるものの意志ではなかったろうかと彼は強《し》いて自分を納得させたが）逃げたという事実を打消すことは出来なかった。

私の中の善意が、今にも舗道の上に崩れてしまいそうな女の片腕を摑んで自分の方に引きつけた。その身体はぐにゃぐにゃして、それまで辛うじて手に握っていた雨傘が、その時手を離れて地面の上に落ち風に吹き飛ばされそうになるのを私は慌《あわ》てて抑え、とにかく小脇《こわき》に書類鞄《かばん》を抱えたまま、片手に自分の傘を持ち、女を支え、その女の雨傘も風から取り戻してやるという曲芸のようなことをやってのけた。その間も、私はこれはとんだことになった、早く逃げ出さなければ台風もいよいよ凄《すご》くなりそうだし、帰りそびれたら大変だぞ、と考えていた。女に行先を訊《き》いても、かすかに唇を動かしているが風に吹き消されて声が聞えない。そのうちにまた首をうなだれて、弓なりに身体を前屈みにしたまま、私の片腕に縋《すが》って今にも倒れそうになる。

その時、まるで奇蹟《きせき》のように空車が一台この通りを向うから走って来たから、私は手にした傘を濡れるのも構わず車の前で打振り、向うが渋々とまったところで、指を二本出してみせた。つまりメーターの倍出すという合図だ。運転手はそれでもドアを明けるのを渋っていたが、ようよう諦《あきら》めたので、まず女を座席の中に押し込み、それから二本の傘を畳んで自分も乗り込んだ。その時はもうびしょびしょに濡れてしまっていた。私は＊＊の先なんだが、その前にこの人を送って行くから、と運転手に言って、ときに君のところは何処《どこ》、と女に訊いたから運ちゃんもさぞびっくりしただろう。女はどうも済みませんとか細い声を出して行先を告げ、タクシイは雨しぶきをあげながら暗い通りを逸散に走り出した。

女は安心したのか、身体を二つに折って私の方に凭《もた》れるようにしている。どうも病気らしいし、これはとんだ係り合いになったと思ったが、大丈夫か、と訊けば頷《うなず》くから、まあ送り届ければ何とかなるだろうと思い思い、ひっきりなしに動いている車のワイパーや、硝子《ガラス》窓の外をぼうっと滲《にじ》んだまま走り過ぎる街の燈火などを眺めていた。どんな女なのか、バアか何かに勤めている女なのだろうか、と考え、しかもその間じゅう、初めて女の顔を見た時に感じた鈍痛のようなものが一層鉛のように固まって行くのを感じていた。そろそろ目的地に近づいたらしいので、しっかりしなさい、この辺からどう行くの、と身体を抱き起すと、割にすらすらと道順を口にしたから、私が鸚鵡《おうむ》返しに運転手に告げる。それは大川の支流に懸《かか》る橋を渡って右側の、掘割の幾つかあるあたりで、私は硝子窓の曇りを掌で拭《ふ》いてどうにか地理を確かめ得た。女の指示する通りに、二階建てのアパートの前で車を止め、傘を開くのも面倒くさいから二本の雨傘を鷲掴《わしづか》みに、書類鞄を小脇にして、君このまま待っていてくれ給《たま》え、この人を送ってすぐ戻って来る、どうも病気らしいんだ、と運転手に有無を言わさず、すぐさま女の身体をシートから抱《かか》え下すようにし、薄暗い電燈の点《つ》いている開きっ放しの玄関まで連れ込んだ。その玄関は真直《まっす》ぐな通路と二階への階段とに分れていたから、女が二階と言うのに従って、片手を手摺《てすり》に掴まらせ、もう片腕を取って一段ずつ階段を上って行ったが、その間じゅう女は苦しげに喘《あえ》いでいた。ぎしぎし軋《きし》む廊下をゆっくり進み、女が立ち止ったところで、そのドアを叩《たた》いた。いや叩こうとして、女がそれまで片手にぶらさげていた（どこに隠れていたのか、私がちっとも気のつかなかった）小さなハンドバッグを渡して、鍵《かぎ》、と呟くのを聞いた。

私は迂闊《うかつ》にもその時まで、女が一人で住んでいるとは思ってもいなかった。家族と一緒だろうから、そこの人に女を渡してさっさと戻るつもりでいた。それが精いっぱいの私の善意というものだ。とんだことになった、とまたまた嘆息しながら、バッグの中から鍵を出し、ドアを明け、廊下の明りで入口の土間の横に電燈のスイッチがあるのを見つけて、それを捻《ひね》った。女は蹴飛《けと》ばすように靴を脱ぎ、濡《ぬ》れたレインコートのまま部屋の入口にどさりと崩《くず》れた。私もあとからその六畳間にあがって、そして初めてこの部屋を見たのである。

その時も、この部屋は決して女の独《ひと》り暮らしにふさわしい華《はな》やかな感じはなかった。粗末としか言いようのない簞笥《たんす》があり、鏡台があり、卓袱台《ちゃぶだい》があり、座蒲団《ざぶとん》があり、壁にはカレンダーや映画俳優のブロマイドがあり、窓には安物のカーテンが懸っていた。私は女のレインコートを脱がせ、入口の流しの側にあったタオルで濡れた髪や首筋を拭いてやったが、雨水が着ているものに沁《し》み込んでいて、靴下などもすっかり湿っているから、これは早く寝かせてやった方がいいだろうと思い、押入を明けて、中から蒲団や寝衣《ねまき》などを取り出した。女は済みませんと言い続けていたが、曲りなりにも床を取ってやり、これでいいね、あとは一人で大丈夫だね、早く着替をしなければ駄目ですよ、と言って、さて帰ろうとした時に、女は顔を起し、帰らないで、と呟いた。

心配だがそうはいかないんだよ。台風もひどくなりそうだし、車も待たせてあるし。済みません、でも帰らないで、と女は哀願するように呟き、わたし怖《こわ》いの、と言った。その時、自動車の警笛が烈《はげ》しい雨音を通して二度ほど鋭く響き渡った。

天窓から洩《も》れて来る薄ぼんやりした光線の中で、彼は彼女のひたむきな表情を美しいと思っていた。もう行かなくちゃ、と彼は言い、彼女はやや汗ばんだ顔に少しばかりの微笑を浮べ、まだいいわ、まだ大丈夫よ、もう少しいましょうよ、と答えた。それは昔の蚕室《さんしつ》を改造した農家の離れで、入口の戸を立て切ると中は薄暗く、湿った蚕の臭《にお》いがこびりついて、そこに若い娘のやわらかい体臭が漂っていた。どうしてわたしたち、いつまでもこうしていられないのかしら。どうしてこんなにちょっとだけしか逢《あ》えないのかしら。贅沢《ぜいたく》は言わないこと。君がここを見つけてくれたから、こうやってゆっくり逢えるんじゃないか。ゆっくりですって、ちっともゆっくりなんかじゃないわ、わたしは四時から勤務だし、あなただって。それにもうみんな知ってるのよ。

そして彼女は顔を赧《あか》らめたらしい様子を見せたから、彼はその手を取って自分の方へ引き寄せた。彼女の身体はそれを待ってでもいたように脆《もろ》くも彼の膝《ひざ》の上に倒れかかった。わたしあなたが好きよ、本当に好きよ、このまま死んでしまいたい。僕が死なかったのは君のお蔭だ、と彼は言い、やさしくその肩を抱き寄せた。彼の手は、前をはだけた彼女の制服の間から、再び彼女の裸の肩を愛撫《あいぶ》し、その汗ばんだ掌は花車《きゃしゃ》な肩から小さな乳房の方へと動いて行った。わたしあなたが行ってしまったらきっと死ぬわ、と彼女は言った。きっと死ぬわ。

私は素早く決心し、傘を摑むとその部屋を出て階段を下りて行った。風雨は一段と烈しさを加え、警笛がもう一度長く尾を引いて響き渡った。私は傘を開いてタクシイに近づくと、心配そうな顔をしている運転手に千円札を一枚渡し、待たせて済まなかった、お釣は要《い》らない、と言い捨てて薄暗い玄関の方へ戻った。いい年をして馬鹿《ばか》な男だと自分を憐《あわれ》み、雫《しずく》の垂《た》れる傘を畳みながら、このあとどうやって自分のうちへ帰るつもりなのかと、ひとごとのように考えていた。寝ている妻の顔や、美佐子や香代子の顔がちらりと浮んだが、私がいま引き返そうとしている部屋の、病気の女の顔は浮ぶことがなかった。それに私はその女の顔をまだよく見ていたわけではなかった。

やっぱし帰って来て下さった、と嬉《うれ》しげに枕《まくら》から首を起して私の方を見た時に、私は女の顔がやはり昔の彼女にいくらか似ていることを認めた。幾らかでそっくりではないが、それでも鈍痛のようなものが再び私の胸を塞《ふさ》いだ。しかし私をここへ連れ戻したものはそのためではない。それは理由のないもの、一種の憐憫《れんびん》、一種の同情、いやもっと何ものともしれぬ感情だった。寧《むし》ろ一種の夢遊病的な行為だった。

女は私のいない間に着替をしたらしくて、濡れた服や靴下や下着が蒲団の足もとに散らばり、肩のところまですっぽり蒲団をかぶって寝ていたが、季節は秋の初めでまだ蒸し暑く、私などは急いで階段を昇って来たので汗を掻《か》いていた位だった。寒気《さむけ》でもするのかい、と私は訊いたが、女は大きな眼を開き、眉《まゆ》の根本を苦しげに釣り寄せてしげしげと私を見詰め、小父《おじ》さんは親切な人ね、と言い、言ったなり眼をつぶってしまった。

小父さんかと私は苦笑し、それも無理はないと思い、再びうちで待っている筈《はず》の妻のことを考えた。私はもう何年も何年も、寝たきりの妻の枕許《まくらもと》に日に一度は必ず坐って、妻の機嫌《きげん》のいい時には私が喋《しゃべ》り、機嫌の悪い時には私の方は黙って、いつ果てるともしれないその愚痴を聞かされるのだ。わたしはもう死んだ方がましだ、あなたはそうして蛇《へび》の生殺しみたいにわたしを見ていてさぞ満足なんでしょうね。あなたはうわべは親切そうで、善人ぶって、いつでも人には家内が可哀《かわい》そうでなどと言いながら、本心ではわたしが早く死ねばいいと思っているんでしょう。あなたは心の冷たい人だ。涙一滴こぼさない人だ。あの子が死んだ時だってあなたは涙一滴こぼさなかった。しかたがないじゃないか、また生れるさと冷淡におっしゃっただけだった。そんなことじゃない。あの子はあの子の命を持っていて、それを取り返すことは出来はしない。わたしはあの時、あなたは心の冷たい人だ、鬼のような人だ、どうしてこんな人と結婚なんかしたんだろうと思った。それなのにあなたは。そんな話はおやめ、そんな昔の話。何が昔なんです。わたしは今だってあの子のことを思い出しますよ。わたしの枕のそばで眠っていたあの子、可愛《かわい》い子、こうして毎日寝ているとあの子のことを考えないことはありませんよ。可哀そうなわたしの坊や。

昔のことで、何としても取り返すことは出来ない。しかしそうした過去の中に現に生き続けている人間もいる。妻のように。それはあきれるほど遠い昔のことで、名前をつける前に不幸にも死んでしまった私たちの初めての子供のことだ。それから美佐子が生れ、香代子が生れ、二十年の歳月が流れ、しかも妻にとって、あの幽《かす》かな声で泣いていた嬰児《えいじ》の面影は昨日のことのように鮮《あざや》かなのだ。そして私は心の冷たい人間で、それを思い出すことはないというのか。

苦しい、と女が呻《うめ》き、寝ついてしまったら帰ろうと思っていた私は、その声に驚いて、大丈夫か、と馬鹿の一つ覚えみたいに訊いてみたが、女は身をよじらせて、苦しい、助けて、と呻き続けた。どこが悪いんだ。どこが痛いんだ。誰か識《し》り合いはいないの。電話を掛けて来てあげよう、などと私は次々に訊いてみるが、女は首を横に振るばかりで、やっとのことで、病院へ、と呟いた。病院へ行きたいのか、よし来た、時に電話は、このアパートに電話はあるのかい。公衆電話へ行って。橋のそばにある。そして、管理人の小母《おば》さんに電話を聞かれるのは厭《いや》、と附け足した。橋はどっち。アパートを出て右、その右へ曲ったところ。それだけの言葉の間にも大粒の汗が額に浮んでいるから、タオルで拭いてやりながら、よし、それじゃこの雨だから救急車に来てもらおう、待っていなさい、と言って、レインコートを着込み、傘を手に持ってから、そうそうここの住所は、と振り返って訊いた。

表は相変らずの吹き降りで時刻はもう十時半を過ぎている。アパートの前の通りには人の往来もなく、風が大粒の雨を乗せてざざっと斜めに吹きつける。私は教わった通り右側へと道を辿《たど》りながら、こういう台風の夜に、こういう見知らぬ町で、行きずりの見知らぬ女のために、何ごとかを奉仕しようとしている自分を奇異なものに感じた。これが私なのだろうか。本来なら妻の側《そば》にあって、一緒にテレビを見るなり美佐子や香代子をまじえて話をするなりしながら、ひどい台風になったなあ、こんな晩に表にいる人は気の毒だとかなんとか言っているところなのだ。その私がズボンの裾《すそ》をぐしょぐしょに濡らし、靴の中まで気味の悪いほど湿らせて、公衆電話を探し求めて歩いているのだ。それは何のためなのか。

何のためなのか、と彼は呟いた。生きているのは何のためなのか。彼は自分が大人《おとな》しく個室に寝ていなければならないこと、絶対安静にしていなければ生命を保証しないと医者に言われていることを百も承知していながら、勝手に病舎を抜け出して、裏手の山の大きな椎《しい》の木の蔭に立っていた。夏の間、空気浴と称して患者たちが看護婦の引率のもとに一定の時間を過す林間の空地が、今はもう葉の落ちた木立を透して眼の下に眺められた。彼はその空地を見、それから眼を起して遠くの澄み切った空間に既に頂きに雪を戴《いただ》いている山脈の連なりを眺めた。すると多少は気持も霽《は》れて来るが、しかし執拗《しつよう》に、何のためなのか、というリフレインが彼の頭の中に響いていた。ああいう大学生が一番あぶないいんだ。ああやって物も言わず、飯も食わず、じっと考え込んでいるような奴《やつ》はきっと転向するんだ。そういう批評が、闘士と称せられる研究会の一先輩の言として彼の耳にも届いていた。ああいう度胸のない奴はきっと転向する。しかしそうじゃなかったんだ、と彼は心の中で叫び続けた。転向するもしないも、僕は思想なんてものを信じてはいなかったんだ。僕にとって思想であろうと、信仰であろうと、だいたい人間というものを、信じることなんか出来はしない。しかし僕は研究会に入会して同志と共にその思想に忠実でありたいと、いや、同志に対して忠実でありたいと、願っていた。そのことは信じてほしかった。だから僕は自分の肉体を虐《ぎやく》待《たい》することによって、それが転向したのと同じ結果になることを願っていたのだ。卑《ひ》怯《きよう》だったと君たちは言うだろう。卑怯にも何にも、僕がその思想をもともと信じていなかったのなら、君たちが僕を責めることは何もないじゃないか。一体何のためなのか。生きるということは何のためなのか。思想のためなのか。人類のためなのか。自分のためなのか。僕は思想も、人類も、自分も信じない。地球が滅びようと、労働者の天下が来ようと、僕にとってそれが何だというのだ。僕の身体が死んでしまえばそれで終りだ。幸いにして僕は喀《かっ》血《けつ》した。意志的に喀血した。僕は赦《ゆる》されて出た。監獄の代りに療養所が、思想の罰の代りに肉体の滅びが僕を待っていた。肉体の滅びが僕を待っている。それは何のためなのか。

彼は大声で、この冬の初めの荒涼とした療養所の裏手の山の中腹で、叫び出したかった。僕は自分の意志で肺病になった。僕は自分の意志で喀血した。僕は自分の意志で死んで行く。しかし僕は転向したんじゃないぞ、と。しかし遠くの山も、林も、林の間の空地も、樹々《きぎ》の蔭《かげ》に見え隠れする病舎も、しんとしたまま彼の心の叫びには答えなかった。雉子《きじ》が鋭く啼《な》き、彼の眼の前が雨に濡れたように潤《うる》んだ。

私は一一九番に掛けて救急車を呼んだ。病人なのです。ええそれが病気の名前はよく分りません、何しろ私はほんの係り合いの者で。どうやら身よりも何もないらしいのです。ええ盲腸らしいですね。何しろこんな晩で病院の在《あ》りかも知らないものですから。住所、ええと住所は。そして私は女が言った通りを思い出して伝え、申訳ありませんこんな台風の中を、と附け足した。私はそして苦笑した。申訳ありませんか。

私は再び女の枕許に坐《すわ》り、雨風の音に混ってサイレンの響きの聞えて来るのに耳を澄ませていた。女は相変らず苦しげに身をよじらせていた。いつもいつも私は妻の枕許に坐り、妻が眠っているのを、妻が私を見詰めているのを、妻が喋っているのを、見あきるほど見て来た。そして私は何かを待ち、妻もまた何かを待っていることを知っていた。時間は二人の間に、ただ待つという共通の流れをなして流れていた。しかしこの時、私の前にいるのは妻ではなかったし、私たちが共通に待っていたものはただの救急車にすぎなかった。そして昔は、私がもっと若くて、妻と結婚するその前には、私は何を待っていたのだろうと、何が私を待つと私は考えていたのだろうと、考えた。

やがて遠くからサイレンの響きが伝わり、私はアパートの玄関へ出て車の来るのを待ち受けた。救急車の係員は手早く、器用に、苦しんでいる女を運び出した。私は病院まで一緒に行き、そこでハイヤーを呼んでもらって自分の家へ帰った。それだけのことだ。台風の晩に私が偶然一人の女に会い、その病気の女を病院まで連れて行ったというだけのことだ。恐らく私は、私の主義の通りに、次の日にはもう忘れている筈だった。私はその女の顔さえもよく見たわけではなかったし、もう一度行って恩を着せようという気もなかった。

しかし次の日の晩、私は記憶を頼りに、その女の運び込まれた病院を訪《たず》ねた。女はカーテンで一つ一つの寝台を仕切られた大部屋の、端に近い二つ目の寝台に寝ていた。その隣の、奥の壁に近い方は空《から》っぽで、仕切りのカーテンは引いてあったから、私はその寝台の上に腰を下した。女は私の気配でそれまでつぶっていた眼を開き、暫《しばら》く私の顔をじっと眺め、そしてかすかに微笑した。昨日よりずっと顔色もよく元気そうに見えたが、それは若さが憔悴《しょうすい》を隠していたのだろう。どう、よくなったかね、と私は訊《き》き、盲腸だったら絶食なんだろうが、果物を少しばかり持って来たよ、と言った。済みませんでした。本当にありがとう。礼を言うほどのことはないさ。どうしたの、手術をしたのかい。女は答えずに、まじまじと私を見ていた。どうかしたのかね。女はぽつりと言った。でもわたしには分らない。分らない、何が。女は暫くしてからゆっくりと言った。なぜなの、なぜ小父さんはそんなにわたしに親切にしてくれるの。なぜだろう、と私はその時考えた。それは私にも分らないのだ。さあね、と私は言葉を濁した。女は若々しい真剣な眼附で、枕の上の頭をやや私の方に傾けたまま、信頼と疑惑との半ばずつ混り合った表情を続けていた。その時不意に私は無性《むしよう》に喋りたくなった。私の思い出したことは二つあったのだが、私はそのうちの一つをいつのまにか喋り出していた。いつの間にそのことを、その遥《はる》か昔のことを、思い出したのか、またそれをなぜこの若い病気の女に喋りたくなったのか、それは知らない。私は今までに一度もその話をしたことはなかった。一度も。誰にも。

これは私の友達から聞いた話だがね、君もそうやって寝ていて退屈そうだから一つその話をしよう。厭《いや》だったら聞かなくていいし、眠くなったら寝てしまってもいい。戦後何年か経《た》ってからのことだが、その男が商売の用事で山陰の方へ旅行をした。そっちの方へ行くのは初めてで、その用事を済ませたあと宿屋にいて、これから汽車に乗って帰ろうという真際《まぎわ》になって、彼はふと戦友の遺族がこの近くに住んでいる筈だということを思い出したのだ。その男は南方へ連れて行かれて、やっとのことで復員したのだが、彼が一番仲よくしていた戦友は、ジャングルの中を逃げ廻っているうちにマラリヤに罹《かか》り、とうとう死んでしまった。何しろ最後は二人きりになって、食うものもなくなるし、水もなくなるし、敵の眼を掠《かす》めて洞窟《どうくつ》の中に逃げ込んだまま、今日は見つかるか、明日は殺されるかとびくびくしていたんだな。私の友人の方は、戦友が死んだあと腑抜《ふぬ》けみたいになって、かえってそれが幸いして敵の捕虜になって、どうやら生還することが出来たわけさ。で、その死んだ戦友の方だが、この方は晩婚で、ごく若い奥さんがいた。私の友人の方は相当の老兵《ロートル》でね、奥さんもいれば子供もいたんだが、その戦友の方は新婚そうそうのところに赤紙が来たらしく、肌身《はだみ》離さず写真を持っていて、それをしょっちゅう見せびらかしていた。私の友人は、子供まである癖に、戦争だから死んでもしかたがないくらいの、つまり家族から見れば人情のない男だったんだが、その男の方は、寝ても覚《さ》めても新妻のことばかり惚《のろ》けて、己は絶対に生きて還《かえ》ると言っていたのに、皮肉なものだね、それが逆になった。私の友人は、生きていれば生きているで、いつのまにか戦友の奥さんのことも忘れていたのだが、ふと旅先の宿でそれを思い出すと、もう居ても立ってもいられない。地図で調べると決してそんなに近いわけじゃなく、そこから汽車で行って、下りてからバスがあるかどうかも分らないような小さな町なんだな。しかしとにかく出掛けて行った。

途中は省略するとして、目指す町に着いて、何しろその田舎町《いなかまち》のどこに住んでいるのか、姓と名前とを覚えているだけなんだが、旧家だということは分っていた。地主だとかいっても戦後は土地改革があったから、どんな暮らしをしているか。それよりも段々に心配になって来たのは、何しろ若い奥さんなのだから、良人《おっと》が戦死したと知って、後家さんを続けているかどうか分ったものじゃない。英霊の悲劇とかいって、国へ還ってみたら実の弟と結婚していたとか、自分の墓があったとか、あの頃よく新聞だねになったものさ。私の友人はそういうことを考えて、どうも心配になって来た。余計なところへ来てくれた、昔のことは忘れて今のひとと幸福に暮らしているんだからと追い返されるかもしれない。子供の二人や三人ぐらいはあるかもしれない。思案しながら町を歩いて、結局、その目指す家に辿《たど》り着いた。しかたがないから、決心して門をはいって行くと、玄関で声を掛けたそうだ。

町も古かったそうだが、その家も古かった。それが見るからに荒れ果てていて、築地《ついじ》なんかも壊《こわ》れている。秋ぐちだったが雑草が茂って手入もしていない。玄関の横手にある土蔵なんか白壁がまるで欠け落ちている。そこで何度も奥へ向かって声を掛けているうちに、狐《きつね》につままれたような、不思議な気持がして来たんだそうだ。するとやっとのことで、家の奥からおばあさんが一人出て来た。白髪の品のいいおばあさんで、丁寧に玄関で三指を突いて挨拶《あいさつ》をした。私の友人は少しへどもどしながら、私はお宅の何々君の戦争友達で、最期《さいご》を見届けた人間なのだが、復員した日から一度お訪ねしたいと思いながら、何ぶん東京に住んで忙しくしているものだから、今までその機を得ずに失礼してしまった、というようなことを申し述べたんだね。そのおばあさんは初めはびっくりして聞いていたが、ようこそ来て下さいました、わたくしはあの子の母でございます、と言って、涙一滴こぼさなかったそうだ。どうぞと座敷へ案内されたが、その広い座敷も不断は使わないと見えて黴《かび》くさい臭《にお》いが漂っている。他に人がいるのかどうか、おばあさんが自分でお茶を持って戻って来た。何しろしんとして、物音一つ聞えて来ない。これは例の奥さんはもうこの家にはいないのだな、おばあさんだけが残っているのだな、と私の友人は考えていた。するとおばあさんがこう言ったそうだ。お話もいろいろ伺いたいし、お線香もあげて頂きたい。しかしどうせなら嫁にも聞かせたい。うちは零落してお恥ずかしいところをお見せするが、どうか悪く思わないで頂きたい。それに如何《いか》にも見苦しいので、というような弁解を続けるので、ああ奥さんはまだこの家にいたのか、あれだけの恋女房で、あいつがいつも自慢にしていたのだから、出て行く筈もないのにとんだ疑いを掛けた、と思って、おばあさんの言うことなんか気にも留めず、案内されるままに薄暗い廊下を通って、居間らしいところへ通された。そこに奥さんが寝ていたんだ。

お線香を、とおばあさんに言われて、立派な仏壇がある、その前に坐ると正面に昔の友達の大きな写真が飾ってあった。若い頃のものだろう。ちっとも苦労のないような顔で、よく来てくれた、忘れずによく来てくれたと話し掛けて来る。私の友人は顔を合せるに忍びない気持だったそうだ。何しろ忘れていたのだからね。忘れなければ暮らせないような忙しい生活、というのは口実で、その男は寧《むし》ろ厭な思い出は忘れよう忘れようと努めていたんだね。厭なというより、悲惨な、苦しい思い出だったのだ。そして線香を上げて振り向くと、その奥さんが、おばあさんに助けられて、ようよう床の上に起き上っていた。やっとのことで上半身を起したという有様だった。その男は、戦地で附き合っていた間じゅう、しょっちゅう写真を見せられていたから、昔から美しい人だと知ってはいたが、長い病気らしくてすっかり瘦《や》せ衰えているものの、寂しげな、細そりした、人形のような整った顔立ちだったそうだ。それが何だか死顔のように見えたそうだ。よく来て下さいました、と言ったなり、はらはらと涙をこぼした。そして涙のたまった眼で、懐《なつか》しそうに、じっと私の友人の顔を見詰めていた。

私の友人は何も親切心からこの家を訪《たず》ねて行ったわけではない。忘れていたのを思い出して、謂《い》わば旅先の気紛《きまぐ》れから足を延ばしただけにすぎない。しかし相手にとっては、その奥さんにとってもおばあさんにとっても、その男が来てくれたのは大層意味のあったことに違いない。ぽつぽつと昔のことを話しながら、その男は辛《つら》くてしかたがなかったそうだ。本当は戦友の方が、つまりこの奥さんの亭主の方が、目出度《めでた》く復員して幸福に暮らすべきだった。そいつが還ってさえ来れば、この奥さんも丈夫だったかもしれないし、この家ももっとましな暮らし向きが立っていただろう。しかし私の友人の方は、生きていても死んでいても同じような、つまり魂の抜け殻みたいな奴で、家族に対しては無関心で愛情らしいものも持ってはいなかったのだ。どうしてそういうふうに、人の運というのはあべこべになるんだか。

　私は次第に喋るのに疲れ、次第に声をひそめ、そして寝台の上の女が眼をつぶったままどうやら眠っているのに気がついた。こんな面白くもない話を、若い娘が悦《よろこ》んで聞く筈《はず》もない。まして向うは病人だし、私は私の非常識さを自分で嗤《わら》った。私自身にとっても、この話を思い出したからといって、どうなるものでもないだろう。しかし私はそのあとも暫《しばら》く、女の隣の空っぽの寝台の上に腰を下したまま、人の運ということを考えていた。私の妻が病気で倒れたのは、私が戦友の妻を山陰の片田舎に訪ねた数年後のことだ。私は驚き、慌《あわ》てふためき、妻のためにあらゆる看護をし、知る限りの名医を呼んだ。しかし妻はそのあとどうしても回復せず床に就《つ》いたきりになってしまった。そういうのを天が私に下した罰というのだろう。いや、もしも罰があるのなららそれは私に下さるべきだったのに、代りに妻がそれを受けたとしか思われなかった。

私は罪を感じ、それまでとは打って変って妻のために、そして二人の娘のために、生きようと決心した。魂の抜け殻がもう一度魂を求めたのだ。しかし今になって考えれば、私の魂はとうに死んでいた。死んだ魂に息を吹き込むことは出来なかった。

私はそっと立ち上り、眠っている女の顔をもう一度見て、廊下へ出た。それは旧式な建物のままの汚ならしい病院で、廊下には人影もなく、くたびれた長椅子《ながいす》がしみだらけの壁に沿って並んでいた。私は受附に行き、そこにいた女事務員に、女の名前を告げて病名を訊《き》いた。中年の事務員はカードをめくって暫く調べていたが、ああこの人は流産したんです、と事もなく言った。若いから直に癒《なお》ります。

私はそのまま病院を出てもよかったのだが、もう一度廊下の片側にある長椅子のところに戻り、煙草《たばこ》に火を点《つ》けた。向かいの窓が明いていて、台風のあとのすっかり秋めいた涼しい風が吹き込んでいた。煙草の吸殻でいっぱいになった灰皿が、長い筒の上に載っているのを側《そば》に引き寄せ、時々、せわしげに白衣の看護婦が私の前を駈《か》け抜けて行くのを、殆《ほとん》ど注意もせずに見ながら、煙草をくゆらせていた。灰皿まで私が手を持って行く前に、煙草の灰がぽたりと落ちた。

私と妻との間が普通の夫婦のようではなくなったのは、私たちの初めての子供が、生れてすぐに死んだことがその最初の躓《つまず》きだったのだろう。私はそのことを思い出していた。私が思い出すまいとしたが妻が絶えず思い出していること、常に二人の間に河のように横たわっているのはそれだった。名前もなくて死に、「抱影童子」という小さな墓がある。しかし世の中には、墓もなくて、中有《ちゅうう》に漂っている幼い魂も数多くあるのだ。

妻は泣き私は泣かなかった。その頃の私は若くて癇癪《かんしゃく》持ちだったから、うるさい、いい加減に諦《あきら》めろ、と怒鳴ったこともある。しかしそれだけが理由だったのだろうか。つまり私が、子供を亡《な》くした母親の気持というものに無理解で、非人情で、野蛮だったということなのか。私は恐れていたのだ。もともと子供が出来ることに対して、それも気の進まぬ結婚をした相手との間に子供が出来ることに対して、理由のない恐れを持ち、その子が死んだことに、ひょっとしたらほっとした思いと当然の報いであるような思いとを半々に感じていたのかもしれない。またそこには、もっと根の深い恐れがあったのかもしれない。

子供の頃、私は東北の山国の或《あ》る田舎で育った。私はそこから小学校へ入学する以前に東京の遠縁の家に養子に来た。その後この田舎の実家は衰微して父母は夙《はや》く亡くなったし、一家は離散したようである。兄や姉も多かったのだが、生きているか死んでいるか、要するに私が故郷を離れてから後の消息は私の耳には届かなかったし、私もまた実家に関係のあることは聞きたいとも思わなかった。これもまた私が人情を解しないことの証拠とも言うべきなのか。ただ時々、色の褪《さ》めてしまった古い写真のように、薄ぼんやりした情景が、幾つか、私の意志とは無関係に浮んで来る。

或る夜、私は夜中に目を覚まし、隣の部屋から洩《も》れて来る話声にふと気を取られた。同じ部屋に蒲団を並べて寝ている同胞《はらから》たちの寝息がすやすやと、時には歯軋《はぎし》りや寝言を混えて、私の耳に響いていたのだから、襖《ふすま》の隙間《すきま》から乏しい光線と共に洩れて来る声を正確に聴きとることは難《むずか》しかった。それに私は幼かったし、もしも私の名前がちょうどその時呟《つぶや》かれなかったなら、すぐにもまた寝入ってしまった筈だ。私の名前、それにあの時も、という何やら昔の話。困ったねえ、という母の嘆息。父の声の方は低くて聴き取れなかった。そして不意に、やや甲高《かんだか》い母の声で、いっそ河に流して、と言うのが聞えた。その河という一言で私はぞっとする程怖《こわ》くなった。何だかは知らないが、それは私にぼんやりとした不気味なものを感じさせた。いや、私は既にその不気味なものの正体に朧《おぼろ》げながら気がついていた。

私の家から少し離れたところに河が流れていた。小さな頃の眼で見ていたからよほど大きな河だったような気もするが実際はたいしたことはなかったのかもしれない。子供たちは夏の間よくそこで泳いだり釣をしたりして遊んだ。しかし秋から冬にかけては人けもなく枯れ枯れとし、冬が終って山の雪が融《と》け出すと水嵩《みずかさ》が増して凄《すさ》まじい河音を響かせた。そして勝手に河の畔《ほとり》へ行くことは子供たちには固く禁じられていた。しかし悪戯《いたずら》好きの子供等は、こっそりと鳥の巣などを探《さが》しに出掛けたものだ。私よりも少し年上の、腕白者の早熟な子が私を引き廻していたが、或る時、そうなんでも柳の芽吹《めぶ》く頃だったか、河の土堤《どて》の上で、この河にはえなが流れて来る、と私に教えてくれた。えなって何か、と私は訊いた。その子もよくは知らなかった筈だが、その言葉の中には何か恐ろしいことがいっぱい詰っている感じだった。そして私は、その恐ろしさを理解した。幼い子供が、不正確なだけに一層誇張して恐ろしく感じるような具合に、それを理解した。えなの流れて来る河。私はそれから決して河のそばへ行こうともしなかった。河を見ることが、或いは河を流れて来る何物かを見ることが、途方もなく恐ろしかった。思えば生きていることが罪であるような感じは、もうその頃から、私の心の奥深いところで疼《うず》いていたのだ。

私は病院の長椅子に腰を掛け、煙草を三四本ほど喫《の》み、そうした昔のことをぼんやりと思い出していた。無益なことだ。私はいさぎよく立ち上り、手にした煙草を灰皿の中に投げ込み、病院を立ち去った。

三日ばかり後に、私はまたその病院へ行った。何のために行くのか。決してその女に惹《ひ》かされていたわけではない。ただ私はどうせ家へ帰っても妻や娘たちの顔を見るだけだし、そうかといって人並に遊ぶことも知らず、何となくまた足を運んだとしか言いようがない。女は既に元気になっていて、寝台の上に坐《すわ》って小さな鏡で顔を見ていたが、私がカーテンを開いてはいって行くと嬉《うれ》しそうに微笑した。わたし痩せたかしら、と言ってから、そうそう小父《おじ》さんは前のわたしを知らないんだから、と独《ひと》り言のように附け足した。この前私の腰を下した奥の寝台は患者がはいったらしくてカーテンが下《さが》っていた。私が立ったままでいると、女は自分の寝ている寝台の足許《あしもと》に私を掛けさせた。ありがとうございました、と小娘のように首をひょこんと下げた。

よくなったらしいね、と私も微笑した。お蔭《かげ》さまで。わたしもう死ぬんじゃないかと思ったわ。君みたいな若い人はそう簡単には死なないさ。そうかしら、でもわたし、死のうと思ったことが何度もあるのよ。女は無造作にそう呟き、鈍痛のようなものが再び私の胸を圧迫した。寝ていた方がいいよ、と私は言い、女は大人しく横になったから、私は病院の薄い蒲団《ふとん》を胸の上に掛けてやると、再びその横の方に腰を下した。君は身よりの人はいないのかい。誰か見舞に来てくれたかね、と私は訊いた。女は黙ったまま首を横に振った。そして反対に私に尋ねた。この前の小父さんの話、あのお友達というのは小父さんのことでしょう。どうして。だってあれは小父さんのことよ、そんなことぐらいわたしにだって分る。君は眠っていたじゃないか、君が眠ったから私は黙って帰った。いいえ起きていたわ、起きて眼をつぶっていた。泣くまいと思って、我慢して、それで眼をつぶっていたのよ。

私はびっくりし、私の話が悲しかったかね、と訊いた。女は答えなかった。果物でも食べようか、と手持無沙汰《ぶさた》に言うと、私は用意して来たマスカットの箱を明け、その一房《ひとふさ》を女の手に渡した。これは洗わなくても食べられるから。女は不思議そうな顔をし、わたしこんな葡萄《ぶどう》は食べたことがない、と言った。私はその一粒を取って皮を剝《む》いて食べて見せた。女は私の真似《まね》をしながら、これ高いの、と訊いた。私が答えないでいると、わたしの方のくにには葡萄なんかない、と言った。何処《どこ》だい、君のくには。日本海の方よ、これおいしいわね。そして私は女が如何にもうまそうに葡萄の汁を滴《したた》らせながら貪《むさぼ》り食っているのを、或る種の感動を以《もっ》て見ていた。

彼は寝台に仰向けに寝ていて、その若い看護婦は側に立ったまま彼を見下していた。どうしてそんなに何も食べないんですの、と彼女はやさしく訊いた。僕は食べたくないんだ、放っといて下さい。いけないわ、と彼女は歌うような声で言い、お食事をあがらなければよくなりませんわよ、とたしなめた。僕はよくならなくてもいいんです、僕は何も来たくてこんなところに来たわけじゃない。死んだってもともとなんだ。僕の友達は大勢まだ監獄にいるんです。

その看護婦はぱっちりした大きな眼で彼を見詰めた。その眼は美しかった。その若々しい顔立ちの中で、その眼だけがとびきり美しかった。彼はその涼しい眼と長く視線を合せていることが出来なかった。彼女は彼の言ったことに取り合おうとはせず、お食事が厭《いや》なら果物でもおあがりなさい、と言った。個室の隅《すみ》に、蜜柑《みかん》の木箱がまだ釘《くぎ》附けのまま置いてあった。蜜柑なんて珍しいわ、この辺じゃ採れないんですもの、貴重品よ。あの箱を明けてあげるからおあがりなさい。あれは折角おうちから送って来たものでしょう、食べなければ罰が当りますわ。君も食べますか、と彼は訊《き》いた。看護婦は微笑し、金槌《かなづち》か釘抜きが看護室にあった筈だけど、と独り言を言うと部屋から出て行った。そして彼は、もう生きることに何の執着もなくいつ死んでもいい筈だった自分の関心が、この一人の若い看護婦の戻って来ることに集注しているのを、ふと不思議に感じた。戻って来るまでの時間はひどく長く感じられた。そして彼女は道具を手にして小走りに部屋へはいって来ると、待ったでしょう、なかなか見つからなかったのよ、とややぞんざいな口を利《き》いた。彼は寝台の上から首を横に向けて、看護婦が器用な手附きで木箱の蓋《ふた》を外《はず》すのを見ていた。なかなかうまいんだね、と彼は言った。田舎育ちですもの、力はあるのよ。田舎って何処。日本海の方、さみしいところよ、と彼女は動作を続けながら答えた。蓋が開くと彼女は歓声をあげ、大粒の蜜柑を三つばかり両方の掌に載せて彼の枕《まくら》のそばへ運んだ。それは新鮮な香気を漂わせながら、彼の顔のすぐ前に転《ころが》った。剝いてあげましょうか。うん、と彼は答え、彼女が細い指の先で蜜柑の皮を剝いて行くのを一種の期待と共に眺《なが》めていた。彼はいつのまにか自分がごく素直になっているような気がした。君の名前は何て言うんだっけ、と彼は蜜柑を一房ずつ口へ入れながら訊いた。彼女は姓を答えた。いや、名前の方だよ。その看護婦は急にはにかみ、君、君、君もおあがりよ、と彼が呼びとめたにも拘《かかわ》らず、また小走りに部屋を出て行った。

小父さんはまた何か考えていたの、と女が訊き、私は自分がぼんやりしていて、相手が何か物問いたげな視線で私を見詰めていたことに気がついた。おいしかったかい、と私は訊いた。女は子供のように合点して見せ、わたしはもうじきここを退院させられるんだけど、わたしのアパートに来てくれる、と訊いた。そうだね、と私はためらった。ぜひ来てよ。しかしね、私はただ君が病気だから見舞に来ているだけなんだよ。君がよくなればこの上行く筋もないだろう。そんなことはないわ、と女はむきになって答えた。筋とか何とか言うことじゃないわ。誰だって病気の人間には親切にするさ。いいえ、そうじゃない。世の中には不親切な人はいっぱいいるわ。小父さんはわたしが病気だから親切にしてくれるんじゃなくて、御自分が寂しい人だから、わたしみたいな寂しそうな女を見ると親切にしなくちゃ気がすまないのよ。そうよ、わたしだって寂しい、寂しくて寂しくて死んじまいたいことだってあったわ。だから来てよ。ね、いいでしょう、約束して。そして私は約束した。誰が今まで私のことを寂しい人だなどと言ったろう。大の男をつかまえて、やっと二十ぐらいの娘が寂しい人だなどと言うことがあるものだろうか。それは女の持つ本能的な策略かもしれなかった。現にその女は、私が帰ると言った時に、わたしこの病院のお勘定が払えないんだけど、と言った。格別気まりの悪そうな顔もしていなかった。私は救急病院の入院費がどの位のものなのか知らなかったけれども、札入から相当以上の金額を出して女に渡した。いいとも、これで払いなさい。女は無邪気に悦《よろこ》び、助かったわ、と言い、紙幣を枕の下にしまった。そして私はそこを出た。女に金をやったことよりも、女から寂しい人だと言われたことが私の頭の中にこびりついて離れなかった。

　私はどういう人間なのだろうか。他人からどのように見られているのだろうか。会社にいる時には、どうやら私は怖《こわ》い人間らしかった。格別社員を怒鳴ったりやかましい小言を言ったりした覚えはあまりないと思うのだが、じっと見詰めていたり、いつまでも黙っていたりすることが多いので、つい相手に一種の威圧を与えるらしかった。

友人たちには融通の利《き》かない堅物《かたぶつ》だと思われていた。それにもう気心の知れた、何でも腹蔵なく話せるような友人は私にはなかった。附き合いでバアや待合などに行くこともあるが、そういう場所では、誰も手をつけない前菜のようにそこに置かれているというだけで、女たちをからかうことも、女たちにからかわれることもなく、ただ金払いのいい客というにすぎなかった。家庭では私は、妻にとっては身勝手な人、いい気な人、冷たい人であり、娘たちにとっては一家の象徴というだけの存在だった。美佐子は辛辣《しんらつ》に私を批評して、御自分のことがどうでもいいように、他人のこともどうでもいい人だ、と言った。そうかもしれない。この上の娘は、母親が倒れていたために、高等学校を出たあとは母親代りに家事を見ていた。それが彼女に一種のひがみ根性を起させていたのかもしれない。下の香代子は大学に通って、個人の生活を享受《きょうじゅ》し、ボーイフレンドを次々に取り替えながら、家庭の空気と遊離して愉《たの》しげに毎日を送っていたから、私がお小遣《こづか》いを惜しみなく与えている限り文句は言わなかった。しかし美佐子は家庭そのものであり、母親の味方であり、従ってまた私に対しても手厳《てきび》しかった。家の中に閉じ籠《こも》っているために、次第に婚期を逸しかけていることも、美佐子が苛々《いらいら》している原因なのかもしれない。そして私は、美佐子の結婚なんかどうでもいいと考えている人間だと彼女は言い、たまに私がいい候補者を見つけて来ても何とかかんとかけちをつけて断った。それは美佐子が嫁に行ってしまえば我が家が立ち行かなくなることを、自分でも知っていたからだろう。妻はそれに気がつかず、寝たきりでもお手伝いさんを上手に使えばやって行けるつもりで、パパは冷たい人だから娘のためを思わない、しかるべき相手を心がけていないと私を責めた。私にしてみれば、美佐子を嫁にやることも難《むずか》しかったし、またこんな家庭に婿《むこ》養子に来てくれる青年を見つけることも難しかった。しかしそれは口実で、本当は私が、妻の言う通り、心の冷たい人間であったせいかもしれない。人は他人の見るようにしか見られないし、他人によって見られることの総和が、つまりその人間の存在そのものであるのかもしれない。私は格別異を立てるつもりはない。

数日後、会社が引けてから私は病院に電話して例の女が既に退院したことを知った。そして私は台風の晩の記憶と住所とを頼りにアパートを訪ねて行った。電車通りから外れると、私はいつか道に迷って路地をうろうろし、これも興あることに思って、自動車の通れそうにもないこの静かな下町の一角を右に曲ったり左に曲ったりしながら、やがて川に突き当った。川に沿ってやはり狭い道が片側に通じ、私はそこから左右を見廻して少し先に小さな橋と、そのほとりに侘《わ》びしく点《つ》いている街燈とを認めた。よく晴れた、月の明るい晩で、ちょうど私の正面の川の向うに、川の方に身を屈《かが》めるようにモルタル二階建てのアパート風の建物があり、一つ二つの窓を暗く残して他の窓は灯影を水に映していた。それと並んで古びた二階家や倉庫らしい建物などが、川すれすれに並んで黒い幕のように連なり、その屋根の上の空に書割のような半月が浮んでいたから、水の上は暗くて流れを確かめることは出来なかった。しかし私は向う側のアパートらしい建物が多分目当てのところだろうと見当をつけた。二階のどの窓がそれなのかと考えた。急ぐこともないので、私はそこに佇《たたず》んだまま、暫《しばら》くぼんやり立っていた。川の泥くさい臭《にお》いが立ち罩《こ》め、それは決して気分のいいものではなかったが、涼しい風が時々払うように吹き過ぎていた。向う側の灯のついた窓の中で人影が時々動いた。

そして私はその時また、子供の頃のあの河のことを思い出した。えなの流れて来る河。えなばかりではなく、恐らくは幼い命が、それも命という形を取る前に、流されたかもしれない河。ひょっとしたら私も亦《また》、生れる前に、或《あ》いは生れた後に、流されたかもしれない河。そういうことは妄想《もうそう》にすぎず、どんな子沢山の農家であってもそんな酷《むご》たらしいことはしなかっただろうと理性が教えても、私はその妄想を振り払うことが出来なかった。幼い子供の頃から、私は夜の闇《やみ》を恐れるように河を恐れていた。しかしその河は、冬には見渡すかぎり河べりの枯蘆《かれあし》が凍りつき、春さきには山の雪が融《と》けて轟々《ごうごう》という気味の悪い河音を響かせたものの、遅い春が来れば河原には小鳥が啼《な》き、夏は子供たちが裸になって水遊びをするような、愉しい思い出をいっぱいに詰め込んでいたのだ。それは私が田舎の実家で暮らしていた頃の、最も明るい記憶を形づくっていた。そして私は、それがえなの流れて来る河だと幼な友達に教えられたことを、ふと思い出すまでは、もう長いこと忘れていた筈《はず》だった。今さら思い出したとて何になろう。人は無益につまらぬ記憶を探り出すものだ。私は川に沿ったその片側道を橋の方へ歩いて行き、橋を渡ってそこにこの前の晩、私が一一九番に掛けた筈の公衆電話を見つけ出した。アパートへの道はすぐに分った。

女は夕食の後片附けもせずにつくねんと卓袱《ちやぶ》台《だい》に凭《もた》れていたらしい。私が行くとまごまごして、困ったわ、散らかしっ放しで、と言いながら素早く片附け始めたが、私はそれを見ながら、この貧しい夕餉《ゆうげ》に向かっていた女が田舎育ちで、それも田舎から出て来てまだ間もないような感じを受け取った。それに部屋は如何《いか》にも借り物然として、自分の住いらしい落著《おちつ》いた感じに乏しく、女らしい情緒にも乏しかった。しかし私は落著いた。不思議なほどアト・ホームな気持になった。私は女のすすめてくれた赤い座蒲団に胡座《あぐら》を搔《か》き、部屋の中を見廻し、それから女の顔をしげしげと見た。女は如何にも若々しくて、容貌《ようぼう》にも挙措にもまだあどけないところが残っていた。わたしくさくさするから今日パーマ屋に行って来たのよ、と頭に手をやりながら女は言った。うん綺麗《きれい》になったね。もう起きていても大丈夫なのかい。ええ平気よ。女は格別恥ずかしそうな様子も見せず、入口にあるガス台の上から薬罐《やかん》を持って来るとお茶を入れ始めた。私はまだ君のことをよく知らないんだが、どうして暮らしているの、と私は訊いた。暮らしって。つまり勤めとかなんとか。ああそのこと、と頷《うなず》くと首を少し傾《かし》げて、わたしちっぽけなバアに勤めていたの。今でもかい。そこはもうやめちゃった。また見つけるわ。小父さんどこかいいとこ紹介してくれない。私は苦笑したが、この女が自分のことをあまり話したがらない以上に、私のことについて、つまり私の勤めとか私の家庭とかについて、少しも訊こうともしないのが不思議でならなかった。どういう気持なのだろう。私の方は好奇心が強かったから、女の口をほぐそうと努めた。そして女はぽつぽつと話し始めた。それは簡単なもので、要するにこの女は田舎の町の雑貨屋の娘だったが、ちょうどロケーションに来ていた下っぱの映画俳優と識《し》り合いになった。君ぐらいの美人なら直に映画女優になれるよと男にすすめられ、またもともと田舎の町にくすぶっているのは厭《いや》でたまらなかったから、何とかなるつもりで男の言うままに東京に出て来た。初めのうちは男は親切にしてくれたが、そのうちに訪《たず》ねて行ってもなかなか逢《あ》ってくれない。忙しい忙しいと言っているから無理もないんだけど、と女は言った。月並な話だ。世の中には月並な話があまりに多すぎるのだ。それは君が騙《だま》されているんだろうと言いそうになって、私は口を噤《つぐ》んだ。その代り、君はその男が好きなのかい、と私は訊いた。ええ好きよ。それは好男子よ。でもプレイボーイっていうのかしら、頼りにならない人。私はその女の言いかたに、一体この女は無邪気なのか、それとも有邪気、とこんな言葉があるかどうか知らないが、有邪気なのかと疑った。どんなふうに好男子なんだ、とひやかし半分に私は訊いた。だってスターなのよ。でもわたし、その人がスターだから好きになったんじゃない。親切な人なんだもの。親切な人って少いわ、小父さんは別だけど。で、君はその男が好きなんだね、と私は繰返した。ええ死んでもいいくらい、と女は眼を見張って言った。その言いかたの微妙なアクセントと共に、重苦しいものがいつのまにか私の内部にひろがって行った。

彼は紅葉し始めている林の中を歩きながら、隣を歩いている彼女の細《ほっ》そりとした脚《あし》が軽快に登りの道を辿《たど》って行くのを、おくれまいとしてつい息を切らせた。大丈夫、と彼女は訊き、大丈夫さ、と彼は答えた。わたしたち、もうこうやって散歩することも出来なくなるのね、と彼女は言ってそこに立ち止ると、しずかに彼の方を見た。そこは療養所の裏手に当る丘の中腹で、去年の今頃は、鬱屈《うっくつ》した気持が高ぶりどうしようもなくなると、彼は勝手に一人で病室を抜け出し、このあたりを徘徊《はいかい》したものだ。そんなことはないよ。きっと迎えに来るって約束したじゃないか。もう一年半も経《た》っているのね、と彼女は言い、坐《すわ》りましょう、と草の上に先に坐って彼を誘った。不思議なようだな、生きてるってことは、と彼は言った。彼は隣にいる彼女の片手を取り、それを自分の両方の掌の中であたため、また冬になるなあ、と言った。でもあなたはもう今年の冬はここにはいないのよ、東京へ帰るんですもの。本当は僕は帰りたくはないんだよ。帰って親父《おやじ》とかおふくろとかに会うのは苦痛だな。昔の仲間にだって会うだろうし。あなたは立派なところのかただもの、早くよくなって偉い人になるのが当り前なのよ。偉い人か、僕は偉い人になんかなりたいと思ったことはない。僕はただすべての人が平等でありたい、皆が幸福でありたいと望んだだけなんだ。主義も何もありはしない、ごく素朴なものさ。それでもやっぱりそういうふうなことを言ったり、運動をしたりすることは許されちゃいないんだ。そういう国なんだ。偉い人か。そう言って彼は嘆息した。御免なさい、わたしあなたの気を悪くする気はなかったのに。ちっとも気を悪くなんかしてないさ。僕はただ平凡に生きて行ければいい。今の望みはそれだけだ。君と結婚したって、僕は偉い人になんかなれそうもないよ、君だって立派な奥さんにはなれないよ。平凡に暮らすだけだよ。それでもいいかい、と彼は訊き、彼女は取られた手を引込めて、わたしは結婚なんか出来なくてもいいの、そんなことを望んでいるわけじゃないの、と小さな声で言った。わたしはただあなたと別れて、あなたが行ってしまうのが怖《こわ》いだけなのよ。だから僕はきっと迎えに来るよ。親父に頼んで、おふくろを口説き落して、どうしても君と一緒でなければ暮らして行く自信がないって言うよ。彼は熱っぽくそう叫んだが、その時、彼は一点の疚《やま》しいところもなく、心から、心底《しんそこ》から、そのつもりでいた。でもねえ、と彼女は首をうなだれ、足許《あしもと》の雑草をちぎりながら、ささやくように言った。でもきっと無理よ。わたしは田舎者だし、こんな療養所の看護婦だし、あなたは大学まで行ってる偉い人なんだもの。また偉い人かい、そんなのよし給《たま》え。それに僕は大学は退学になっちまったんだ。人はみんな平等なんだ、職業に上とか下とかありはしない。親父だってきっと承知するさ。僕はきっと承知させるよ。でもねえ、と彼女は繰返した。お父さまやお母さまはあなたの本当のお父さまやお母さまじゃないんでしょう。だからそんなに簡単に行く筈もないし、それに簡単に行ったって、わたしとじゃ釣合わないわ。だいたいおかしいわ、わたしがあなたのお嫁さんになるなんて。そう言うと、彼女はぱっと赧《あか》くなった。火がついたように赧くなって、膝《ひざ》の上に顔を埋めてしまった。でも僕は君が好きなんだよ、と彼は熱心に言った。君がいなかったら僕はきっと死んでいたんだ。

僕は生きていてよかったとつくづく思う。あんなに僕が消耗していたんだから、こんなに元気になった僕を見たら親父やおふくろだってきっと悦《よろこ》ぶさ。これもみんな君のお蔭さ。これからだって、僕は君なしじゃ暮らせないんだ。そして彼女は顔を起し、真顔で、まるで彼女の前にいるのが何か神聖なものででもあるかのように、彼に向かって言った。わたしもあなたが好き。あなたがいなくなったらわたしきっと死ぬわ。

アパートの中は静かで隣室から聞えて来るラジオの音も、そうやかましいという程ではなかった。私は女の入れてくれた番茶を飲み、お土産《みやげ》に持って来た洋菓子を二人で食べた。わたしのところには何もないのよ、と女は言った。こういう時にはお紅茶ぐらい入れられるようにしたいわね。それで君は寂しくないのかい、と私は訊《き》いた。そうねえ、今はそんなに寂しくなんかないわ、それにお勤めに行ってた頃はここはただ寝るだけだったし。君のそのいい人とやらはここへは来ないの。来ない、逢う時は表で逢ったりホテルへ行ったり。女は無邪気な表情をしていて、実際少しも寂しそうではなかった。わたし少し疲れたから、ちょっと横になってもいい、と女が尋ねたから、私は、もうそろそろ帰ろう、と言った。まだお話をして行って。わたし今日はずっと起きていたからふらふらするのよ。私は決心が著《つ》かず、腕時計を見、それから風が吹くたびに裾《すそ》がひらひらしているカーテンのところへ行き、その間から窓の外を覗《のぞ》いてみた。窓には木づくりの小さな出っ張りが手摺《てすり》を伴っていていて、下を見下すと、同じ一階の張出しに室内の火に照らされて植木鉢《うえきばち》が二つほど見え、その真下は川になっていた。川幅の狭いこの川の向う側は、先程私が佇《たたず》んでいた筈の片側道で、そこには月明りが射《さ》していたが、川は暗く澱《よど》んで、水が流れているようではなかった。それはただ深く抉《えぐ》られた地の底のように見えた。そこには人間のさまざまの過去の回想が悔恨と執念とを籠《こ》めて蠢《うごめ》いているように見えた。

私はそのあと幾回かその女のアパートへ通ったが、振り返ってみるとそれが夢であったのか現《うつつ》であったのか定かではないような気がする。その部屋の窓はいつしか鎖《とざ》されがちになり、部屋の中は窓を締め切っても秋の気配が忍び入って時には窓の手摺に虫が来て鳴いていたし、まだ夕暮の頃に窓を開くと、掘割の上に夕焼の空が、子供の頃田舎で見たあの輝かしい日没と較《くら》べれば貧弱なほど色褪《あ》せてはいたが、それでも華《はな》やかに空の影を映していた。そしてその川は澱んだまま流れず、次第に水の腐って行く掘割であることが私に分った。女は灯を消し、部屋の中は侘《わ》びしいなりに一種のなまめかしい空気に包まれ、鎖された窓に掛った薄手のカーテンを通して都会の夜のぼんやりした明るみが、近くの通りの電車や自動車の音をくぐもり声に響かせながら、蒲団の上に射し込んでいた。小父《おじ》さんは親切な優しい人だし、わたしには何のお礼のしようもない、と女は言った。わたしは本当を言うと、怒っちゃ厭よ、小父さんが可哀《かわい》そうなのよ。小父さんはきっと何か苦しいことや厭なことがあって、それを我慢して、自分のやさしさを無理に殺しているようなとこがあるんだわ。でもひとが病気だったり苦しんでいたりすれば、放っておくことの出来ないような性分なのだとわたしは思うけど。わたし小父さんのそういうとこがとても好きよ。わたしには小父さんのことを訊いてみようという気もないし、訊いてみてそれが分ったところで何ともならない。でも、もしも小父さんが可哀そうな人なら、わたしにだって少しはしてあげられることもあると思うのよ。そうでしょう。なぜ小父さんがわたしにあんなに親切にしてくれたのか、それは誰にでもそうっていうんじゃなくて、何か特別なわけがあったんだろうと思うけど、それでも小父さんが根が人のいいことには間違いないし、わたしをどうとかしようという気じゃなかったことも、勿論《もちろん》わたしにはよく分ってる。だからわたしだって甘えていられるし、こうして甘えているのがとても愉《たの》しい。わたし田舎の家にいた頃ちっとも幸せじゃなかったし、あの人が親切に一緒に来ないかと言ってくれた時は天へも昇るような気がした。あの人はとてもいい人だから、わたしは今でも大好きだし、呼ばれればすぐにでも飛んで行くわ。でも小父さんも好きなのよ。別の意味で、あの人とは違ったふうに、わたし小父さんが大好き。小父さんだってわたしのこと嫌《きら》いじゃないでしょう。だったら小父さんだってわたしのことを好きになって。

彼は怯《お》ず怯《お》ずと彼女の身体《からだ》を抱き締めていたが、彼女の方がそうなるとずっと大胆で、天窓を洩《も》れて来る光線がこの広い部屋の暗闇を眼が馴《な》れるにつれて少しずつ浸蝕し、仄《ほの》かな半影に物の存在を浮び上らせて行く間に、驚くほど白いその皮膚を彼の手の下で狂ったように痙攣《けいれん》させた。部屋の中の黴《かび》くさいような臭いも今では彼女の肌《はだ》の甘酸《あまず》っぱい香気に消され、暖かい皮膚の上に散りかかった冷たい髪の感触の上に彼の指が絡《から》むたびに、彼にとってそれはもう夢でも現でもないまったく未経験の深淵《しんえん》に二人して沈んで行くような気がした。その底には多少の悔恨を籠めた有頂天の歓喜があり、彼の嘗《かつ》て知らなかった魂のとろけるような静けさがあった。ここでなら生きられる、と彼は思った。ここでなら死なれる。生きることも死ぬことも、ここでならまったく一つになる。そして彼女はやさしく、時々は激《げき》したように、叫び、ささやき、語り、呟《つぶや》き、そして黙した。或る時は彼に向かって、或る時は自分自身に向かって語るように、心の中の想《おも》いを打明けた。いいの、これでいいの、だってわたしはあなたが好きなんですもの、好き、好き、死んでもいいくらい好き、あなただってわたしが嫌いじゃないんでしょう、だったら好きになって、好きと言って、もっともっと好きだと言って、あとのことなんかどうなったっていい、そんなことわたし知らない、でも今はこれでいいの、こうしていればわたしは死ぬほど幸せだし、こんなに幸せだったことは今までに一度もなかったわ、嬉《うれ》しい、嬉しいの、あなたには分らない、わたしが今どんなに幸福なのか、どんなにあなたのことが好きで好きでたまらないか、あなたもそうね、そう言って、わたしみたいなものでも嫌いじゃないってそう言って、本当に、本当に。

確かに彼の耳の中に、その、本当に、本当に、と言い続けた彼女の言葉が、その喘《あえ》ぎ、その息遣《いきづか》い、その吐息と共に、いつまでも響いていた。その柔かい肌の感触が古い蚕室《さんしつ》に沁《し》みついた厭な臭《にお》いとまじり、一種の田舎くさいエクゾチックな感じとなって彼の欲望を唆《そそ》った。しかし彼には都会的な冒険といったような経験は皆無で、彼も亦《また》その時真実彼女を愛していて、この瞬間に死ぬことが出来たならどんなにか幸福だろうと考えていたのだ。ただ、彼女を抱いていることが、自分が今も尚《なお》生きていることとの証拠ではあるまいか、その生き残っていることの後ろめたさが欲望にまじっている故《ゆえ》にこの経験が譬《たと》えようもない快楽として感じられているのではないか、という自覚が、徐々に、官能がまだ全身をけだるく包んでいるにも拘《かかわ》らず、極《きわ》めて徐々に、彼の頭脳の中に忍び入って、この夢のような現《うつつ》のような境界に、天窓から細かい塵《ちり》の浮《ふ》游《ゆう》しているのを照らし出しながら洩れて来る一筋の光線のように、射し込んだ。それがインテリの分析癖という奴《やつ》だ。ああいう大学生が一番あぶないんだ。我々の運動には懐疑とか逡巡《しゅんじゅん》とかいう奴は絶対に許されないんだ。その声が、彼女のやさしい声と重なって、どこか深いところで空洞《くうどう》の中の木霊《こだま》のように響いていた。彼はその声を恐れ、それに耳を塞《ふさ》ごうと努め、現在のこの瞬間に意識のすべてを集注しようとした。僕は生きている、今こうして生きている。しかし彼が卑怯者《ひきょうもの》ではなく、仲間の信奉している主義を捨てたと公《おおや》けに認めたわけではなく、ただ病気だったから、衰弱し喀血《かっけつ》したから、許されてあの地獄を抜け出られたのだとすると、彼はその病気によって死ぬべきだったのだし、現にこうして生きている、彼女と二人きり農家の暗い離れに閉じ籠《こも》ってこうして生きることの新しい愉しさを味わっているということが、どうしても罪のように感じられてならなかったのだ。それが彼を狂暴にし、彼の腕に回復期の病人とは思えないほどの力を与えると共に、彼女はその若々しい身体をくねらせ、声にならない声を迸《ほとばし》らせて、いつまでも彼にしがみついていた。

　彼はその時こう考えていた。僕はあの地獄で一度死んだ。だから別の人間になって生きよう、彼女と一緒に、もっと平凡に、もっと人間らしく、生きよう。これは脱落かもしれない、堕落かもしれない、結局は転向したということかもしれない。どんな美しい理想も今の僕にとっては何の価値もない。僕は既に一度死んだのだ。それにもともと主義に殉じようなんて勇ましい覚悟があったわけじゃない。僕のことを何とでも言うがいい。君等は節を屈することがなく、君等の主義を守り通して、牢屋《ろうや》の中で死ぬがいい。僕は厭だ。僕は生きたい。僕は彼女と共に生きたい。しかしそのことに対して僕は責任を持つ。僕はきっと彼女を幸福にする。僕はつまりそういう女々《めめ》しい人間なのだ。僕を許してくれ給え、君たち。

彼はその時若かったし、私は今や老いた。人生の経験が私に教えたものは何だったろう。私はその女を抱き、今は悔恨もなく自責もなく、そして燃え上るような官能の悦《よろこ》びもなく、ただこの行為が一切の忘却につながるが故《ゆえ》にこの女を愛していた。それでいいのだ。私は偉い人にもならなかったし、結局は可哀そうな人であるのかもしれない。理想とか主義とかはとうの昔に殺してしまった。悔恨が襲うことがあっても私はそれを意志で押し殺すことを覚えた。女は私にやさしかったと、私は悦んで女の望むままに金をやった。しかし女は少しは私を愛してくれていたような気がする。

私は幾度かこっそりとそのアパートの一室へ通ったが、或《あ》る晩、入口のドアに貼札《はりふだ》があり、御用のかたは管理人へ、と書いてあった。私は奇妙な失望感を覚えながら階下の管理人室のドアを叩《たた》いた。私はこの年寄夫婦の管理人に初めて会ったが、どうやらこのアパートにはお妾《めかけ》さんが多いらしくて、おかみさんの方はちらちら私を見ていたが、その亭主の方が私の顔は見ずにすっと鍵《かぎ》だけ渡したところから考え合せると、こういうケースには馴《な》れているらしかった。こういうケースというのは、つまりお妾さんに逃げられた阿呆《あほう》な旦那《だんな》という意味である。私は鍵を明けて部屋にはいり、卓袱《ちゃぶ》台《だい》の上に手紙が載っているのにまず目を留めた。それにはこういう意味のことが書いてあった。

小父さん、御免なさい。わたしのいい人が一緒に暮らすというので此所《ここ》を出て行きます。今月分のお部屋代は払ってあります。バイバイ。

もっと他にも書いてあったかもしれないが私は覚えていない。私は部屋の中を見廻し、押入の中などを明けてみた。もともと大した品物もなかったのだが、蒲団《ふとん》と簞笥《たんす》とが消えていた位で、部屋はまだ女がいた頃の雰囲気《ふんいき》を保っていた。ただそこに何かしらが欠けていた。

部屋の片隅《かたすみ》に楕円形《だえんけい》の水盤があり、萎《しお》れた菊が活《い》けたなりになっていた。それは私が、この部屋があまり殺風景なので花と水盤とを買って来て、自分の手で活けたものだ。女は側《そば》で見ながら、小父さんて器用なのね、と言った。私は水盤ごと抱《かか》えあげて入口の流しへ捨てに行った。そして萎れた花を剣山から外《はず》した。水盤の中には少し蒼《あお》味《み》を帯びた水がゆらゆらと揺れていた。私はその暗い入口の流しの上に、真白い楕円形の水盤が、水を湛《たた》えて、眼のように、私を見詰めているのを見ていた。それは涙を含んだ眼のように私を見た。

そして私はその時、夏の終りの台風の来た翌朝、私が舗道で見た濡《ぬ》れたビルの窓々の眼を思い出した。それがこの物語の初めだった。そしてそれが初めであるように、この水盤の眼が私に語りかけるものが終りであるに違いない、と。しかし果して終りというものがあるだろうか。死をのぞいて、何ものも終らず、ただその意味が我々に分らないというにすぎないのではないか。いな死と雖《いえど》も、果してそれが終りであるかどうか誰が知ろう。お前は忘れているのか、忘れたままで生きていることが出来るのか、とビルの窓々の眼は私に語った。この水盤の眼は何を語っていただろうか。死者がそれによって語りかけるもの、そして生者がそれによって思い出すものは。私が思い出していたのは、去って行った女のことではない。もっと遠くの、もっと昔の、もう実体もない影となった愛する者たちの面影だった。

彼は手にその古びた、色の褪《さ》めた、手垢《てあか》に汚《よご》れた一葉の写真を持ち、今までにも幾度か繰返した同じ言葉を繰返した。確かに美人だよ、お前の細君には勿体《もったい》ない位の美人だ。そして相手は病み衰えた鬚《ひげ》だらけの顔の中でほほえみ、己《おれ》はどうしても生きて還《かえ》らなくちゃな、と言った。お前は還れるさ、大丈夫だ、お前はついてるからな。そして彼は細面のこの若い女の写真を、大事な護符のように相手の手の中に返した。すると不意に、動けないでいる仲間を慰めるためだったのか、それともこの男の細君の写真を見たことによって彼の中で今まで堪《こら》えに堪えて来たものが一時に堰《せき》を切って溢《あふ》れ出したものか、彼は喋《しゃべ》り始めていた。物に憑《つ》かれたように、彼の秘密を、彼が生死を共にして敵中を放浪する間にこの唯《ただ》一人の仲間にさえ洩らそうとしなかった秘密を、野外の明るすぎるほどの日光が幕のように入口に懸っている洞窟《どうくつ》の暗い奥で、寝たきりの戦友に語り始めていた。

お前の細君と違って、己の恋人はもっと下ぶくれの、ふっくらした顔をしていたな。いや、今の己の細君じゃない、これは昔の話なんだ、ずっと昔さ。お前は黙って聞いてればいいんだ。己が胸を悪くして療養所にいた頃のことだ。その頃識《し》り合いになった看護婦がいた。やさしい娘で、己の看病をしてくれた。そんなに美人というわけじゃなかったが、己はその頃愛情に飢えていたんだろう、おかしな言草だが、天使のように思われたよ。己は大学生で、左翼の運動に巻き込まれてふんづかまり、それで胸が悪くなったものだから何とか釈放されたが、きっと親父《おやじ》なんかが色々骨を折ってくれたんだろう。己は養子だったが、親父は己を可愛《かわい》がってくれた。親父はそれに相当な地位の官吏だった。己は山の中の療養所へていよく閉じ籠められたわけだ。若かったせいか、己の身体は一年もするとよくなった。しかし一つにはその娘が、己にとっての生き甲斐《がい》になったということもあるんだな。その娘は看護婦の寄宿寮にいて、己たちは暇を偸《ぬす》んで逢引《あいびき》をしていたが、だんだんに大胆になって、その娘がどう手を廻したものか農家の離れを借りることが出来たので、そこでよく逢っていた。己も若かったし、その娘も若かった。そんなにまで人間が愛し合えるものかと思われるくらい、己たちは二人ともものぼせ上っていた。しかしやがて己の病気もよくなり、東京へ帰ることになった。己は健康を回復したのが寧《むし》ろ怨《うら》めしいような気がしたものだ。己はその娘に、きっと結婚しようと約束した。きっと迎えに来るから待っていてくれと頼んだ。娘は承知した。己は親父やおふくろを説得して、必ず賛成してもらえるものと信じていた。己は騙《だま》す気なんか全然なかったのだ。やがて親父とおふくろとが迎えに来て、己は療養所から見違えるほどの丈夫な身体になって東京の家へ帰った。しかしいざ親たちに打明ける段になると、なかなか決心が著《つ》かないものだ。すぐにというわけにはいかなかった。そのうちに親父の方からいい縁談があると言って己に持ち掛けた。己はびっくりし、そこで言い交《かわ》した娘のことを話した。もし己にもっと勇気があり、もっと早くその話をしていたなら、親父だって考えてみてくれたかもしれない。しかしそれは遅すぎた。親父はこの縁談は断るわけにはいかないし、そんな看護婦なんかをうちの嫁に貰《もら》うことは出来ないと言った。己たちは親子喧嘩《げんか》をし、おふくろが仲裁にはいったが己の味方というわけではなかった。どうして己は、その時、あれほどの固い約束を反古《ほご》にしてしまったのだろう。親たちに育てられた恩義に負けてしまったのか。親父の懇願やおふくろの涙が己を腑抜《ふぬ》けにしてしまったのか。それとも己の愛情がもう褪《さ》めてしまっていたのか。いや愛情は少しも変らなかった。夜も眠られないくらいだった。結局、己という男には人間としての一番大事なもの、生きることへの誠意が足りなかったのだ。己はとうとう承知し、結婚することにした。それが今の細君だ。己はその娘に今までの経過をしらせ、こういうことになって済まないと手紙で謝《あやま》った。しかしその返事は来なかった。もともと字が下手《へた》だから手紙は書けないとその子は言っていた。それまでにも、まったくたまにしか便りをよこさなかった。しかしこういう大事を告げた手紙に返事が来ないのでは、己としても寝覚めが悪い。そこで己は決心し、とにかくその娘に会いに行くことにした。結婚式の一週間ほど前だった。会ったら会ったでどうにかなりはしないかと、自分の心が恐ろしかった。己はその娘と、妻となるべき予定の相手と、その両方に対して誠意がないような気がしていた。しかしどうしてもその子の前に平身低頭して、自分の気持にきまりをつけなければば済まなかったのだ。そこで己は汽車に乗って、山間《やまあい》にある昔の、と言ってもまだ一年も経《た》っていなかったが、療養所へ行った。その子はとうに看護婦を止《や》めて故郷へ帰ったと言われた。己はその住所を教わり、また汽車に乗ってはるばるそこまで訪《たず》ねて行った。日本海の海岸にある段々畑の小さな漁村だった。寂しいところで、雪の来る前の寒い風が海岸を吹き荒れていた。石ころだらけの海岸だった。己の訪ねて行った家に、その娘はいなかった。母親らしい婦人がきっと己を睨《にら》んで、娘は身籠《みご》ったのを恥じて、身を投げて死んだと言った。

彼はそして黙った。それ以上言うべきこともなかった。洞窟の奥から見ると、狭い入口の外には眩《まぶ》しいほどの太陽の光線が充《み》ち溢れて、二人のいる場所の地獄のような暗さを一際《ひときわ》濃くしていた。彼はその時思い出していた。あの農家の離れの天窓から洩れて来る塵《ちり》の舞っていた一筋の光を。

可哀《かわい》そうに、と戦友が呟いた。

その一言が彼の意識をふと現実に戻した。可哀そうに、と、それは娘を指して言われたのだろうか。それとも彼を指して言われたのだろうか。眼が暗闇に馴れると、彼は戦友の落ち窪《くぼ》んだ眼に涙が浮んでいるのを認めた。それは外界の光明をかすかに反射してきらりと光った。それなのに彼の眼は乾《かわ》いていた。彼の流すべき涙の泉は既に涸《か》れて、この昔話が一雫《ひとしずく》の涙を彼に甦《よみがえ》らせることもなかった。そして彼は驚いたように、この友達の眼に浮んだ尊い雫を見詰めていたのだ。

今も私の眼は乾いていた。私は水盤の水を流しへ捨て、また六畳間の方へ戻り、卓袱台の前の赤い座蒲団にどっかりと坐《すわ》った。部屋の中はうそ寒く、隣のラジオが薄い壁を通して甲高く響いていた。

私は管理人に話して、この部屋を自分の名義で引続き借り受けることにした。私は暇をつくるとここへ来ては、ぼんやりと時間を潰《つぶ》した。生活に必要なものを少しずつ買って運ばせたが、しかしこの部屋が女のいた頃の感じを失ってしまったわけではない。相変らずの裸電球の下に、安っぽい卓袱台と赤い座蒲団とが摺《す》り切れた畳の中央にあり、窓には薄手のカーテンが懸っている。あの女がいつか戻って来ても、それはやはりあの女の部屋であるだろう。私にはその方が気楽なのだ。私は銭湯へ行った女の帰りを待っているような気持で、畳の上にごろりと横になり、肘枕《ひじまくら》をして、天井板のしみなどを眺《なが》めている。そうすると私は、これが私なのか、それとも会社の社長室のマホガニイの机に向かってしかつめらしい顔をしている自分が私なのか、次第に分らなくなる。私が第三者のように思い浮べている「彼」と、現に今こうして生きている私との区別も分らなくなる。私の意志はゆるみ、思い出の中の顔が孤独な私を取り巻いて話し掛ける。私は私の記憶の中の最も大事な部分を、忘れよう忘れようと、この何十年の間つとめて来たのだ。それと共に、ごくつまらないこともふと思い出されることがある。例《たと》えば私が社長室の窓に来てとまっていた二羽の鳩《はと》を見てひとりでに微笑し、秘書にそれを見咎《みとが》められた時に思い出しそうになっていたことなどを。あれは二羽の雉子《きじ》だった。二人が療養所の裏道を散歩していた時に、彼女が目ざとく見つけて彼に教えてくれたものだ。雄は綺麗《きれい》な羽を引摺りながら雌の廻りで餌《えさ》を漁《あさ》っていた。林の空地の草叢《くさむら》の中だった。そして彼女は息を凝《こら》し、彼の腕を握ってその方に大きな眼を見張っていた。ふと人の気配を勘づいたものか、雄が急に飛び立ち、続いて雌も飛び立った。羽の音がしずかな林の中に響き渡り、彼女はびっくりして彼の身体にしがみついた。彼は笑い、その身体を抱き締めた。君は臆病《おくびょう》なんだねえ。

しかし最も大事なことなのに、それがいつだったのか私に思い出せないこともある。まだ春の、二人が仲良くなって間もない頃だったのか、夏の間だったのか、秋も深まりこの療養所を後にする日が一日一日と近づきつつあった頃だったのか、個室の中だったのか、散歩の途中だったのか、農家の離れの中だったのか。私はどうしてもそれを思い出すことが出来ない。しかし彼女のその時言った言葉は、私がもうそれを忘れていた筈《はず》なのに、このアパートの一室でぼんやりと天井を眺めていると、まるで今耳《みみ》許《もと》でそれを彼女がささやいているかのように、はっきりと聞えて来るのだ。彼女はあの少し甘えた、歌うような声で、彼に言った。

わたしの田舎《いなか》はさみしい海岸沿いなのよ。漁だけでは食べられないから、日本海に面した裏山の斜面が段々畑になっているわ。ぽつんと取り残されたような村で、交通は不便だし、それは陰気なところなの。あなた、賽《さい》の河原《かわら》って知ってる。岩だらけの海岸に昔からの洞窟があって、そこにお地蔵様がまつってある。小さな無縁仏がたくさん並んで、小さな石が幾つも幾つも積み重ねられている。死んだ赤ちゃんたちをそうやって回向《えこう》するのよ。それはさみしいところで、波の音がしょっちゅう聞えていて、そこの河原で村の女たちは、長い長いお数珠《じゅず》を手に持って、輪になってお念仏をとなえながら、ぐるぐる廻るの。お数珠といったって、まるで鎖のように長いのよ。それを輪にして、一人一人がそれを手で支《ささ》えて、そしてぐるぐる廻るの。陰惨な感じ。でもそういうしきたりだからしかたがないわね。赤ちゃんだって栄養不良で、可哀そうにたくさん死ぬんだもの。村にはお医者さんもいないし、巫女《みこ》さんがいるだけ。その人が病気でもなんでも癒《なお》すの。わたしが看護婦になったのだって、村のことを思ったせいもあるの。あれじゃ本当に村の人はみんな可哀そうだもの。お念仏ばかりとなえていて、まるで死んだ人がいつでもわたしたちの側にいるみたい。

君はそこを逃げ出して勉強したんだね、と彼は訊《き》いた。

逃げ出したってわけじゃないけど、一生あそこで暮らすのなんかたまらないわ。でもきっと帰るでしょうね。自分の生れた土地ってそういうものなのよ。どんなにさみしいところでも、あそこはわたしの生れたところでしょう。さみしいって言えば、裏山から西の方に行ったところに断崖《だんがい》があってね、下を見ると怖《こわ》いみたい、荒波がいつでも白く砕けているの。そこでよく人が死ぬわ。もう働けなくなったおじいさんとかおばあさんとか、気の変になった人とか。そこから跳《と》び込むと決して屍体《したい》があがらないんだって。いつも風がひゅうひゅう吹いていて、厭《いや》なところ。貧しいんだわねえ。どうしてこんなに貧しいんでしょうね。みんな不幸よ。村の人、だれも笑わないわ。いつも怖い顔をして、潮風に吹かれて、生きているのも死んでいるのも変りはないような様子で生きているわ。

君はもうそこへ帰っちゃいけないよ、と彼は言った。

君はもうそこへ帰っちゃいけないよ、と私は呟《つぶや》き、その頃の彼がどんな気持でそれを口にしたか、自分は必ずこの看護婦と結婚し、東京で新しい家を持つのだと固く決心して、それを言ったのではなかったかと考えた。今さら繰返したとて何になろう。彼女は帰った、まさにそのさみしい村へ。彼が療養所を去り、東京へ戻り、父親から縁談を持ち掛けられたその同じ頃、妊娠したことを知って勤めを止め、故郷の村へ帰った。彼に相談することもなく。なぜだろう、なぜ相談しようとしなかったのだろう。手紙を書くことも出来た。どんなに字が下手でも事実を伝えることだけは出来た。ふるさとへ帰るのなら、反対側の上りの汽車に乗りさえすれば、東京へ出て彼に会うことも出来た筈だ。しかし彼女はそうはしなかったし、黙ってふるさとへ帰り、怖《こわ》い顔をした人々の間で暫《しばら》く暮らし、そして、やはり彼に相談することもなく死んだ。お腹《なか》の子供と一緒に。

彼女を殺すことで私もまた死んだのだ、と私は考えた。そして私はそれから三十年も生きて来た。今も生きている。戦争へ行っても死なかった。戦後の険しい生活にも生き残った。罪を感じ、生きることに何等の意味をも見出《みいだ》していないのに、私はこうして生きている。

しかし私がこの部屋の中で孤独だからといって、私がいつもいつも埒《らち》もない思い出に捉《とら》われているわけではない。私は気楽にしているし、ここではまったく落著《おちつ》いている。もっともそんなにしばしばここへ来られるわけではない。秘密に、誰にも知られないように来なければならない。出張の一日分をごまかすとか、宴会のあとの時間を少し割《さ》くとか、そういう小細工を弄《ろう》してこの部屋にわざわざ来るのだから、昔のことで頭を悩ましてばかりいては損というものだ。あの女のことも考える。あの女はいずれ恋人に振られて、またここへ戻って来るかもしれない。親切な小父《おじ》さんは、それがまるで償いででもあるかのように、女の言う通りにしてやるだろう。或《ある》いはもう二度と来ないかもしれない。それは私の知らないことだ。もし戻って来るのなら、あれが無邪気そうな顔をしたとんだ食わせ者の小娘だとしても、私はいっこうに気に掛けないだろう。清純なままに死んで行くのがいいのか、汚辱にまみれても生きて行くのがいいのか、私は道学先生ではないから答えることが出来ない。

冬が近づきスモッグの日が多くなった。私は或る日曜日をうまいこと理由をつけて、またここへ来た。オーバーのポケットに或る小さな品物を入れ、午後の薄日の射《さ》している掘割の片側道を辿《たど》ってアパートへ着いた。私は和服に着替え、それから窓を明け、そこの張出しに腰を掛けた。日射《ひざし》はあたたかく、風もなかった。一階の家の張出しに置かれた二つの植木鉢《うえきばち》は、鉢だけがそこに置いてあった。この一階の部屋はずっと空室のままだった。

私は掘割を見下していた。もう秋の初めの頃のように厭な臭《にお》いが鼻を突くこともなかったが、水はやはり澱《よど》んだまま流れなかった。そこに種々雑多なものがゆらゆらと揺れていた。包装紙や、木切や、藁《わら》や、ブリキの罐《かん》や、土瓶《どびん》のかけらや、その他いろいろのものが。濁った水面には油が浮いてぎらぎらし、乏しい日光を反射していた。

私は昔ギリシャ神話を読んで、うろ覚えに忘却の河というのがあったのを覚えている。三途《さんず》の河のようなものだろう、死者がそこを渡り、その水を飲み、生きていた頃の記憶をすべて忘れ去ると言われているものだ。しかし私にとって、忘却の河とはこの掘割のように流れないもの、澱んだもの、腐って行くもの、あらゆるがらくたを浮べているものの方が、よりふさわしいような気がする。この水は、水そのものが死んでいるのだ。そして忘却とはそれ自体少しずつ死んで行くことではないだろうか。あらゆる過去のがらくたをその上に浮べ、やがてそれらが風に吹かれ雨に打たれ、それら自身の重味に耐えかねて沈んで行くことではないだろうか。

私はその時、彼女の生家を訪ねて行った。実にはるばると、日本海のほとりまでその住所を頼りに探《さが》しに行った。その家で応接に出たのは、眼を病んでいるらしくて赤く充血した眼をした婦人だった。それが彼女の母親であることは、向うが、娘のことですか、と言うまでは分らなかった。それほど見すぼらしく窶《やつ》れてはいたが、どこか彼女に似ているところがないわけではなかった。娘のことですか、と言って、訛《なまり》の多い方言でぽつりと答えた。娘は死にました。私は事情が分るまで押し問答を繰返したが、その間じゅうこの婦人は難しい方言と、赤くただれたその眼とで私をおびやかした。私の話を聞こうともせず、私が何者であるのかを知ろうともせずに、娘は身籠ったのを恥じて淵《ふち》から身を投げて死んだ、と言い続けた。その赤くただれた眼は、風雪のせいだったのだろうか、娘を悼《いた》む涙のせいだったのだろうか。婦人は私を門口《かどぐち》から追い返した。線香を上げさせてもくれなかった。この母親自身も恥じていたのだ。

私は嘗《かつ》て彼女の口から聞いたことのある断崖へ行ってみた。私は夢遊病者のように歩いていて、いつ、どういうふうにそこへ達したのか覚えていない。また、そこの風景も何ひとつ覚えていない。確かに下を見下すと眼のくらめくような恐ろしい場所だったような気がする。そして更に私はふらふらと歩いて、いつしか海岸に出ていた。秋の終りで、寒い風がびゅうびゅうと吹きつけていたが、私は少しも寒いとは感じなかった。

そこが賽《さい》の河原だった。洞窟もあった。あたりには人一人いず、海には舟一艘《いっそう》見えなかった。私は河原の岩を踏んでその洞窟にはいって行った。白い涎掛《よだれか》けをつけたお地蔵様があり、小さな石仏があり、その前や横には幾個所にも小さな石が積み重ねられていた。蠟涙《ろうるい》のこびりついた蠟燭《ろうそく》の跡があり、子供の形見らしい襦袢《じゅばん》や着物などがあった。もっと色々なものがあったのかもしれない。しかしこの仄暗《ほのぐら》い洞窟の中は、打寄せる浪《なみ》の響きが凄《すさ》まじく木霊《こだま》して、ぞっとさせるような妖気《ようき》を含んでいた。子供たちの多くの霊が、生き返らせてよ、生き返らせてよ、と叫んでいるような気がした。私はそこにしゃがみ、小石を取って、重ねてある上に一つ載せた。また一つ載せた。その塔はぐらぐらし、あっというまに崩《くず》れた。私はまた、必死の注意を籠めて、一つずつ小石を積み重ねて行った。それが魂の、死んだ魂への、何等かの救いになるものだろうか。いや私は、私自身への救いのつもりで、この難しい作業を続けていたのだ。私はそれを終ると、最後に手にあった石をポケットに入れ、逃《のが》れるようにそこをあとにした。その洞窟を、その賽の河原を、そのさみしい彼女の故郷の村を、最も恐ろしいもののようにあとにした。

私は手摺《てすり》に凭《もた》れて、長い間掘割の濁った水を眺めていた。美しい大きな眼をしていた彼女、赤くただれた眼をしていたその母親、鬚《ひげ》だらけの顔を微笑させていた戦友、生きながら死顔をしていたその若い妻、私は幾つもの顔を思い出した。戦後パージになって死んだ父、そのあとを追って老《ふ》け込んだ顔に涙を浮べながら死んだ母、幼い頃のもう記憶がさだかではない実の両親、同胞《はらから》たち、えなが流れて来ると教えてくれた友達。そして生れると間もなく、名前もつけられずに死んでしまった私の子供。そして彼女と共に、遂《つい》に命というものを天から授かることもなくて死んだもう一人の私の子供。その顔を私は決して、決して、知ることはないのである。

私は立ち上り、着て来たオーバーのポケットを探って小さな石を一つ取り出した。それは私が賽の河原から拾って来て、今まで大事に保存して来たものだ。妻は恐らく気がついたこともなかっただろうが、それは私にとって、彼女と彼女の生むべき筈《はず》だった子供との唯一《ゆいいつ》の形見だった。その小さな石には、私が忘れようと思い、忘れてはならないと思い、しかも私がもう何年も、いや何十年も、忘れたままになっていた無量の想《おも》いが籠められていた。その石は私の罪であり、私の恥であり、失われた私の誠意であり、惨《みじ》めな私の生のしるしだった。石は冷たく、日本海の潮の響きを、返らない後悔のようにその中に隠していた。

私は再び窓へ行き、その石をじっと掌の中であたためてから、下の掘割の中へ投げた。ゆるやかな波紋が、そこに浮んでいるがらくたを、近いものは大きく、遠いものはかすかに揺るがせながら、しかし、いつのまにかその輪を広げて、やがて消えて行った。

二章　煙《えん》　塵《じん》

彼女が伊能と別れてバスに乗り込む時に、日はもう暮れかけていたが空には秋の終りらしい透きとおるような蒼《あお》みが残っていた。彼女はバスのタラップに足を掛ける前に、何げなく首を起して空を見上げた。そして他の乗客に押されて車の中ほどへと足を運びながら、バスが発車した時に、窓硝子《ガラス》から、伊能が軽く手を上げたのをちらっと認めることが出来たが、相手には彼女の会釈《えしやく》は見えなかっただろう。彼女は釣革《つりかわ》につかまり、バスの中がそんなに混んでいなかったので少し安心した。土曜日の夕方で、これからの長い夜を愉《たの》しもうとする人たちが町に溢《あふ》れていた。都心から出て行くバスは、他の日とは反対に、都心へとはいって来るバスほどに混んでいなかった。しかし彼女はそういうことはあまり知らない。彼女は病気の母と家の中に閉じこもっていることが殆《ほとん》どだったから、たまに都心へと出掛けてもそれは日中だったし、乗物が満員のことはまずなかった。

前の席が空《あ》いて、彼女はそこに腰掛け、ハンドバッグを膝《ひざ》の上に置いて、つつましく足を揃《そろ》えていた。空が蒼かった、と彼女は思い出していた。わざわざ都心へ出て、伊能と会って映画を見たりお茶を飲んだりしたのに、自分の家にいても見られる筈《はず》の空の色が、意識の中を鮮《あざや》かに彩《いろど》っていた。いつもは少しも気にかけていない空の色が、どうしてか、不意に彼女の気持を明るくした。何処《どこ》かへ行きたい、何処か遠くへ。

日の暮れる前の僅《わず》かばかりの残りの光を孕《はら》んだ空の色は、今も、バスの腰掛で揺られている彼女の心の中に垂直に降下し続け、そこで水平にゆっくりと拡《ひろ》がって行き、似たような風景を「何処か」に探《さが》すことを彼女に強《し》いた。しかし一瞬に見た蒼空は風景とは呼べないようなものだったし、彼女が思い出そうとしているのは、もう空の色とは関係がなく、ただ一種の気分のようなものにすぎなかった。懐《なつか》しいような悲しいような風景。そうしたものが何処かにあるだろう。ひょっとしたら夢の中で見たことがあったのかもしれない。それはたんぽぽや菫《すみれ》の咲いている畔道《あぜみち》だった。げんげの畑を見下す田舎《いなか》道が小高く続き、そこを馬の手綱を引いた大人《おとな》がゆっくりと歩いていた。草の茂った畔道を裸足《はだし》で踏むのは気持がよかったし、子供たちは生暖い水の中に足を入れてぼちゃぼちゃ歩きながら、おたまじゃくしや泥鰌《どじよう》がいると言って騒いだ。しかし彼女は畔道の上にじっとしゃがんだまま、他のもっと大きな子供たちがきゃあきゃあ言っているのを、ただ眺《なが》めていただけだった。そしてげんげの畑の向うには、まだ雪の残っている山が連なり、その上に睡《ねむ》くなるような霞《かす》んだ青い空があった。

そんな筈はないよ、それは思い違いだよ、と母親は彼女に言った。だってお前を連れて疎開《そかい》した時には、お前はもう小学校にはいるくらい大きかったんだからね。確かに思い違いというのは正しいのかもしれないし、本で読んだことや夢の中で見たことが現実と混同しているのかもしれない。その時彼女は母に話したことを後悔した。父親が応召になって、彼女は母親と一緒に、田舎の親戚《しんせき》の家の離れに疎開していたが、それは田舎と言っても割に大きな城下町だった。げんげの畑なんかで遊んだ覚えはまるでなかったし、それにもうその頃は大きくて、鞄《かばん》を下げて小学校へ通ったことはよく覚えている。妹は生れたばかりだったか、それともお産をするために母親が思い切って疎開に踏み切ったのだったかもしれない。それ以前の記憶はぼんやりしていた。しかしふと、彼女がほんとに小さかった頃の山国の風景を心の中で見る時に、それは疑いようのない真実としか思えなかった。いいえ、お前の小さかった頃に田舎になんか行って暮らしたことはありませんよ、と母親は言った。しかし彼女は、お母さん、そんなにむきになることはないわ、あたしの勘違いよ、きっと、と答え、その言葉で安心したような顔になっている母親を、その表情の故《ゆえ》に疑った。

バスの中に電燈が点《つ》き、窓硝子の外が次第に夜景に近づいた。バスはいつしか混んで来ていた。伊能さんはきっと怒っているだろう、と彼女はわざと別のことを考え出した。だからあたしをうちまで送ろうと言ってくれなかった。そっけなくバスの乗場で別れてしまった。彼女は何も怒らせようと思ったわけではない。一緒に映画を見た。大して見たいと思っていた映画でもないし、大して会いたいと思っていた相手でもない。映画が終ってから喫茶店にはいった。伊能は一緒にどこかのレストランで夕食をするつもりでいたに違いない。だから彼女がお茶を飲んだあとで帰ると言い出した時には、明らさまに不愉快そうな顔を見せたのだ。だってわたし夕御飯までに帰らなくちゃなりませんの。お母さんが待っているから、と彼女は言った。お母さんか、美佐子さんはいつでもお母さんだな。お母さんの夕御飯ぐらいお手伝いさんでも出来るでしょう、と伊能は訊《き》いた。ええ、でもわたしがいなくちゃ。僕と晩飯を一緒にする約束じゃなかったんですか。僕はてっきり許可を貰《もら》って来たんだと思っていた。伊能は自分の機嫌《きげん》を直そうとして、わざとらしい微笑を見せた。それによって彼女の気持まで変えようとしたのだろうが、その微笑は取ってつけたようで、彼女は自分の意見を翻《ひるがえ》そうとはしなかった。彼女は自分の顔の表情がこわばるのを感じ、また、手持無《ぶ》沙汰《さた》そうに煙草《たばこ》をくゆらせている相手の表情が、薄暗い人工照明の下で、徐々にもとの失望と不機嫌とに戻って行くのを見ていた。そして彼女は弁解した。わたしお母さんが可哀想《かわいそう》なんですの。わたしがいなくちゃ赤ちゃんも同然ですもの。しかしあなただってたまには羽を伸ばしたっていいでしょう、と伊能は言った。何もそうそうお母さんの犠牲になっていることはない。それじゃ美佐子さんはお嫁にだって行けやしませんよ。彼女はただ少し微笑しただけだった。相手の言いかたは、暗に、それじゃ僕と結婚は出来ませんよ、という意味を含んでいるようだった。彼女は、ええ、と答えた。その意味が伊能に分ったのだろうか。分ったかもしれない。それで怒ったのかもしれない。不意に、伊能は顔を起し、煙草の吸殻を灰皿で消しながら、訊いた。美佐子さんは誰か好きな人でも他《ほか》にいるんですか。彼女はその質問にどぎまぎし、赧《あか》くなり、いいえ、と急いで答えた。会話はそれで途切れた。二人は間もなくその喫茶店を出、彼女の乗るバスの乗場へと歩いて行った。その間じゅう二人は口を利《き》かなかった。

彼女は気がつき、立ち上り、ここへお掛けなさい、と言った。それは他の乗客たちとは人種が違っているように感じられる程の、如何《いか》にも田舎から出て来ましたというような年寄の女で、重たそうな風呂敷《ふろしき》包みを大事に片手で抱いていた。まあまあ御親切さまに、と言って、その女は遠慮せずに彼女の譲った席に腰を下した。馴《な》れないものに乗るとしんどくてねえ、と釣革につかまっている彼女に尚《なお》も話し掛けた。本当に御親切に済みませんねえ。あまり繰返して礼を言われたために、他の乗客たちの視線を意識して彼女は顔がほてって来るのを覚えた。席を譲るほどのことはなかったのかもしれない。彼女がそういう親切をするように、日頃から躾《しつけ》られていたというのでもない。ただその老婆《ろうば》を見た時に、なぜか席を譲らなければいけないような気持に彼女がなったというだけのことだ。それが何なのか、なぜなのか、彼女には分らなかった。ただ日焼けした老婆の渋紙のような皮膚や、おどろな白いものの混った髪などに、ふと意識の底に沈んでいるものが揺らいだ。あたしゃ＊＊で下りるんだけどねえ、と女は言った。じゃおばあさん、それはわたしの下りるところと同じよ。教えてあげるから安心して乗っていらっしゃい。女はよかったというような意味のことを、独《ひと》り言じみて、くどくどと繰返していた。

バスを下りた時には、空はもう暗くなって町には明るく灯が点《とも》っていた。それでおばあさん、どこへ行くの、と彼女は訊いた。女の言った番地と目当《めあて》の家とを彼女は知らなかった。交番で訊けばいいわね、と彼女は呟《つぶや》き、通りの少し先の交番へと案内して、そこにいた巡査に道を尋ねた。彼女はそこでその老婆と別れた。目当の家まで連れて行ってやる程のことはないだろうと彼女は判断した。その女は彼女にまた礼を述べ、あんたさんはやさしい娘さんだねえ、と皺枯《しわが》れた声で言った。

自宅に着いた時に、彼女の心はまだ晴れ晴れとしていて、お手伝いさんにも笑顔を見せた。おやもうお帰りになったんですか、晩のお食事はどうなさいます、と訊かれて、お母さんはもうお済みになったの、と問い返した。さきほど。そう、あたし何かありあわせでいいから食べさせて頂戴《ちようだい》。そう言い残して、彼女は奥の八畳間へと母親の様子を見に出掛けた。そして廊下を歩いているうちに、気分が再び暗く沈んで行った。

彼女が、ただいま、と言いながら襖《ふすま》を明けた時に、母親はいつものように蒲団《ふとん》の中から首だけこちらに向けて、かすかに驚いたような表情を見せた。おやもう帰って来たの。それはお手伝いさんが言ったのと同じ調子、やや咎《とが》めるような、訝《いぶか》しげな声で呟かれた。伊能さんと御飯までお附き合いをする筈じゃなかったのかい。それともももう食べたの。彼女は母親の蒲団の横に坐《すわ》り、今まで母親が見ていた蒲団の足許《あしもと》の台の上に置いてあるテレビの方に眼を向けて、何か面白いものをやっているの、と訊いた。母親はパチンとリモートコントロールのスイッチを捻《ひね》って、そのテレビを消してしまった。どうしたの、美佐子。母親の機嫌はよくなかったし、またきっとよくないだろうと彼女には予想がついていた。どうもしないわ、御飯は食べなかった。映画を見てお茶を飲んだだけ。しかしお前、伊能さんとの約束は、と母親は言いかけた。だって約束したわけじゃないわ、この次はどうですかと言われて、この前の時に、ええこの次は、と言っただけよ。今日だって、お母さんが勝手にそう思い込んでいただけ、あたしあんな人と一緒に御飯なんか食べるのは厭《いや》だわ。どうしてだい、と母親は訊いた。せっかくここまで事が運んでいるのに。それにいい人じゃないの。わたしにはいい人に思えるけどね。

彼女は暫《しばら》く黙っていた。お父さんは出張で今晩はお帰りにならないでしょう。香代子は土曜日の晩っていうときっと遅いんだもの。あたしがいなくちゃお母さんだって寂しいと思って。母親はすぐにほだされるたちだったが、尚も問い返した。あの伊能さんていう人をどうお思いなんだい、お前は。彼女は何と答えようかと思って暫く黙っていた。そして思い切って答えた。あたしあの人とはもう会わないわ。お父さんからお断りしてもらうわ。

お嬢さま、御飯はこちらにお持ちしましょうか、と襖の外でお手伝いさんの声がした。わたしお茶の間の方へ行きます。そう言って、彼女は母親に軽く会釈をして立ち上った。そう、わたしはもうあの人とは会わないだろう。わたしの意志が弱くて、ついお見合をしたというのが間違いだった。そういうことはすべきではなかった。

せめてお見合だけでもなさいよ、とその時母親は言ったのだ。そして父親は、蒲団のそばの座蒲団の上に胡座《あぐら》を掻《か》いて、寝たままで首をこちら側に向けている母親と、俯向《うつむ》いて考えている彼女とを、等分に見て、ほんのお体裁だけでいいんだ、と言った。

私も弱っているのさ、取引先の社長からぜひにとすすめられているもんでね。あなた、お体裁ということはありませんよ、と母親は厳《きび》しく咎めた。どうだい、一度会ってくれれば義理は立つんだ。彼女は黙っていた。母親は大きく息を吸い込んで喋《しゃべ》り出した。美佐子だって年のことを考えたらそんな呑気《のんき》な気持じゃいられない筈ですよ。そんな引っ込み思案でどうします。これであたしさえ元気だったらいいお婿《むこ》さんを見つけてあげるのに、何しろお父さんもお前に似て呑気なんだからねえ。彼女は母親の薄い唇《くちびる》がわななくのを、あたしはこの母親の娘なのだという実感をもって見詰めていた。父親は何を考えているのか分らないような表情で、ぼんやり床の間に懸《かか》っている山水の軸物と水盤の花とを眺めていた。そしてわたしはこの父親の娘なのだ、とも彼女は思った。

彼女は今、茶の間の卓袱台《ちゃぶだい》に向かって、残り物のお数《かず》で遅い夕食を認《したた》めた。お給仕をするというより、何か話を聞きたそうにしているお手伝いさんを部屋に返して、ひとりで御飯をよそった。欺瞞《ぎまん》なのだ、と彼女は考えていた。家庭というのは欺瞞の上に成り立っているのだ。お母さんだって結局はほっとして、よかったと思っているに違いない。お母さんは伊能さんがうちに養子に来てくれることを内心では望んでいて、それが駄目ならあたしが嫁に行くのでもいいつもりでいるけれど、実際にあたしがこの家からいなくなってしまえば、一番困るのが御自分であることは百も御承知なのだ。だからあたしにお見合をさせた上で、あたしの責任で、或《ある》いは伊能さんの方の責任で、破談になることを望んでいるのだ。お父さんだって、あたしを嫁にやろうなどという気持は少しもなく、ただお体裁だけを繕おうとしているにすぎない。つまり不可能なことを二人とも承知の上で、何とかあたしを慰めようとしているだけだ。そんなことが慰めになるだろうか。

彼女はいつのまにか食事を終っている自分に気がつき、お茶を飲みながらその場にじっと坐っていた。そのお茶にも味を感じなかった。伊能さんは怒っているだろう。あたしにすっぽかされて、一人で食事をしただろう。それが彼女には少しおかしかった。と同時に彼女は別の男のことを思い出していた。

その人と、三木先生というその人と、彼女は数日前に会っていた。彼女はその人を先生と呼んでいたが、彼がどこの大学に勤めているのかは知らなかった。三木は美術評論家で、昔、彼女がまだ高等学校に行っていた頃、彼女の属していた美術クラブが、講師に彼を呼んだことがあった。三木の講演は面白かったが、その後彼女が高等学校を出てから上の大学にも行かず、ひたすら母の看病をしながら家の中に閉じ籠《こも》って家事を取りしきっている間に、殆ど唯《ゆいいつ》一の趣味として、そして殆ど唯一の無条件の外出の理由として、展覧会や画廊に絵を見に行くようになったのは、決して三木の影響というわけではなかった。たとえ三木先生を知らなかったとしても、彼女は展覧会の人込に揉《も》まれ、或いはがらんとした画廊の中に佇《たたず》んで、一つ一つの油絵や版画が彼女一人に話しかける声を聞いているのが好きだった。そして大きな展覧会では三木の姿を見ることはなかったけれども、まだ無名の新人の個展などに出掛けると、彼女は受附に置いてある署名簿を（自分は決してサインすることはなかったが）そこに三木の名前を発見する悦《よろこ》びのために、めくってみた。そして偶然が、或いは偶然への期待が、彼女に三木と幾回か会わせることに成功した。時々、画廊からの個展の案内が彼女のところに届くと、その日附のところに、小さくペンで、日にちと時間とが書いてあった。電話はかかって来なかった。彼女には、都合よく行ける時と行けない時とがあった。

数日前に、そういうふうにして或る画廊で落ち合い、そのあとで二人でお茶を飲んでいた時に、彼女は伊能という人とお見合をして、時々会っていることを話した。三木はにやにやして、君はその人に気があるの、と訊いた。いやな先生、気なんかありませんわ。そんなおっしゃりかたは厭だわ。お見合なんて、娘たるものの義務ですもの。しかし気がないのなら、附き合わなければいいでしょう、と三木は言った。若い人なんですか。ええ、父の知っている社長さんの甥《おい》で、大学を出て五年目ぐらいのサラリーマンですの。前途有望なんですって。そう、君と似合いの年頃だな、それで入婿に来てくれるんですか、それとも君が嫁に行くの。向うでは勿論《もちろん》、わたしが行くつもりでいますわ。だけどそんなこと出来っこないんです。出来ないことを承知で、父も母も見合をさせたり、附き合わせたりしているんです、と彼女はいささか憤慨の面持で言った。それは君の両親とすれば当然ですよ、と三木は答えた。厭なら厭と言うべきなのは、君であって両親ではないんだからな。君が両親のせいにするのはよくない、誠実なことじゃありませんよ。彼女は抵抗した。だって、そんなことをおっしゃったって、わたしにもまだよく分らないんだもの。気が向いたらわたしだってお嫁に行くかもしれませんわ。三木は不意に寂しそうな表情になり、勿論それは君の自由ですよ、と言った。

彼女はその時の三木先生の表情を、少しばかり眉《まゆ》をしかめ、目尻《めじり》のあたりに皺を寄せて考え込んでいるその表情を思い出した。そして同時に、いつか、そのずっと前に、彼の言った言葉をも思い出した。不可能なことというのがあるんですよ。我々はナポレオンじゃないから、我々の字引には、必ず不可能という文字がある。不可能な愛とか、不可能な状況とか、僕の字引なんか、不可能という字で埋まっているようなものです。

鈴が鳴っていた。それは母親が人を呼ぶ時に鳴らす鈴の音だった。彼女は立ち上り、卓袱台の上の自分の食器をお盆に載せてお勝手に運び、そのまま廊下を母親の部屋へと急いだ。母親はテレビを見ていた。お母さん、何か御用。母親は、お薬を頂戴、と言ったが、眼は画面に吸いつけられたままになっていた。彼女は水差の水をコップに注ぎ、床の間の端に並べてある小壜《こびん》の中から、幾種類かの丸薬を数粒ずつ取り出した。母親は惜しそうに画面から眼を離し、彼女の渡した丸薬を呑《の》み、水を口に注いでもらった。薬の壜を、母親の手の届かない床の間に置くというのは、父親の命令だった。確かに一壜そっくりの丸薬を一度に呑むことがあれば、確実に死ぬことが出来るだろうし、父親がそれを恐れて、わざとそういうふうにしたことは理窟《りくつ》に合っていた。しかし母親がひと思いに死ぬことを一番望んでいるのは父親ではないだろうか。あたし、お勝手であと片附をして来ます、と彼女は言った。あの人にやらせればいいじゃないの、と母親はまたテレビを見ながら、上《うわ》の空で言った。そうは行かないわ、と彼女は答えて立ち上った。母親は人使いが荒かったが、今晩の夕食は彼女自身の責任で、お手伝いさんを煩《わずら》わせるのは気が進まなかった。

彼女は立ち上ってから、あら面白いものをやっているのね、と言って中腰のままテレビの方を見た。この部屋にはいって来た時から、子供たちの合唱が聞えていたのだが、彼女は母親の好きなドラマの一場面だろうぐらいに思って、格別気にも留めていなかった。今、ふとそれを見ると、それは子供たちが踊りながら、わらべうたを次々に歌う番組だった。

蝙蝠《こうもり》こっこ　すっこっこ

向うの水は苦いぞ

こっちの水は甘いぞ

長い竹竿《たけざお》を持ち、絣《かすり》の筒っぽを着た子供たちが、照明の中で右に左に動いた。あらこの文句、あたしの知っているのと違うわ、と彼女は言った。そうさ、これは蛍《ほたる》狩りの時によく歌う文句じゃないの、ところによって随分と変るものだね。母親の機嫌はもうなおっているようだった。そうじゃないの、あたしの覚えているのは、蝙蝠こっこ、えんしょうこ、って言ったと思うんだけど。番組は今では「通りゃんせ」になっていた。彼女は好きなように文句を変えて歌うものさ、と答えた。母親は軽く、子供は好きなように文句はそっと部屋を出て、お勝手へと歩いて行った。あの続きは何だったのだろう。蝙蝠こっこ　えんしょうこ、その次のところは……。

蝙蝠こっこ　えんしょうこ

おらがの屋敷へ　巣つくれ
不意にそれだけの節廻しが、思い出した文句と共に、流れるように唇に出て来た。彼女は水道の栓《せん》をひねり、冷たい水に暫く手を当てていた。どうしてその歌に記憶があるのだろうか。画面でちょっとだけ見たのと同じような田舎《いなか》ふうの恰好《かっこう》をした子供たちが、視野の中を動いていた。その一人一人に見分けをつけることは出来なかった。白壁の倉があり、見上げるとその高い倉の屋根の先に、繊《ほそ》い月が懸っていた。早くおかえり、と誰かが呼んでいた。暗くなると何か怖《こわ》いことがある。蝙蝠《こ》がひらめくように屋根の上から落ち、傍《かたわ》らを掠《かす》めて飛び去った。そして不意に、子守唄《もりうた》の一節が、そこだけが、また記憶の中に浮び上った。
赤いまんまに　魚《とと》かけて……
彼女は食器を洗い終った。茶の間へ行き、またお茶を一杯飲んだ。お手伝いさんは自分の部屋でラジオを掛けているらしい。香代子はまだ帰らない。母親はテレビを見、それからまた思い出したように鈴を鳴らすだろう。家の中はひっそりしていた。父親が応召して、彼女は信州の或る城下町に母親と疎開《そかい》した。香代子は生れたばかりで、小さなお人形さんのようだった。その頃、彼女は母親が香代子のために子守唄を歌うのを聞いたのだろうか。それとも、それは彼女自身の小さい時の経験だったのだろうか。しかし彼女には、母親が子守唄を口ずさんでいるのを聞いたような確かな記憶はなかった。母親は、彼女の知る限り、歌というものを口にしなかった。一体あたしの記憶はどういうふうになっているのだろう、と彼女は考えた。父親が、多分戦死した筈《はず》だと家族じゅうが諦《あきら》めていた父親が、栄養失調でやつれはてて、或る日、不意に帰って来た。その時の驚きと悦びとがあまりに大きく、それまでの疎開先での日々の記憶を綺麗《きれい》に洗い流してしまった。お父さん、ほんとうのお父さん、と彼女はその時叫び、泣き出したきりどうしても泣きやまなかった。それまで、父親はただの写真にすぎなかった。無言のまま微笑している一枚の写真というにすぎなかった。そして泣きやんだ時に、父親は、これが香代子か、可愛《かわい》い子だ、いい子だ、と言って妹を抱き上げてあやしていた。何かしら裏切られたような感じ、それが彼女の中に尾を引いて残った。母親は眼を輝かしていた。妹はきゃっきゃっと笑っていた。そして彼女だけが尚も眼に涙をいっぱい溜《た》めて、この人たちを眺《なが》めていたのだ。この人たち、しかしそれが彼女の家族だった。もしもお母さんが倒れなかったなら、あたしは大学に行くか、でなければ嫁に行っていただろう、と彼女は考えた。あたしはあたしの家庭を、あたしの家族を、持っていただろう。そして彼女は、不可能な状況と言った三木先生の言葉をまた思い出した。先生はあたしを慰めるために、あんなことをおっしゃったのだろうか。誰にだって、どうにもならない状況というものがあるんですよ、と三木は言った。誰もが自分だけが例外で、他の人はみんなうまく行ってるように考えやすい。しかしそんなことはない。大なり小なり、人はそれぞれの状況に置かれて、その不可能性の中で苦しんでいるのです。先生もそうなんですの、と彼女は無邪気に訊《き》き返した。先生はおしあわせなんでしょう。奥さんもいらっしゃる、お子さんもいらっしゃる、いいお仕事もおありだし。そうね。そう見えますかね。三木はそれ以上の説明をしなかった。彼女は三木の皺の寄った額と、細く見開かれた眼と、テーブルの上に置かれているその手とを見ていた。額の皺は抉《えぐ》られたようで、眼は鋭く、両手の爪《つめ》は伸びていた。小さな爪切りを先生にあげよう、と彼女は思いついた。

鈴が鳴っていた。城下町に疎開していた頃に、親戚《しんせき》の離れに住んでいるといつでも母屋《おもや》の風鈴の音が聞えた。秋ぐちになっても、その風鈴は軒先に出しっ放しになっていて、いつもそのかすかな響きを、しまいには息苦しく感じられるまでに、離れへと運んだ。彼女はそれを思い出しながら、母親の部屋へ行き、蒲団の裾《すそ》の方へと廻った。テレビは消してあった。部屋の中に一種の病人くさい臭《にお》いが漂っていた。

香代子はまだかい、と母親は訊いた。帰って来れば妹も顔を出す筈だし、だいいち玄関のベルの音もここまで聞えて来る筈だったから、その問には何の意味もなかった。

それに用件は訊かなくても分っていたから、彼女は黙って、まめまめしく母親の世話をした。母親は潔癖《けっぺき》で、彼女以外の世話は一切受けつけなかった。ひどく具合の悪かった頃も、看護婦を毛嫌《けぎら》いしてすぐに美佐子を呼んだ。病院にはいってはどうかと父親がすすめた時も、あなたはわたしが嫌いだから追い出したいんでしょう、と憎まれ口を叩《たた》いた。そういう時、父親は何とも言えない寂しそうな表情をした。彼女が三木と会っている間に、ふとそこに父親がたまに見せる表情に似たものを感じることがあった。父親はそれを隠そうとしたし、三木は隠さなかった。君のお父さんにだってきっと悩みはあるんだろうが、君にそれを言わないだけでしょう、と三木は弁護した。ええ、それはお父さんは、お母さんみたいな寝たきりの病人を抱《かか》えているのだから、苦労してるに違いありませんわ。でも、お父さんは、お母さんのことでちっとも親身じゃないと思うんです。夫婦ってあんなものなのかしら。お母さんは愚痴を言う、それは病人で退屈してるから無理もないでしょう、ところがお父さんはただ聞いているだけ。せめてこういうことがあったとか、ああいうことがあったとか、お勤めに行っての話でもしてあげれば、お母さんだって少しは気が安まると思うのに。彼女は愚痴っぽくそう言いながら、自分の口調がどこか母親に似ているようで厭《いや》な気がした。共通の話題はないんですかね。さあ、共通って、二人とも全然違ったタイプなんですわ。

お父さんの方は、本当は引っ込み思案で、本を読んだり庭いじりをしたりするのが好きなたちで、お母さんは出歩くのが好きなたちなんです。それがまるで逆になっているから。君は御両親のどっちに似ているんです、と三木は訊いた。さあどっちかしら、妹は母親似ですけど。君はお父さんの方に似ているんでしょう、もっとも僕は君の話でしかお二人を知らないんだが。わたし、でも、お母さんの方が好きです、と彼女ははっきり答えた。

ねえお母さん、むかしお母さん子守唄をうたって下さったかしら、と彼女は訊いた。そうねえ、それは歌いましたよ。どんなの、ちょっと歌ってみて頂戴《ちょうだい》。お前、いまさら改まって歌えるものですか、と母親は少し笑った。それじゃ文句だけでいいわ、と彼女は言った。そうね、ねんねんおころり　ねんころり　坊やはよい子だ　ねんねしな　ねんねのお守は　どこへ行《い》た、こういうんじゃなかったかね、と母親はすらすらと文句を続けた。それからは。それから、あの山越えて里越えて　里のおみやに　何もろた　でんでん太鼓に　笙《しょう》の笛　起上り小法師《こぼし》に　振り鼓《つづみ》、こうだったね。それからは。さあ、それだけだったろうよ。その歌詞の中に、彼女の覚えている、赤いままに　魚《とと》かけて、という句はなかった。それに彼女の記憶にあるのは、全体としてもどこか母親の言った歌詞とは違っていた。そのどこが違うのか彼女は正確に思い出そうと頭の中で一心に考えた。

むかしうちにずっとねえやがいたわねえ、と彼女は言った。そうだったね、と母親は気のないような声で答えた。何て名前だったけかなあ、あの人。しかし母親は、わたしはもう忘れてしまった、と言ったきり取り合わなかった。そして母親は別のことを話し始めた。お前よりも前に、本当はお前の兄さんがいた筈なんだよ。名前をつけるより先に死んでしまったけどね。可哀想《かわいそう》な子だった。今の子守唄もね、坊やはよい子だ　ねんねしな、というんだろう、それを歌っていると、どうしてもその子のことをね、その生れて五日目に死んでしまった坊やのことを思い出してね、お前の時にも香代子の時にも、この子守唄を口にするとつい泣けて来てしまって。だからわたしはあまり歌わなかった。歌うとついその子のことを思い出す。生きていればもうそろそろ三十にもなろうというのに、可哀想に、生れたと思ったらすぐ死んでしまった。その子さえ生きていたら、わたしもこんなに苦労はしなかっただろうにねえ。

彼女は黙って聞いていた。その子のことは母親に附き纏《まと》って離れない妄想《もうそう》だった。もしもその子が生きていたら。それはまるで、もしもその子が、その赤んぼが、無事に成長していたなら、美佐子も香代子もいなくてもいいような口振だった。お母さんも勝手なひとだ、と彼女は思い、しかしいまだにその子のことを一途《いちず》に思い詰めている母親を憐《あわれ》んだ。人はそんなにまで過去のことを考えながら、それも、もう取り返しのつかない過去のことを考えながら、生きているものだろうか。お母さんは寝たきりで他に考えることがないから。あたしは。すると青空が浮び、げんげの畑がひろがり、蛙《かえる》が鳴き、蝙蝠が飛び、渋紙のような皮膚をした老婆《ろうば》の顔がゆらめき、赤いまんまに　魚《とと》かけて、と歌っている若い娘の顔が明滅した。それもまた過去のことだった。しかしその不確かな過去は、或いはまったく彼女の想像なのかもしれなかった。母親はまだその当時のことを、つまり父親と気に染まない結婚をして、子供が生れることで二人の仲がしっくり行くと思っていたのに、その子は生れると直《すぐ》に死んでしまったという昔話を、殆《ほとん》ど独り言のように呟《つぶや》いていた。お母さん、もう寝ましょうよ、と彼女は言った。

彼女は母親の床と並べて自分の床を取った。その時玄関のベルが鳴り、彼女は急いでそちらへ出迎えに行ったが、お手伝いさんがまだ起きていて、先に玄関の戸を明けて香代子を中へ入れていた。彼女の顔を見ると、妹は朗かな表情で、おそくなって御免ね、と言った。

お手伝いさんにおやすみを言い、お茶を飲みたいと言っている香代子を先に母親の部屋へ行かせて、彼女はお勝手でお湯を沸かし、お盆の上にお茶の道具を載せて、あとからそれを持って廊下を歩いて行った。部屋の中から妹の若々しいはずんだ声がしていた。彼女が母親の蒲団《ふとん》の枕許《まくらもと》でお茶を入れている間も、妹は立て続けに喋《しゃべ》っていたし、母親も嬉《うれ》しそうにそれを聞いていた。姉さんも聞いてよ、今度のあたしたちの公演でね、今日最終的に配役がきまったんだけど、何とあたしがイネスの役を貰《もら》ったの。どう、凄《すご》いでしょう、あたしもびっくりして、あたしは演出助手で結構ですって言ったんだけど、三年生の下山さんがどうしてもって言うんじゃない。あたし、きっとそねまれちゃうなあ。彼女はそこで訊き直した。何のことなの、それ。一体何の公演なの。姉さん、しっかりしてよ、頭に来ちまうな。ほら、大学の演劇部で来月、公演をするって言ってたでしょう。サルトルの「出口なし」をやるって。今までみんなで作品の研究をして、黒川先生って、ほらサルトルの専門のお偉い先生、その人に来てもらってお講義を聞いたり、代る代る本読をやったりしていたんだけど、今日、いよいよキャストをきめたのよ。そしたらあたしがイネスに当っちゃった。大変よ、むつかしい役なのよ。大体、お芝居そのものが難しいんだから。そう、それでこんなに遅くなったの、と彼女は訊いた。だからさっきあやまったでしょう、そんなにふくれないでよ、姉さん。何しろあたしがイネスをやるんだから。やりたい人は沢山いるのによ。彼女は妹のはずんだ声を聞きながら、母親にお茶を飲ませていた。妹がはしゃげばはしゃぐほど、彼女の気持は沈んだ。母親は、それはどんなお芝居なんだい、と訊いた。ママなんかには分らないな。いずれ説明してあげる。明日は午前中から稽古《けいこ》があるんだから、あたしもう寝る。明日も出掛けるの、と彼女は尋ねた。うん。香代子はさっと立ち上り、ママおやすみなさい、姉さんおやすみなさい、と言った。香代子ちゃん、その言いかたは少し棒読みね、実感がこもっていないわ、と彼女はひやかした。やられた、とそれでも嬉しそうな声で言うと、おやすみなさいませ、としなをつくって、廊下へばたばたと出て行った。二階への階段をとんとんと踏む足音が聞えた。香代子ちゃんはいつも勝手ね、と彼女は少し怨《うら》みがましく言った。いいさ、若いんだから、と母親は弁護した。要するに香代子はお母さんにそっくりなのだ、お母さんにとって、あたしの方は看護婦というにすぎないのだ、と彼女は考えた。

母親は睡《ねむ》そうにしていた。お母さん、先に寝ていて。あたしもうちょっと香代子と話があるから。母親は頷《うなず》いた。彼女は天井の電燈を消し、枕許のスタンドの豆ランプだけを点《つ》けた。そしてそっと襖《ふすま》を明け、廊下を通って玄関の戸閉《とじま》りをもう一度確かめ、二階へと昇って行った。

何だ姉さんか、と机の前の椅子《いす》に横坐《よこずわ》りに掛けて足をばたばたさせていた香代子が、ドアの方を振り向いて言った。お小言の続きでやって来たの。まさか、と彼女は答え、少し微笑した。そんなに急いで寝るわけでもないでしょう。あたし少し気がくさくさして。そうなの、と香代子が言った。それじゃ姉さん、ビール飲まないか。あたしはお目出たいんだから、一つこっそり祝盃《しゅくはい》をあげようと思っていたところなの。姉さんだって一杯やれば気持がすうっとするわよ。冷蔵庫にはいっているのを取って来よう。彼女は頷き、そうしましょう、あたしが行くわ、香代子ちゃんだとお母さんが目を覚ますといけないから、と戻りかけたが、妹は、いいのよ、あたしだってこんな時は猫みたいにそっと行くわよ、ここで待ってて、と言った。香代子が出て行くのと入れ変りに、その部屋の中で彼女は一人きりになり、机の横手にあったもう一つの椅子に腰を下した。勉強机の上には本とかノートとかが雑然と散らばり、本箱には立てたり寝かしたりして本がぎっしり詰っていた。壁に沿ってシングルのベッドが置かれ、その上に香代子が今日着て行ったハーフコートが投げ出してあった。彼女は立ち上ってそれを洋服簞笥《だんす》の中に懸けた。壁には舞台写真や、外国の舞台女優のブロマイドや、額にはいった複製名画などがあった。この部屋は、隣の彼女の部屋ほど大きくはなかったが、呆《あき》れるくらい乱雑でちっとも落著《おちつ》いたところがなかった。それは、妹はこの部屋で生活し、姉である彼女はいつも母親の部屋とかお勝手とか茶の間とかにいることが多くて殆ど自分の部屋を利用することがないためかもしれなかった。それとも妹は潑剌《はつらつ》と生きているのに、姉の方は生きながら死んでいるのも同じだということかもしれなかった。その隣の部屋というのは昔は客間で、こちらの部屋が姉妹二人の共通の子供部屋だった。この部屋の壁には、まだ小さかった香代子が何かのことでひどくあばれ出して、端から物をぶつけた時の傷がまだ残っていた。もっとも香代子はその痕《あと》を、上手《じょうず》に写真などを貼《は》って隠してはいたが。小学生の頃の香代子は、甘えっ子で、我儘《わがまま》で、怒り出すと手がつけられなかった。そして彼女の方は部屋の片隅《かたすみ》に坐って、白い画用紙の上にクレヨンでせっせと絵を描いていたものだ。

香代子が大きなお盆にビール壜《びん》を二本とコップやらチーズやらを載せて戻って来た。あたしの部屋の方が広いから、あっちへ行かない、と彼女は言った。ううん、面倒くさいや、ちょっとその机の上のものを片附けてよ。早くして、重いんだから。せっつかれて彼女は急いで机の上に空地をつくり、香代子はそこにお盆を置いた。ビール壜の栓を抜き、コップに注いで、一つを取り上げると、乾盃、と言った。彼女は、おめでとう、と言った。何がおめでたいのか実感はなかった。彼女は一口飲んでコップを置き、香代子は半分ほど飲み乾《ほ》して、うまい、と叫んだ。で、どういうお芝居なの、そのサルトルの何とかいった、と彼女は訊いた。「出口なし」よ。これは現代的な地獄なの。ホテルの一室で、男が一人、女が二人、その部屋に入れられる。その三人は決して部屋から出られないの。なぜそれが地獄なの、と彼女は訊いた。だって三人とも死んだ人たちなんだもの、つまり地獄らしい地獄じゃない、ボーイだってちっとも地獄の番人みたいじゃない、しかしその三人は、いつでも他の人間がそこにいることによって、地獄の苦しみを味わわなければならないというわけなの。何だか気味の悪いお芝居ね、と彼女は言った。陰惨よ。でもね、サルトルの芝居ははやりだから大学演劇の出し物にはよく出るのよ。人数もボーイを入れて四人きりだし、装置も簡単だし。でも難しいから大変だわ。香代子はもう三杯目を飲みながら、姉さんももっとどんどん飲みなさい、一体何をくよくよしているのよ、と訊いた。あたしは香代ちゃんみたいに元気がないのよ。じゃあれ。馬鹿《ばか》ね。二人は笑った。ねえ香代ちゃん、あなたそんなに演劇活動をやっていて、あとはどうするつもりなの。あとって。大学を出てからよ。そんなことは分らないわ、そんな先のことを考えたって始まらない、今が面白いからそれでやっているだけよ。そうね、あなたは楽天的だから羨《うらやま》しいわ、と彼女は嘆息した。姉さんは悲観的ね、それで思い出した、今日、例のお見合の人と会ったんでしょう。忘れていて申訳ない、どうだったの、振られたの、と香代子は無邪気に訊いた。伊能さんのことはいいのよ、と彼女は言い、またビールを少しずつ飲んだ。あんな人には興味がないわ。ふん、さては誰か他にいるなああ、と香代子が茶目な表情をした。まさか、と言いながら、彼女は顔が赧《あか》くなりはしなかったかと心配し、少し飲むと直に顔に出るからあたし厭《いや》だわ、とごまかした。誰なのよ、姉さん。そんな話じゃないのよ。あたしは香代ちゃんみたいに発展家じゃないし、それに第一、誰かいたってあたしは駄目よ。あらどうして、と香代子が訊いた。だってお母さんがいるし。ママなんかどうだっていいじゃないの、好きな人がいるんなら、どしどし結婚しちゃいなさいな、及ばずながらあたしが控えていてよ。香代ちゃんじゃねえ、と言って彼女は笑った。あたしだってちっとは役に立つわよ、アリバイぐらいつくってあげるわ。ありがとう、でもお母さんを見捨ててはどこへも行けないわ。そして香代子も、もうそれ以上は心にもないことを口にしなかった。病気で動けない母親を持っているという現実が、二人の心を共通に重たくした。ビールおいしいわ、と彼女は言った。

もう一本持って来ようか、と香代子が言った時に、彼女はそれをとめて、気に懸《かか》っていたことを切り出した。ねえ香代ちゃん、あなた子供の頃にこういう子守唄《こもりうた》を聞いたことあって。ちょっと歌ってみるから聞いてね。

ほらねろ　ねんねろ　ホラねろやあや
ねんねろ　ねんねろ　ホラねろやあや
ねんねろ　ねんねろ　だんだかやあや

ねんねのお守は　どこへ行《い》た
野越え　山越え　里へ行た
里のおみやに　何もろうた
でんでん太鼓に　笙《しよう》の笛
赤いまんまに　魚《とと》かけて……

そのあとがどうしても思い出せないの。あたしは知らないな、と香代子は言った。大体その節も、あたしの知っている子守唄とはまるで違うな。姉さんはどうしてそれを知ってるの。さあどうしてなんだか、それがあたしにも分らないのよ。香代ちゃんが聞いた覚えがないのなら、あたし一人がこの歌を聞かされて育ったんだわ。あたしはこの歌をようく聞かされたに違いないし、きっと、いつも魚《とと》かけてというあたりで眠ってしまったのかもしれないわ。ママなら当然知っている筈《はず》よ、と香代子が言った。ママに訊《き》いてみればいいじゃないの。お母さんは知らないって、さっき訊いてみた。そして二人はまた黙ってしまった。香代子は最後にコップに残っていたビールを飲み乾した。

どうしたのよ、姉さん、と香代子が訊いた。ええ。彼女は顔を起して妹を見た。妹は彼女とちっとも似ていなかった。その顔だちも、性質も、興味の持ちかたも、人との附き合いも。そして彼女は言おうか言うまいかと暫《しばら》くためらっていた。なにさ、そんな深刻な顔をして、と香代子はひやかし、それが彼女を決心させた。あのね、あたしひょっとしたらお父さんやお母さんの子じゃないんじゃないか、貰い子なんじゃないか、って考えてみたのよ。

何を言うの、姉さん、香代子は見る見るうちに意外なほど真蒼《まつさお》な顔になった。御免なさい、びっくりさせたかしら。さっきの子守唄をたしかにあたしは聞いた覚えがあるし、お母さんは知らないって言うし、それにあたし、香代ちゃんにも似てないし、お母さんにだって似ていないでしょう。姉さんたら、と香代子は叫ぶような声を出した。そんな馬鹿なこと、だいいちパパに似てるじゃないの。いいえ、と彼女は答え、そう答えている自分を憐んだ。お父さんとはまるで違うわ、わたしお父さんを嫌《きら》いだもの、それにちっともお父さんだって気がしないもの。あたしはどこかこのうちの人たちと違うのよ、あたしだけが。そんなことはないわ、姉さん。そして不意に、香代子が泣き出した。絶対にそんなことはない、姉さんの馬鹿。意地悪。そんなことありっこないのに、どうしてそんな。

彼女は頷いた。そうね、あたしの思い過ごしかもしれないわ。御免なさい、泣かなくてもいいのよ。ただちょっと気になっただけ。しかし香代子はしゃくりあげながら、そんなの嘘《うそ》よ、嘘よ、と言い続けていた。御免なさい、悪かったわ、と彼女はあやまり、そっと椅子から立ち上った。今の話は内緒よ、もうこの話は二度としないから、と言った。そしてお盆の上に空罎《あきびん》やコップを載せ、それを持ってそっと部屋を出て行った。

母親はもう眠っていた。彼女は隣の蒲団に身体《からだ》を埋《うず》めたが、容易に寝つかれなかった。眼をつぶると、蝙蝠《こうもり》の飛んでいる夏の空や、白い雪のある山脈や、げんげの畑などが眼の前に浮んだ。甘い乳の香りと、頰《ほお》に当るぱさぱさした髪の感触とが感じられた。田舎の一本道に赤々と夕陽《ゆうひ》が射《さ》していた。子守の若い娘が身体を揺すぶりながらその歌をうたっていた。赤いまんまに　魚《とと》かけて……ねんねろやあや。

どうして不可能なんです、どうしてわたしたち、その不可能の中から出られないんです、と彼女は訊いた。

誰か他《ほか》に好きな人でもいるんですか、と伊能が訊いた。

灰皿の上で、煙草《たばこ》の吸殻がまだ煙を上げていた。男の手が神経質にそれを揉《も》み消した。その爪《つめ》は伸びていた。

あたしには行先が分らないんだよ、と年寄の女が言った。

囲炉裏《いろり》ばたに幾人かの人たちが坐っていた。鉄瓶《てつびん》がしゅうしゅうと音を立てていた。

ドアがしまっていた。誰かがそれを懸命に明けようとしていた。その誰かは彼女自身だった。不意に香代子の笑い声が聞えた。香代子が宣告するように言った。出口なし。

お前は私の娘じゃないよ、と父親が言った。

お前は、と母親が言った。あとの言葉は聞きとれなかった。母親は立っていた。久しぶりに見る母親の立っている姿は、悦《よろこ》びよりも恐怖を彼女に惹《ひ》き起した。煤《すす》けた大黒柱に、古風な八角形の柱時計が懸っていた。文字板の羅馬《ローマ》数字の上を長針と短針とがゆっくりと動いていた。

いま何時《なんじ》、と誰かが訊いた。

彼女は時計の針を見詰めていた。その長針はゆっくりと反対の方向に動いていた。短針もまた反対の方向に動いていた。七時から六時に、六時から五時に。

彼女は悲鳴をあげ、そして暗闇《くらやみ》が彼女の廻りを覆《おお》った。

あくる日は一日中霧のようなものがかかっていた。父親は出張から帰らず、香代子は午前中から芝居の稽古《けいこ》に出掛けた。硝子戸《ガラスど》を明けると風が寒かったが、母親はいつものように庭を見たいと言って肯《き》かなかった。庭には落葉が散り敷き、楓《かえで》の色づいた葉に小鳥が来ていた。空は一面にどんよりと曇って今にも雨が降り出しそうだった。

お母さん、降りそうよ、と彼女は言った。早や夏秋もいつしかに過ぎて時雨《しぐれ》の冬近く、といったものだね、と母親は呟《つぶや》いた。なによ、それ。これかい、雁金《かりがね》という清元の文句だよ。お前のおじいさんが好きでよく口にしていなさったものだ。そうなの、でもお母さん、そんな風流なものじゃなくてよ、この頃は。この霧はスモッグといって、霧と煤煙《ばいえん》とがいっしょになったものだし、雨が降れば放射能の心配をしなければならないし、厭ねえ。母親は彼女の言うのを聞いているようではなかった。小さな声で、早や夏秋もいつしかに、と繰返していた。彼女はふと母親をひどく憐《あわ》れに感じた。もう閉めましょうよ、と彼女は言った。

硝子戸を閉めると部屋の中は薄暗くなって陰気に感じられた。彼女はガスストーブに火をつけ、お母さん、爪を切ってあげましょうか、と言った。母親の手は細くてしなやかだった。母親は彼女に手をあずけたまま言った。おじいさんという人は若い頃は仲々の粋人《すいじん》だったらしいんだよ、お役人だったがねえ。おばあさんもそれで随分苦労をなさったらしいよ。お母さん、それはつまりお母さんのお舅《しゅうと》や姑《しゅうとめ》にあたる人たちのことね、お母さんの方のおじいさんやおばあさんはどうなさったの、と彼女は訊いた。わたしの母はわたしがこの家に嫁に来る前に死んでいたし、父は結婚してから暫く後に死んだよ。でもここの家のおじいさんもおばあさんも、わたしを大切にして下さった。おじいさんは若い頃は相当に派手なこともなさったらしいけど、わたしたちが結婚した頃は真面目《まじめ》一方のお役人で、清廉《せいれん》潔白というお人だった。戦争中も闇《やみ》のものは決してお買いにならなかった。戦後間もなく栄養失調で亡《な》くなられたがね。彼女は母親の両手の爪を切ると、今度は掛蒲団をそっとめくって、足の爪を切り始めた。わたしたちが戦争中に疎開《そかい》したのはあれはどういう家なの、と彼女は訊いた。ああ、あれはおじいさんの本家に当る田舎の家さ。おじいさんは御自分では疎開なさらなかった。お仕事が忙しかったからねえ。もしもおじいさんやおばあさんが御一緒だったら、お二人ともあんなふうに栄養失調なんかにはならなかった筈だよ。それにわたしも苦労をしないで済んだろうしね。彼女はそこで訊いた。わたしたち、疎開の時以外に田舎には行ったことがないってお母さんおっしゃるけど、本当にそうだったかなあ。母親は足を縮め、痛いじゃないの、と言った。

その日曜日は単調に過ぎて行った。夕方から雨が降り始めた。夕食の時刻までに父親も香代子も帰って来なかったから、彼女は母親の部屋に膳《ぜん》を運ばせて、お給仕をしながら自分も食べた。そのあと、自分の部屋から外国の画集を持って来て、母親の蒲団のそばで見ていた。母親はテレビに夢中になっていた。

玄関のベルが鳴った。彼女が出て行くと父親が帰って来ていた。お濡《ぬ》れになった、と訊きながら、レインコートを脱がせた。大した降りでもないよ、と父親は機嫌《きげん》よく言った。御飯は要《い》らない、お風呂《ふろ》を貰《もら》おう。父親が母親の部屋を覗《のぞ》いている間に、彼女はお手伝いさんにお茶の支度《したく》をさせ、自分は風呂場で湯加減を見た。父親が風呂にはいっている間に香代子も帰って来た。

茶の間で、姉を相手に一人で食事をしている香代子のそばに、湯上りの父親が胡座《あぐら》を掻《か》いて坐《すわ》った。香代子は何を息まいているんだね、と父親は穏かに訊いた。香代子が父親の質問に応じて得意になって喋《しゃべ》っている間も、この二人の話をお母さんにも聞かせてあげたら、と彼女は考えていた。進んで母親のそばに行こうとするのは彼女ひとりだった。父親は義務的に母親の相手をするだけだったし、香代子は勉強が忙しいと言っていつも逃げた。もしも母親が、こうして眼を輝かせて芝居の話をしている香代子を見たならば、どんなに面白いテレビの番組の最中でも、母親はきっとそれを消すだろう。ただ香代ちゃんにはそうしたお母さんの気持が分っていないのだ、と彼女は考えた。

香代子が夕食を済ませて、例によって、明日の予習で忙しいからとか何とか言いながら二階へ昇って行ったあと、夕刊を見ている父親に彼女は話し掛けた。お父さん、ちょっとお話があるんだけど。父親は振り向き、新聞を下に置き、眼鏡を外《はず》して、何だね、と訊いた。伊能さんのことなんですけど。伊能君がどうかしたのかい、と父親は茶碗《ちゃわん》に手を伸ばしながら言った。彼女は父親が茶を飲み終るのを待って、あたし、あの方とのお附き合いをやめたいんです、と言った。どうして。どうしてってこともないけど、あたし結婚する気になれませんから。それは美佐子、附き合ってみなければ分らないだろう、と父親はゆっくりと、子供でもあやすように言った。だから、附き合ってみた上で、厭なんです、と彼女は少し力を入れて声を高くした。お勝手からお手伝いさんが出て来て、他に御用は、と訊いた。彼女はお手伝いさんを自分の部屋にさがらせた。

それは厭なら厭でもいいがね、と父親は言った。私だって何も伊能君をお前に押しつけるつもりはないよ。しかしあの男はまず及第点の方じゃないのかな。私にはそういうふうに見えるけどね。それはお父さんには及第点かもしれないけど、と彼女は言った。あたしは嫌いだわ。どういう点が。どういうってことなしに嫌いなの。それになぜだい。なぜってお母さんを置いて行ける筈がないじゃありませんか。お父さんだって分っていらっしゃるくせに。なあたしがお嫁に行けないことぐらい、お父さんだって分っていらっしゃるくせに。父親は暫く考えてから口を切った。お前はそう一途《いちず》に言うがね、お母さんのことは私の責任で美佐子の責任じゃない。お前が嫁に行ったからといって、お母さんが困らないように私が何とかする。何とかって、と彼女は訊いた。例《たと》えばどんな。そうさなあ、看護婦をつけるとか、病院に入れるとか。そんなこと、お父さん、と彼女はつい声を大きくした。そんな可哀想なこと出来っこないじゃありませんか。お母さんの身になってあげたら、お父さんだってそんな無責任なおっしゃりかたは出来ないと思うんだけど。しかしね美佐子、お前だって可哀想なんだぞ。お前が嫁に行けばお母さんだって諦《あきら》めるさ。お前がいるから、お母さんが我儘《わがまま》を言うってこともあるんだ。じゃお父さんは、あたしに出て行った方がいいっておっしゃるの、と彼女は少し声を潤《うる》ませて訊いた。

父親は黙っていた。そういうつもりじゃない、とぽつりと言った。お前の言うことは分ったよ。伊能君は私がうまく断ろう。それでいいだろう。ええ、と彼女は答えた。そう泣くなよ、みっともないぞ、と父親はたしなめた。

彼女はお茶を注ぎ、父親はまたそれを飲んだ。そして、お前にも済まないと思っているよ、と言った。その父親の言葉が、不意に彼女の気持を揺すぶった。こうした親密な気分が二人の間に訪れたのは久しぶりのことだった。彼女はそのきっかけをうまく摑《つか》んだ。ねえお父さん、あたしの小さい頃に、うちにねえやがいたでしょう、と訊いた。ねえや、と父親は訊き直した。ねえやだったか、ばあやだったか。お父さんが戦争に征《ゆ》く前で、あたしがまだ小さかった頃。初ちゃんか、と父親は言った。そうね初ちゃんだった。あたしはすっかり忘れていた。どこから来ていたの、その人、と彼女は訊いた。あれは山梨の方の旧家の娘で、うちに行儀見習いに来ていたんだ、と父親は説明した。そして旧家の姓と笛吹川の流域に近いその場所とを教えてくれた。今頃はどこかの嫁さんに納って、子供も大ぜいいるだろうな、と父親は懐《なつか》しそうな顔をし、それから、初ちゃんがどうしたんだい、と彼女に訊いた。何でもないの、昨日テレビでわらべうたを聞いたものだから、つい思い出して。気立のいい、その代りよく喋る娘だった、と父親は遠くを見るような眼附で言った。

数日後に、彼女は或《あ》る画廊で催された個展に出掛け、三木先生に会った。画廊を出て、いつものように喫茶店にはいった。

先生、あたしちょっと旅行に出るかもしれませんの、と彼女は言った。旅行はいいなあ、どこへ行くんです、と三木が訊いた。旅行という程のものじゃないんです、日帰りで甲府の方の在《ざい》まで行きたいと思っているんですけど。一人で、と三木が訊いた。勿論《もちろん》一人ですわ、と彼女は答え、そこにわたしの小さかった頃のねえやがいる筈なのです、と説明した。ただ、なぜ自分がそのねえやに会いたくなったのかは説明しなかった。三木はしきりに、いいなあ、を繰返した。笛吹川の近くなんですって。先生はその辺にいらしったことおありになって。いいや僕はない、と三木は答えた。甲府のあたりには全然行ったことがない。僕も行きたいものだ。彼女は黙って頷《うなず》いた。どんなに先生が行きたがっても、あたしたち二人が一緒に旅行することなんか出来はしない、と彼女は考えた。たとえ日帰りでも。そのことは、先生にもあたしにも、ようく分っているのだ。分っているから先生はあんなに行きたそうな顔をなさるのだ。もうあの辺の奥秩父《おくちちぶ》の山には雪がつもっているでしょうね、と三木は言った。さあ、あたし初めてだから、と彼女は答えた。僕もどこかへ旅行にでも行きたいんだが、貧乏暇なしでね。それに僕の生活なんか、宙ぶらりんでどうにもならないんだ。だって先生なんか、と彼女は遮《さえぎ》った。無力なるインテリですよ、気儘《きまま》な旅行一つ出来ない、と三木は寂しそうな声を出した。生活というものが一定の型にはまって、そこから抜け出すことが出来ないんです。つまり宙ぶらりんです。

二人がコーヒーを飲み終り、椅子《いす》から立とうとする間際《まぎわ》に、彼女はハンドバッグから小さな紙袋を出して三木に渡した。先生にこれを差上げたいんですけど、受け取って下さるかしら、と彼女は少し顔を赧《あか》くして訊いた。何です、それ。失礼かもしれないんですけど。三木は、明けてもいいですか、と言い、言った時にはもう中を開いていた。小さな銀色の爪切りを手に取って、それから自分の指先を見て、無精者にいいものをくれましたね、と言った。彼女はますます顔を赧くした。御免なさい、先生がお気を悪くなさるんじゃないかと思ったんだけど。僕が。僕が気なんか悪くするもんですか、と言いながら、三木はそれをポケットにしまった。どうもありがとう。君はよく気のつくひとですね。

三木は勘定を払って喫茶店を出ると、ちょっと歩きましょう、と言った。彼女は黙って一緒に歩いた。

三木は或るデパートの前まで来ると、悪いけどちょっと附き合いませんか、と言って、さっさと中へはいった。三木は案内係の店員に低い声で何か訊き、またさっさと歩いて行った。彼女は困ったようにあとを追ったが、三木が行った先は香水の売場だった。彼は無造作に外国製の香水を一つ買い、それをリボンに包ませた。勘定を済ませてそれを受け取ると、振り向いて彼女に、これを君にあげます、と言った。

まあ先生、そんなの困ります、と彼女はどぎまぎして押し返した。早くそのバッグにしまって下さい、困るのはこっちだ、みんなが見てますよ、と三木は笑いながら言った。確かに売子が好奇心をあらわにしてこちらを見ていた。彼女はそれをとにかくバッグに入れ、二人は人込の間を出口の方へ歩いた。そんなに気にしないで受け取って下さい、と三木は歩きながら言った。何か君に上げようと思っていたけど、物なんか上げて厭《いや》な奴《やつ》だと思われちゃ困るから、今まで遠慮していたんです。君が親切な心《こころ》遣《づか》いを見せてくれたから、お蔭《かげ》で助かった。でも先生、あたしが上げたのはたかが爪切りなのに、と彼女は言った。たかがということはないでしょう。君の気持が嬉《うれ》しいんです。君はきっといいお嫁さんになるでしょうね。そして、僕はここで失礼します、爪切りをありがとう、ともう一度礼を言うと、雑沓《ざっとう》の中をすたすたと歩き去った。

その翌日、彼女は父親と香代子とを送り出すと、曖昧《あいまい》な理由で母親に断りを言って、新宿駅に向かった。出勤時間がちょうど過ぎた頃で、バスは比較的空《す》いていた。それはスモッグのひどい日で、バスはヘッドライトを点《つ》けたまま、のろのろと走った。駅前の広場では、空は一面に灰色じみた霧に覆われ、息苦しいほどのいがらっぽい空気が立ち籠《こ》めていた。彼女は切符を買い、列車の出るプラットホームへ昇り、空席を見つけて坐った。何のために出掛けるのだろう、と彼女は発車の時刻を待ちながら考えていた。あたしは何を探しているのだろう。何のためにこうして初ちゃんを訪《たず》ねようとしているのだろう。答は返って来なかった。その代りに細かな塵《ちり》のようなものが、彼女の心の上に降りつもった。

汽車が動き出すと、それでも久しぶりに旅へ出る悦びが心の中に滲《にじ》んで来た。八王子を出ると、空は依然として曇っていたが、東京の空のように濁ってはいなかった。あたしたちはみんな宙ぶらりんだ、宙ぶらりんのまま生きているのだ、と彼女は考えた。生きることも出来ず死ぬことも出来ず、惰性のように毎日を送っているのだ。いつかは何とかなるだろうと、それだけを信じて。時計の針が反対の方向に動いていることにも気がつかずに。そして彼女はかすかに身顫《みぶる》いした。

彼女は父親の言った駅で汽車から下り、駅前の店で食事をし、その店で教えられたバスに乗った。山間の道をバスが走り、立ち枯れたような桑畑がひろがっていて、その上に氷雨《ひさめ》が降っていた。

やがてバスを下りると、傘《かさ》を差して、あたりを見廻した。着て来たハーフコートでは寒すぎるほどの陽気で、稲を刈り取ったあとの田圃《たんぼ》が片側にあり、もう片方は葡萄《ぶどう》畑になっていて、広い道はひっそりと氷雨に濡れていた。彼女はとにかく歩き出し、自転車に乗って向うから来た青年を呼びとめて、訪ねて行く旧家の名前を言った。青年は親切に教えてくれた。そこに初江さんという小母《おば》さんいますかしら、と彼女は訊《き》いた。さてね。幾つ位の人、と実直そうな青年は訊き返した。きっと四十位だろうと思うんです、でももっと上かもしれない、と彼女はぼんやりしたことを言い、相手はとても分らないというふうに首を振って、そのまま自転車を飛ばして行ってしまった。

彼女はゆっくりとあたりを見廻しながら、大きな門構えのその百姓家に達した。大事なことは、初ちゃんに訊くことよりも、自分の記憶を確かめることにあった。もしも記憶が此所《ここ》だと教えてくれたならば、それで充分の筈《はず》だった。しかし空は曇っていたし、山も見えず、季節もまた秋の終りで、記憶の中の風景と似通ったところは少しもなかった。そうなると初ちゃんに会って確かめることだけが、残された唯一《ゆいいつ》の方法だった。

彼女が訪れた家では、小さな子供が二人ほど物珍しげに彼女を眺《なが》め、母親らしい人物を呼んで来た。その顔には見覚えがなかった。その人は嫂《あによめ》らしくて、初江さんは嫁に行ったからこの家にはいない、とややぞんざいに答えた。彼女が用意して来た手《て》土産《みやげ》を出すと、おばあさんを呼びに行った。白髪頭のしょぼしょぼした老婆《ろうば》が、片足を引きずるようにして奥から出て来た。嫂は囲炉裏ばたで茶を入れ始め、彼女は土間に腰を下して、おばあさんの話を聞いた。老婆は歯が欠けていて、その話は聞き取りにくかったし、嫂が通訳したが、それも方言が多くて彼女にはよく分らなかった。ただ現在、初ちゃんの嫁に行っている先だけは確かめることが出来た。初ちゃんは、彼女が駅を下りてバスに乗ったその町で、大きな雑貨屋の奥さんになっているということだった。嫂は多少の皮肉を籠めて、奥さんさ、と言った。

もしこの家で初ちゃんに会えなければ、そして多分会えないだろうと半分は予期しながら、その時はただこの旧家の様子だけを見て帰るつもりでいた。記憶は甦《よみがえ》らず、囲炉裏にも、土間にも、中庭にも、倉にも、何の覚えもなかった。そこで彼女は、初ちゃんがこれからの帰りの道筋に住んでいるという偶然を嬉しく感じた。彼女は傘を差してまたバスの乗場に戻った。

バスが駅前の広場に着くと、彼女はその雑貨屋を訪ねて行った。雑貨屋と教えられたが、それは一種のマーケットで、客が大勢立て混んでいた。彼女は売子の一人に訊こうとして、あたりを見廻し、それから店の奥のレジのところにいる中年の女のそばへ歩み寄った。あなたは初江さんじゃありませんか、と彼女は訊いた。

どなたさまでしたかね、とその女は言った。彼女が名前を言った瞬間、その女は大きな声で叫んだ。お嬢さま。それは見栄《みえ》も外聞もない心の暖まるような大声だった。お嬢さま、とその女は繰返した。

マーケットじゅうの人がみなこちらを向いたらしかったが、彼女は全身を固くして、背中でその視線を食いとめた。ひょっとしたら、ひょっとしたら、と心の中で同じ言葉が呟《つぶや》かれた。

彼女は奥へ通され、いま主人は仕入れに行っていていないけれど、すぐ帰るからゆっくりしてくれ、と言われた。女は立ったり坐ったりして、次々にお菓子や果物を運んで来た。まあよく来て下さいましたね、お嬢さま。大きくおなりになって。初ちゃんも元気そうねえ、と彼女は言った。お蔭さまでね。お宅に奉公していたお蔭で、こうして町の人のところへ片づくことが出来ましてね。あたしは田舎《いなか》は大嫌《だいきら》いでしてね、本当は東京の人のところへお嫁に行きたかったんですよ。それにしても長い間御無沙《ごぶさ》汰《た》してしまって。商売も忙しいし、ついついかまけてね。もう何年になりますかねえ、もう二昔《ふたむかし》の余にもなるでしょうね、何しろ戦争の始まる年にお暇を貰《もら》ったんでしたからね。お嬢さまもすっかり成人なさって。初ちゃんもお子さんがあるんでしょう、と彼女は口を入れた。ええございますとも。上の娘は高校を出て、この先の銀行に勤めていますし、下のは男の子でね、中学の二年なんですが、これがもう悪戯《いたずら》で、不良にでもなりはしないかとそれが心配でね。

女は長々と喋《しゃべ》り、彼女は安らかな気持でそれを聞いていた。それは確かに初ちゃんだった。昔よりは肥《ふと》り、如何《いか》にも商家のお内儀《かみ》さん然《ぜん》としていたが、その話し振り、その表情の動きを彼女は次第に甦って来る過去の記憶と一々照らし合せた。二十年も経《た》っていながら、その間の時間を飛び越してこうして心が通うというのはなぜだろうか、と彼女は考えた。すると心がまた揺らぎ始めた。彼女は相手を遮って尋ねた。初ちゃんがうちにいてくれたのは、あたしが幾つ位の時のこと。そうですねえ、と女は小首を傾けた。たしかお嬢さんが三つ位の時から六つか七つ位の時まででしょうね。

おとなしくて、それはお可愛《かわ》いかった。

やっぱり違うのだ、と彼女は考え、多少の安堵《あんど》を覚えた。あたしは、それが違うことを確かめにこうしてやって来たのだ。そして違うのが当り前だ。初ちゃんがあたしのお母さんだという筈はないもの。しかし彼女はもう一つ質問した。ねえ初ちゃん、こういう歌知らないかしら。蝙蝠《こうもり》こっこ　えんしょうこ、って歌。むかし聞いたことがあるような気がするんだけど。

ええ、知ってますよ、と女は答えた。それはぐさりと彼女の心に突き刺さった。こうでしょう、と言って女は小さな声で歌い出した。

蝙蝠こっこ　えんしょうこ
おらがの屋敷へ　巣つくれ
晩方《ばんがた》寒いぞ　風邪《かぜ》ひくぞ
坊やに絆纏《はんてん》　ひっかけろ

蝙蝠こっこ　えんしょうこ
おらがの屋敷へ　巣つくれ
三日月さまは　細いな

野良《のら》からおかあん まだかいな

どうしてそれを知ってるの、と彼女は訊いた。初ちゃんは笑った。どうしても何も、この辺じゃよく歌うわらべうたですよ、あたしがお嬢さんによく歌ってあげたものだ。そうだったかしら、と彼女は言った。あたしすっかり忘れていたわ。それじゃ、赤いまんまに、魚《とと》かけて、って子守唄《こもりうた》を知ってるかしら。ほらねろ ねんねろ ねんねろやあや……こういう節なんだけど。女は黙って聞き、首を横に振った。知りませんねえ、聞いたこともない。

彼女はその家に小一時間も引きとめられ、もうじき主人が帰って来るから、と言うのを、これ以上遅い汽車だと困るから、とやっと承知させて、そこを出た。女はどうしても駅まで見送ると言って肯《き》かなかった。お土産にと、彼女が遠慮するのを無理に、罐詰《かんづめ》のたくさんはいった大きな紙袋をくれて、停車場まで車で送ってくれた。切符を買う時に、彼女はハンドバッグの中に、昨日三木先生から貰った外国製の香水が、リボンに包んだまま入れてあったのに気がついた。プラットホームに上ってから、彼女はそれを出して初ちゃんに渡した。あたし何もお土産を持って来なかったでしょう。だからせめてこれを取って頂戴《ちょうだい》。そんなもの頂けませんよ、と初ちゃんは断ったが、彼女は相手の掌にそれを押し込んだ。先生はきっと怒らないだろう、と彼女は考えていた。先生にならあたしのこの気持が分ってもらえるだろう。初ちゃんはその手を押し頂いて、丁寧に礼を言った。汽車の窓から、彼女は初ちゃんが涙を浮べているのを見た。

再び汽車の座席に腰を掛けて身体《からだ》を揺すられながら、解決ということはない、みんな宙ぶらりんなのだ、と彼女は考えていた。初ちゃんを訪ねて行ったのは無駄な骨折にすぎなかったが、しかしそれを無駄だと言い切ることは難しかった。頭の中を、汽車のレールの響きに合せて、古い、半ば忘れた子守唄が鳴っていた。その続きを、彼女はどうしても思い出すことが出来なかった。

終着駅についた時に、彼女は編棚《あみだな》の上から、初ちゃんがお土産にとくれた罐詰のはいった紙袋を下した。それはずっしりと重くて、彼女が三木先生にあげたあの小さな爪切りが、これに化けたのかと思うとおかしかった。彼女はその紙袋を片手で抱《かか》えて、時々ハンドバッグと手を替えながら、駅の改札を出た。

明るいネオンが相変らずスモッグのかかった都会の空に滲むように明滅し、眼に見えぬ煙塵《えんじん》が彼女の心の上にしずかに降りそそいだ。

三章　舞　台

授業が早く終ったので、彼女はコンクリート建ての新館の廊下を通って、裏手にある旧校舎の方へ出る出口から外へ出た。同じ講義に出席していた友達が三々五々、お喋《しゃべ》りをしながら校門の方へ向うのと別れて、彼女はひとりきり、旧校舎の奥にある演劇部の部室へと足を運んだ。外へ出ると風が冷たく、銀杏《いちょう》の樹《き》が黄葉し、がさがさと音を立てていた。硝子《ガラス》窓を越して教室の中でまだ授業中の先生の声が、かすかに聞えて来たが、道はひっそりして、夕暮に近い晩秋のうそ寒い照り返しが、銀杏の葉の間からそこここに落ちていた。

急いで行くことはない、と彼女は考えた。そんなことを考えたことは一度もなかった。いつもは稽古《けいこ》の始まる四時半よりも前に授業が終った時は、一刻も早く部室へ行くことに期待の混った愉《たの》しさを感じていた。従って考えらしい考えも浮べずに（それに新館から旧校舎までは、距離もそう隔っているわけではなかったから）すたすたと歩いて行ったものだ。それなのにふと足を停めて、葉末の光っている銀杏の大木を見上げ、黄ばんだ太陽の描いている光の模様を眺《なが》めた時に、彼女の心がふと沈んだ。

彼女は道を逸《そ》れて、校舎の裏手にある林の方へ歩いて行った。林の中に木製のベンチが幾つかあり、昼休みにはいつも満員だったが、今はそのあたりには誰もいなかった。櫟《くぬぎ》や椎《しい》などの雑木の茂ったその林には陽《ひ》は殆《ほとん》ど射《さ》さず、蔭《かげ》の中で一層寒々としていた。ここは大学の中でも一番閑静な場所で、気の合った友達どうしや二人組が、講義をさぼって内緒話をするのに用いられていて、学生たちの間では情熱の森と呼ばれていた。彼女はハンカチを出してベンチの埃《ほこり》を払い、そこに腰を下した。彼女はここのベンチにお馴染《なじみ》というわけではなかった。

時間はまだ二十分ぐらいあり、彼女はぼんやりとベンチに凭《もた》れて、遠くの方から聞えて来る自動車の騒音や警笛などをかすかに聞いていた。こういうふうに心が沈むなどという経験は殆どなかった。そしてその原因が、数日前に、姉の美佐子から聞かされた話を思い出したことにあるのは明かだった。それは十二月に行われる筈《はず》の演劇部の自主公演の、キャスチングの決定した日の晩のことだった。彼女は自分が重要な役を振られたことに夢中になっていて、彼女の部屋で姉と二人してビールで祝盃《しゅくはい》をあげていた時にも、姉が何を考えているのか、なぜ沈んだような顔をしているのか、分ろうともしなかったし、また事実、予想もつかなかった。そして姉は、最後に、深刻な表情をして言った。ねえ香代ちゃん、あたしひょっとしたらお父さんやお母さんの子じゃないのじゃないか、貰《もら》い子なんじゃないか、って考えてみたのよ。

その時彼女はびっくりし、姉の顔をまじまじと見て、自分とあまり似ていない姉の細面《ほそおもて》の顔立ちの中にもしや自分をからかうような気配でもありはしないかと窺《うかが》った。そのような気配はまったくなかった。姉は真剣だった。そして彼女は、そんなの嘘《うそ》よ、と叫び、自分でもまるで泣く気なんかなかったのに、不意に泣き出してしまった。なぜ彼女が泣いたのか、姉の美佐子には決して分らなかったろう。姉が部屋を出て行ったあと、彼女はベッドの上に腹這《はらば》いになっていつまでもしゃくり上げていた。

あたしは泣くべきではなかった、と今彼女は考えていた。姉さんはあたしをからかったわけではなく、御自分が苦しんでいたからこそあたしにそれを打明けたのだ。そしてあたしは、たとえ自分で苦しむことがあっても、姉さんに相談したりなんかしないだろう。パパにもママにも言わないだろう。あたしたちの家庭は、そういうふうに、みんなが別々に生きるように出来ているのだ。

彼女は姉が心配している貰い子ではないかという疑いを、歯牙《しが》にも掛《か》けていなかった。それが杞憂《きゆう》にすぎないことに彼女は確信があった。姉は自分が父親にも母親にも似ていないと言った。妹の香代子と、顔かたちも違うし性質も違うと言った。確かに二人の姉妹はあまり似ているとは言えなかったが、妹が母親に似ているように、姉は父親に似ていた。そう彼女は感じ、ただ姉はお父さんが嫌《きら》いだから、（そう公言しているから）それでお父さんとちっとも似ていないつもりになっているのだろう、と考えた。そんなことは問題ではなかった。父親は陰気な性質で、姉もまた内気だった。病気の母親の看病をさせられてそろそろ婚期を逸しかけているために、少々神経衰弱の気味があるのかもしれなかった。それに反して、彼女自身の疑いの方はもっと深刻だった。その、自分でも何とか忘れようと思い、もう忘れかけていた疑いが、姉の意外な告白で甦《よみがえ》った。それがその晩、不意に泣き出した原因だったのだが、彼女は今、それを反芻《はんすう》することをためらっていた。疑いといっても、今さらどうにもならないような疑いを心の中に持っていて、それが何の役に立つだろうか。あたしはおセンチなのは厭《いや》だ、と彼女は呟《つぶや》いた。

彼女は立ち上り、情熱の森を抜けて、旧校舎の方へと歩いて行った。心はまだ沈んでいたが、彼女はすぐそれを振り払い、あたしは愉しいのだ、愉しくて当り前だ、と言いきかせた。すると今までの気分が次第に霽《は》れ、木造建ての校舎にはいり、部室のドアを明けた時には、もういつもの、快活な自分に立ち戻っていた。

もと教室だったこのだだっ広い部屋の中に、机と椅子《いす》とが四角く環《わ》をなすように並べられて、そこにもう幾人かの男女の学生が腰を下していた。御免なさい、遅くなって、と彼女は誰にともなく言った。まだ遅くない、と下山が教壇の黒板の前の椅子から声を掛けてくれた。彼女はにっこりし、鞄《かばん》の中から台本を取り出して机の上に置いた。安田君がまだ来ないから、もう少し待ってみよう、と下山が言った。

下山譲治は三年生で演出を受け持っていた。四年生が卒業論文の制作や就職試験などで忙しいために、秋の中頃に行なわれる各大学合同の国際演劇月の公演が済んでしまうと、実権は三年生に委《ゆだ》ねられた。従ってスタッフもキャストも殆ど三年生で組まれていて、二年生の彼女が大役を持たされたというのは異数の抜擢《ばってき》ということが出来た。それは演出の下山がどうやら彼女に気があるらしいということかもしれなかった。この色の浅黒い背の高い青年は一般に女子学生に人気があったが、彼女の方は特に気を惹《ひ》かれているわけではなかった。ボーイフレンドは二三人いて、順繰りに一緒にお茶を飲んだり映画を見たりしたことはあるが、下山とはまだ附き合ったことがなかった。噂《うわさ》によれば、下山と仲のいいのは安田教子だったし、従って安田教子が今度の自主公演で重要な役を振られているのも当然だった。

安田教子が定刻よりややおくれて部屋へはいって来た時に、下山は大きな声で小言を言った。安田君、きちんと来てくれなくちゃ困るよ。だいぶ遅刻したじゃないか。安田教子はにこりとして、あらそれ程でもないわ、と答えた。その微笑は魅惑的で、ああいうふうなのを婉然《えんぜん》とでも形容するのかと、かねがね彼女は羨《うらやま》しく思っていた。しかし下山は御機嫌《ごきげん》の悪い顔をして、安田教子を睨《にら》みつけていた。読みは大事なんだからね、みんなで気を入れてやらなくちゃ駄目なんだ。だいたい今度我々が取り上げたサルトルの「出口なし」というのは、登場人物だって僅《わず》か四人なんだし、お互いの気が合っていないと舞台がちっとも盛り上らない。一人一人が主役なんだ。特に安田君のエステルと藤代《ふじしろ》君のイネスとが、うまく嚙《か》み合うかどうか、そこが大事なんだからね。安田君が舞台経験があるからといって、読み合せを真面目《まじめ》にやってくれなくちゃ困るよ。

安田教子は下を向いたまま、彼女のいる方に眼をくれて、舌の先をちょろりと出して見せた。彼女は笑いそうになるのを堪《こら》えていた。尚《なお》も喋っている下山はそれに気がつかなかった。この芝居は本当はそんなに易《やさ》しくはないんだ。何しろ実存主義ってのは、この前黒川先生の講義を聞いたから君たちにも分っていると思うが、こういう演劇形式に於《お》て、最も明瞭《めいりよう》にあらわれている。しかしそれを実際に演じる君たちにちんぷんかんぷんだったら、お客にだって何が何だか分らないんだ。だから読みの間によく理解して、よく研究を積んで、この自主公演を成功させなくちゃならん。みんな頑《がん》張《ば》ろうぜ。

あたしには実存主義なんてとても分らない、と彼女は考えた。あたしが役に就《つ》いたのは間違いだったのじゃないかしら。下山さんの言うようにうまく成功するだろうか。もしもあたしがとちりでもしたら。彼女は足が少し顫《ふる》えるのを感じたが、それは既に電燈の点《つ》いているこの古びた教室の中に、夕暮の寒気が忍び寄ったせいかもしれなかった。下山の元気な声が響いていた。さあ第四景から始めよう。エステルの白《せりふ》からだ。安田君いいね。そして安田教子が台本を見ながら、白《せりふ》を言った。「いや、いや、いや、顔をあげちゃいや」下山が声を挟《はさ》んだ。もっと強く。その「いや」というのは二度でいい、しかしもっと強く、特に最初の「いや」を大きく言うんだ。安田教子がそれを言い直すのを、彼女は神経を緊張させて聴《き》いていた。足の顫えはとまり、一種の陶酔感が彼女を包んだ。

稽古が終って校舎の外へ出た時には、あたりはもうすっかり暗くなっていた。彼女は安田教子と並んで歩いた。今日は下山さんの御機嫌が随分悪かったのねえ、と彼女は言った。安田教子は含み笑いをして、わけを教えてあげようか、と言った。あらわけがあるの。そうなのよ、あれはね、昨日の晩あの人からデートを申し込まれていたのに、わたしが黙って振ったからなのよ。そうそう附き合ってばかりいられますかってんだ。彼女は訊《き》き返した。だって安田さん、演出家に睨まれると具合が悪いんじゃない。相手は平然としていた。まだ下山さんは演出家なんてものじゃないわよ。あの人は癖が悪いんだから藤代さんも用心した方がいいわよ。そのうちきっと誘われるから。あなたみたいな可愛《かわい》い人は。

そのあとは風に消えてしまった。彼女は国電に乗り、それからバスに乗り換えて自分の家に帰る間じゅう、安田教子の言ったことを気にしていた。安田教子から可愛い人だなぞとおだてられると、自分も一角《ひとかど》の女優になれるような気持になったし、下山譲治が素敵な男性のようにも思われた。下山さんがあたしを誘うだろうか。誘われた時にあたしはうんと言うだろうか。それが喫茶店ならばイエスと言うにきまっていた。バアならば、その時はノオだった。彼女は自分が断固としてノオと言っている場面を空想した。すると今日の読み合せで覚えた白《せりふ》がひとりでに口の先にのぼって来た。「上衣《うわぎ》を着ていようといまいと、男なんてあたしあまり好きじゃないわ」彼女はバスの中で誰にも分らないように微笑した。

彼女が自分の家に着いた時には七時をもう廻っていて、門燈が闇《やみ》の中で明るく光っていた。玄関の戸を明けてくれたお手伝いさんにただいまを言い、奥の方に向かって声を掛けてから、階段を二階の自分の部屋へと昇って行った。そこで鞄を机の上に投げ出し、不断着に着替え、洗面所で手を洗った。心は浮き浮きしていて、家の中がひっそりと寂しいのも気にならなかった。いつも彼女が学校から帰って来てまず感じるのは、何と陰気なうちなんだろうということだった。母親は下の奥の座敷で寝たきりだったし、父親も姉も口数は少なかった。お手伝いさんまでが、彼女以外には喋《しゃべ》る相手もないという顔をして、いつも手持無沙汰《ぶさた》そうにしていた。そして彼女に向かってひそひそ声で情報を提供してくれたが、その情報も範囲はごく限られていて、彼女にしてみれば、その貧しい情報に耳を傾けてやることは謂《い》わばお手伝いさんに対するサービスだった。こんな陰気な家につとめているのじゃまったく気の毒だわ、と彼女は同情した。しかしお手伝いさんは姉の美佐子に心服していて、妹の彼女の方を少し軽《かろ》んじるようなところがあった。

彼女は廊下を通って座敷の襖《ふすま》を明けた。母親は色の悪い痩《や》せた顔をこちらへ向け、香代子かい、と細い声を出した。その側《そば》に坐っていた姉が、お帰りなさい、と言った。珍しいわねえ、ママ、テレビを見てないなんて、と彼女は言い、姉がそっと眼で合図をしたので、そのまま黙ってしまった。あたしたちも御飯にしましょう、と言いながら姉は立ち上り、彼女を押し返すようにして、二人ながら廊下へ出た。茶の間へ行くまで姉は口を利《き》かなかった。

姉はお手伝いさんを代りに奥へ行かせ、自分が給仕役になって食卓に就いた。パパはまだなの、と彼女は訊いた。お父さんには電話したんだけど、今日ははずせない宴会があるとかできっと遅くなるに違いないわ。お父さんはちっとも心配してないんだから、と姉は不平そうだった。香代ちゃんももう少し早く帰れないものかしら。あたしは駄目よ。毎日この位よ。これでもまだ早い方なのよ。一体どうしたっていうのさ。姉は御飯を食べながら説明を始めた。お母さんが何だか具合が悪そうなものだから、あたし一人で立ったり坐《すわ》ったりしていたの。元気がなくて、御飯もあがらないし。先生は、と彼女は訊いた。ええ、先生には来ていただいたの。でも先生にもよく分らないんじゃないかしら。いつもの通りよ。大丈夫でしょう、注射をしておきましょう、それだけ。心もとないったらありゃしない、と姉はややぞんざいに言った。ママは時々変になっても直《す》ぐに元通りになるんだから、きっと大丈夫よ、そんなに姉さんみたいに心配するもんじゃないわ。そうかしら。そうよ、だって何度もお医者さんに来てもらって、やきもきしてるうちに何となくよくなったじゃないの、ママの病気は変な病気よ、と彼女は言った。

よくなったと言ってもねえ、と姉は心細そうに嘆息し、同じ思いは彼女にも伝わった。母親は七、八年来、脊髄《せきずい》の病気で倒れていて、仰向けに寝たきりで身動き一つ出来なかった。どんな医者に診《み》せてもこれという治療法はなく、匙《さじ》を投げられていると言ってもよかった。確かにそれは変な病気に違いなかった。目立って悪くなるということもない代りに、しかし少しずつ衰弱している様子は眼に見えていた。一体今日はどういうふうに具合が悪かったの、と彼女は姉に訊いた。そうねえ、元気がなくて、うとうとしていて、変な譫言《うわごと》ばかり言うのよ。呼んでも答えないし。どんな譫言なの、と彼女は重ねて訊いた。昔のことらしいわ、それが今と混線しちまってるのよ。あたしの知らない人の名前を呼んで、呉《くれ》さん呉さん、なんて言っているのよ。姉さんはその人のことを何か知ってるの。いいえ、あたしは知らないって言ったでしょう、と姉は答えた。パパには話したことある、と彼女は訊き、それから急いで附け足した。その名前をママは時々昏睡《こんすい》状態になった時に言うんじゃないかしら。あたしも聞いたことがあるから。あたしは覚えがないな、と姉は言い、お父さんには話さないわよ、もしもその人がお母さんの昔の恋人だったりしたら困るもの、でしょう。そう言って姉は珍しく少し笑った。彼女も一緒に笑い、そうね、と言った。しかし不意に、また沈んだ気分が彼女を襲って来た。彼女は食事を済ませ、二階の自分の部屋へ戻った。

姉さんは知らないがあたしは知っている、と彼女は机に向かって呟いた。パパも知らない。ただママとあたしだけが知っている。

しかしそれだからといって、余分の知識が何になるだろう。彼女は気を取り直し、明日の学校での予習を始めた。父親が帰って来たらしくて、下で話し声がした時にも机にしがみついたまま離れようとしなかった。

毎日放課後に、演劇部の部室で読み合せが続き、銀杏《いちよう》の葉がますます黄ばんで一枚また一枚と散り始めた。母親の病気は幸いに大事に至らなかった。それと共に彼女も厭な記憶を忘れて、芝居の方に熱中した。熱中すればするほど、彼女に与えられたイネスの役は大役だったし、このサルトルの脚本そのものが至極難解に思われた。彼女は時々溜息《ためいき》を吐《つ》いたが、その溜息はたのしかった。

或《あ》る日、稽古《けいこ》が終って彼女が安田教子と連れ立って駅の方へ歩いていると、あとを追って来た下山が、どうだい、腹が減ったからギョウザを食いに行かないか、と誘った。安田教子はすぐに、いいわねえ、と賛成し、ためらっている彼女に、行こうよ、とすすめた。彼女もおなかの虫がぐうぐういっていたから、つい承知した。しかし連れられて目当の店にはいると、まず家へ電話することを忘れなかった。ママはどう、あたし今日はちょっと遅くなる、と彼女は姉に言った。早く帰ってね、と姉は言った。

この店のギョウザはうまいんだ、と下山は陽気にはしゃいでいた。学校で中華亭から取るような奴《やつ》とはてんで違う。藤代さんはそうやって一々おうちへ電話するの、と安田教子が訊いた。一々ってほどでもないけど、ママが加減を悪くしていたものだから。もうじき読みが終って荒立《あらだ》ちになったら、とても早くは帰れなくなるわ。本立《ほんだ》ちになったら、そうね。まず九時にはなる、と下山が口を挟んだ。そう、九時にはなるわねえ。今のうちによく説明して諒解《りようかい》を貰《もら》っておいた方がいいわよ。お宅の人に不良だと思われちゃ損だから。藤代君は君みたいな不良とは違うさ、と下山がかばった。

この焼きギョウザはほんとにおいしい、と彼女は声をあげた。うまいさ、教子ちゃんなんか三十や四十は軽いんだから。教子ちゃんなんて安っぽく言わないでよ。なにさ、自分は豚みたいに食うくせに。さあ僕が奢《おご》るから藤代君もうんと食いたまえ。まず三人で百は食えるかな。

彼女は一緒になって笑いころげ、皿の上のものをどんどん平らげて行った。こういう派手な食事こそ、味の如何《いかん》よりも、彼女が一番望んでいるものだった。姉と二人の食事、或いは父親を加えて三人の食事は、いつもひっそりと、いつ終ったのか分らないように終った。しかし今はまるで競争だった。口は、喋るのと平らげるのとの両面に、最大の機能を発揮した。店の中は油の臭《にお》いと話し声と煙草の煙とで充満していた。

三人が満腹して一息ついた時に、彼女は幾つ食べたのかその数を途中から忘れてしまっていた。相手の二人はどちらが沢山食べたかを議論していた。さあ、今度はお茶を飲みに行こう、と下山が言い、すっくと立ち上って勘定をしに行った。店を出るや、安田教子は下山に、どうもごちそうさま、わたしちょっと用があるからこれで失礼、と言ったなり、彼女にはバイバイと手を振りながら、さっさと夜の街を人込の中にまぎれ込んでしまった。まあ、と彼女は言った。いいさ、あんな奴、と下山は言った。そこら辺でコーヒーを飲もう、口の中がべたべたする。そして彼女は下山が喫茶店に行く気なので安心し、イエス、と言い、見られないようにしてちょっと思い出し笑いをした。

喫茶店の薄暗い照明の下では、彼女の気持は下山に対してずっと親密になった。教子さんはほんとうに素敵な人ねえ、と彼女は言った。あたしなんか舞台に出たら、とても貧相に見えるんじゃないかしら。そんなことはない、と下山は答え、教子ちゃんはそりゃ魅力あるオブジェではあるさ、しかし君の方がもっと深いものを持っている。つまり心の底から滲《にじ》み出るような美しさがあるんだ。彼女はそれを聞きながらまんざら悪い気持はしなかった。大丈夫かしら、あたしはあのイネスという役がどうもよく摑《つか》めないんだけど。君はもう摑んでいるよ、ときに君のことを香代ちゃんて呼んでもいいかい、と下山は訊いた。ええ、いいわよ。でもイネスのことだけど、あのイネスというのは同性愛なのね、それで男からフロランスを取ってしまって、男が事故で死んで、結局は、フロランスからもガスで同性心中をさせられてしまうんでしょう。そういう悪い女なんて、あたしにはどうもよく分らないわ。それだけ分っていればいいさ、と下山は言った。要するに想像力の問題だ。安田君のエステルにしたって、子供のある女の役なんだから安田君に実感があるわけじゃないのさ。要するに役になり切って、その人物の気持に同化することが大事なんだ。香代ちゃんなら立派にイネスをやれるさ。そう言って下山は彼女の片方の手を掌の中でぎゅっと握り締め、彼女は、そうかしら、と言いながらされるままになっていた。どこか他の店へ行かないか、と下山は誘った。ええ、でもこの次にしましょう、遅くなるから、と彼女は断った。下山は残念そうな顔をしたが、それ以上無理強《じ》いはしなかった。

銀杏の葉があらかた散って、旧校舎へ行く石畳の上で落葉がかさこそと風に吹かれるようになると、台本を手にして荒立ちが始まった。机と椅子《いす》は壁際《かべぎわ》に寄せられ、早く白《せりふ》を諳記《あんき》することが部員たちに課せられた。彼女は安田教子のように早くは覚えられなかったが、しかし一度覚えてしまうと決して間違えることはなかった。稽古の終る時刻が次第に遅くなり、夕食は一同が中華亭から取り寄せる焼飯やラーメンで間に合わされた。稽古が終ると、下山は彼女を新宿の喫茶店へ誘った。安田教子が時々一緒に来ることはあっても、二人だけの時の方が多かった。次の日曜日に一緒に食事をしないかと下山に言われた時に、彼女は直に承知した。荒立《あらだ》ちが済んで、もう本立《ほんだ》ちが始まるところだった。彼女は下山から出来るだけ演劇的な知識を吸収したいと思っていた。そして、下山譲治という青年に若々しい好奇心をも覚えていた。そこには安田教子に対する一種の競争心がないわけではなかった。

その日曜日は、父親は出張で前日からいなかったし、姉の美佐子は午後から外出して、彼女が留守番がてら母親の側《そば》に附いていた。彼女は台本を見て、時々小さな声で白《せりふ》を言ってみた。母親はイヤホーンを耳に入れてテレビを見ていたが、ふと彼女が気がついてみると、ぼんやり天井を見詰めているようだった。イヤホーンは枕《まくら》の横に落ちていた。ママ、見ていないの、と彼女は訊いた。母親は、戸を明けておくれでないか、と頼んだ。寒いわよ、と言いながら、彼女は立って庭に面した硝子戸《ガラスど》を明けた。庭は枯れ枯れとして冬めき、空は蒼《あお》く晴れていた。庭の中央には落葉を焚《た》いたあとの小さな山が残っていた。もう霜が下りたんだね、と母親は言った。

彼女もまた庭を眺めながら、もし訊くとしたなら今がそのチャンスだと感じていた。ごく単純に、何げないように、呉さんというのはお母さんの何だったの、と訊いてみればいい。ボーイフレンドだったの、と訊いてみてもいい。しかしママは、その人の名を譫言でしか言ったことがないのだから、あたしがその名を口にしたらきっとびっくりなさるだろう。ひょっとしたら怒るかもしれない。彼女はためらっていた。母親がどういう返事をするのか、予想もつかないだけに訊くのが怖《こわ》かった。怒られるのならそれは構わない。しかしもし、決定的な返事が母親の口から出て来たら。

母親は呟《つぶや》いた。お前のお芝居はいつあるんだね。彼女は元気よく、来月よ、もうすぐよ、と答えた。わたしも見に行きたいけどねえ、と母親は言った。むつかしいお芝居なんだから、ママは来たって分らないな。歌舞伎《かぶき》とは違うんだから。わたしだって新劇ぐらいは知っていますよ。テレビでも中継するし。でも香代子のお芝居はテレビではやらないだろうね。やるもんですか、と彼女は笑った。大学生の芝居までいちいち中継してたら大変だわ。待っていらっしゃい、そのうちあたしが大学を出て、一人前の女優になったら、テレビにも出てみせるから。お前は女優さんになる気なのかい、と母親は訊いた。まだきめてない、先のことは分らない、と彼女は答えた。母親はかすかに溜息を吐いたようだった。わたしはそんなに長くは生きられないよ、と母親は言った。馬鹿《ばか》なこと言わないでよ、と彼女はたしなめた。

彼女は台本の中にある彼女（イネス）の白《せりふ》を思い出した。「人間の死ぬのは、いつでも早すぎるか遅すぎるかのどっちかよ。でも人の一生は、ちゃんとけりがついてそこにあるのよ」ちゃんとけりがついて。しかし母親の場合に、それはけりがつくのだろうか、と彼女は考えた。父親との間はどうなのか。呉さんとの間はどうだったのか。そして、たとえ母親にとってけりがついているとしても、彼女にとっては、もしも母親が死ぬようなことでもあれば、問題は中途半端《はんぱ》なまま残されるだろう。真実を教えてくれる人は、もういなくなるだろう。呉さんという人はとうに死んでいるし、パパは決してあたしに教えようとはしないだろうし。だいたいパパがそのことを御存じの筈《はず》もない。そのことは母親だけの秘密なのだ。

訊《き》くならば今だ、と彼女は再び自分に言い聞かせ、しかしどうしてもそれを問いただすだけの勇気が湧《わ》いて来なかった。庭の焚火の跡からはまだかすかに仄白《ほのじろ》い煙が上っていた。冬らしくなったね、と母親は言い、彼女に硝子戸を締めるように命じた。

その日の夕方、姉の帰るのと入れ違いに家をあとにするまで、彼女は遂《つい》に母親にそれを訊くことが出来なかった。結局は病気の母親を一層苦しませるだけではないかという懼《おそ》れが、彼女の口をとざしてしまった。しかしバスに乗ると、せっかくのチャンスを駄目にしたという後悔が、烈《はげ》しく彼女を嚙《か》んだ。母親と二人きりになれる機会はもうなかなか来ないかもしれない、ひょっとしたら、もう決して来ないかもしれなかった。彼女は母親が死んだあとのことを想像している自分に驚き、苛々《いらいら》した。しかしまだ可能性は充分にあると楽天的に自分を納得させ、やがて愉《たの》しい夜への予想が彼女の心を支配した。

下山譲治は食事の前にちょっと一杯やろうと言った。そして彼女はそれに逆らわなかった。アペリチフに飲んだコクテルは海の水のように蒼くて、彼女はその色が気に入った。これはアラスカって言うんだ、と下山は説明した。そのあとの食事も愉しかったし、食事のあとでぶらぶらと夜の街を歩きながら、今度はどこへ行こうか、と訊かれた時に、どこでもいいわ、と答えるほど彼女の気持は投げやりな状態になっていた。家庭の外ならどこでもいいような気持、どこかへ逃げ出したいような、ひどく放《ほう》恣《し》な気持を感じていた。何かに追いかけられ、まっしぐらに走っているようだった。彼女は下山と共に小さなバアに行き、そこでまたジンフィーズなどを飲んだ。

香代ちゃん、僕は君が好きだよ、君は可愛《かわい》いねえ、というようなことを、時々、思い出したように下山は呟いた。下山はもう随分酔っていたし、彼女は安田教子ふうに婉然《えんぜん》と微笑しながら、あらそうかしら、とはぐらかしていた。しかしどんなに自分は今愉しいと言い聞かせても、心の中で、それは嘘《うそ》だと一つの声がささやいて、その声に耳をふさぐことは出来なかった。もっと他《ほか》のところへ行こう、と下山が誘った時に、彼女は腕時計を見て、駄目よ、もう帰らなくちゃ、と言った。まだ早いじゃないか。いいえ、これ以上遅くなったら大変、姉さんにどやされる、と彼女は説明し、結局は家庭から離れては生きられない自分というものを感じた。家庭なんかどうなっても構わない、という気持と、そうはいかない、自分は要するに親から学資を出してもらっている大学生にすぎない、という気持とが闘っていた。そして一度気持が褪《さ》め始めると、今の自分がひどく軽はずみなような気がした。下山は不承不承に諦《あきら》めて、お固いお嬢さんだ、と言った。今晩のことは教子ちゃんには内緒だよ、とも言った。暗い横通りを下山は彼女の手を握り締めて歩き、ふと立ち止って素早く接吻《せっぷん》した。

終バスにやっと間に合い、座席に坐《すわ》って少しずつ酔の醒《さ》めて行くのを感じながら、彼女は、これは一体何だろう、と考えていた。これが愛だろうか。いや、それは愛ではなかった。二人きりの時間を過したり、手を取り合ったり、接吻したりしたところで、それは愛ではなかった。そこには心の通い合っているものは何もなかった。しかし、それが愛になるかもしれない、と考えることは出来た。そう考えなければ自分が惨《みじ》めでたまらないような気がした。家に帰った時に、彼女は姉の美佐子の顔をまともに見ずに、挨拶《あいさつ》だけをして自分の部屋へと階段を昇って行った。父親はまだ帰っていなかった。

スモッグの日が続き、銀杏の葉がすべて落ち、既に本格的な冬になっていた。母親の加減は総体的に衰弱の度を加えているようだった。

父親も出張を取りやめ、毎日夕刻には帰宅するようにしていた。しかし彼女は、本立ちになってからは九時頃まで稽古で縛られていたから、どうしても早くは帰れなかった。父親は格別小言を言うこともなく、姉も諦めたのか前のように、早く帰ってね、とは言わなくなった。ただ母親だけが、お芝居はいつだい、と彼女に訊いた。その日は次第に近づいていた。

公演が間近に迫ると、割り当てられた切符を売りさばく仕事が課せられた。彼女は父親や姉にもそれを頼み、父親はやれやれと言いながら相当の枚数を引き受け、姉は、あたしはとても沢山は請負えないわ、と言いながらも、昔の学校友達などに電話していた。お義理で買ってもらうだけじゃ駄目よ、ちゃんと来てもらえなくちゃ。空席が多いと困るんだから、と彼女は駄目を押した。

部員たちは皆忙しくなっていた。大道具や小道具や衣裳《いしよう》の制作の他にも、効果や照明などのメンバーはそれぞれ研究に余念がなかった。安田教子は次第に彼女に対してよそよそしくなったが、それは下山譲治のせいというよりも、役の上でのエステルとイネスとの対立が、現実にまで及んでいるような感じだった。せめてそう解釈することで、彼女は安田教子の冷淡な眼指《まなざし》に耐えることが出来た。

確かに下山は、演出に賭《か》けている情熱と同じだけのものを、彼女に対しても抱《いだ》いているように見えた。香代ちゃん、僕は真剣なんだ。何だか自分でも不思議なようなんだ、と下山は言った。しかし彼女の方はちっとも真剣ではなかった。少なくとも彼女が舞台に賭けている情熱に較《くら》べれば、それは情熱でさえもなかった。夜の帰り道に、下山は暗闇の中で彼女に接吻したが彼女はただ受け取るだけで、与えようとはしなかった。こんなものが愛だろうか、と彼女は考えていた。すると母親のことが思いだされた。ママはパパを愛したことがあったのだろうか。呉さんを愛したように。そして呉さんという未知の（既に死んでいる）人は、恐らくは、下山譲治とは比較にならぬほど素敵な人だったに違いない、と考えた。

公演の前の日に、都心に近い会場の舞台でリハーサルが行なわれた。彼女は自分で心配していたよりも上手《じょうず》に役を演じることが出来た。存外人間なんて落ちついていられるものだ、と広い舞台の上を歩きながら彼女は考えていた。しかし客席に観客がいっぱい詰めていてこちらを注目しているのと、こんながらんとした空席とでは、落ちつきの度合いも違うだろう。そう思うと急に胸がどきどきし始め、その興奮は翌日になって幕が下りるぎりぎりまで、醒めることはないような気がした。

明日の公演には姉さん来てくれるわね、とその晩、彼女は姉の美佐子に訊いた。その時は珍しく母親の寝床を囲んで親子四人が顔を揃《そろ》えていた。それは香代ちゃんの初舞台だもの、お母さんさえよければ見に行くわよ、と姉は言った。わたしはいいとも、香代子の舞台姿をわたしも見たいものだけど、と母親は低い声で呟いた。パパはどう、来て下さるの、と彼女は続いて尋ねた。私は分らないな、どうせ学芸会みたいなものだろう。父親ははぐらかすように言い、それから附け足した。私は芝居というのはあまり関心がなくてね。お父さん、関心の問題じゃないでしょう、と姉が言った。香代ちゃんが出るんですもの、お芝居の好き嫌いとは別よ。香代子が出るんじゃ尚更《なおさら》見るのがつらいようだよ。そんな冷淡なおっしゃりかたってないと思うわ、と姉がむきになった。いいのよ、と彼女は言い、二人の問答を聞きながら、どうせパパはあたしの舞台を見に来る気なんかないのだろう、と考えた。あなた、明日の晩はなにかお約束でもあるんですか、と母親が訊いた。うん、と父親は言葉を濁らせた、もしお暇ならぜひ行って見てやって下さい、わたしからもお願いします、と母親は強い口調で頼んだ。そうさねえ、と父親は答えた。

公演の幕の上る前のざわざわした客席の空気を、彼女は舞台裏で聞いていた。胸が相変らずどきどきしていた。準備はすべて整い、手伝いに来てくれた演劇部の四年生の女子学生が、彼女のメーキャップをしてくれた。衣裳ももうつけ終った。彼女は袖《そで》から、眩《まぶ》しいように明るい観客席を見下し、幾人もの知った顔の間に姉が心配そうに席に就《つ》いているのを見つけた。父親の姿はまだなかった。大した盛況じゃないか、といつの間にか下山が側に来ていて、彼女の肩越しに眺《なが》めながら声を掛けた。何だか怖いようだわ、と彼女は言った。なに、お客なんてみんなでくの坊だと思やいいのさ、と事もなげに下山は言い、忙しそうに向うへ歩いて行った。他人なのだ、みんな他人なのだ、と彼女は考えた。脚本の中の主要なテーマである「地獄とは他人のことだ」という ガルサンの白《せりふ》が、ふと浮び上った。他人がいることによって、他人が鏡の代りに自分の姿を映していることによって、地獄は成立する。そして家庭も亦《また》、他人の集合なのではないだろうか。

開幕のベルが鳴り始めた。彼女は袖を離れて、舞台裏の方に歩いて行った。さあ本番だぞ、みんな落ちついて、うまくやってくれよ、と下山が蒼い顔をして言った。ガルサンの役を演じる青年とボーイの役を演じる青年が、二人とも舞台に出るドアの側に行って待機した。安田教子のエステルと彼女のイネスとが舞台裏の椅子の上に残った。ベルが鳴りやみ、観客席がひっそりとし、やがて幕が明いたらしく、ガルサンの最初の白が聞えて来た。

彼女は椅子に掛けたまま、首をうなだれて出を待っていた。ボーイがドアから戻って来ると、そのあとが彼女の出になるのだ。足許《あしもと》はすうすうして寒さに足が顫《ふる》えるようだったが、握り締めた両方の拳《こぶし》は汗ばんでいた。

そして不意に、何の関係もなく、その時の光景を彼女は思い出していた。母親はしきりに呼んでいた。呉《くれ》さん、呉さん。その声は細かったが、しかししっかりしていて、まるで現にその人がすぐ側《そば》にいるようだった。呉さん、あたしもよ、あたしもあなただけが。彼女は驚いて母親に呼びかけた。ママ、ママ、どうなさったの、しっかりしてよ。母親の手は汗ばんでいたが、力強く彼女の手を握り返した。ママ、あたしよ、香代子よ。しかし母親の意識は、今ではない別の時間に向けられていた。どこか遠くの、彼女の知らないような別の時間に。呉さん、あなたは行くのね、そう、しかたのないことね、戦争ですものね。ママ、何を言ってるのよ、と彼女は叫んだ。行くとか、戦争とか、それはまるで現実とは縁のない言葉だった。そして呉さんという初めて耳にする名前。ひょっとしたらパパのことじゃないかしら、と一瞬彼女は考えた。いやそんな筈《はず》はない、それはまるで別の人だ。少なくとも、ママがこんなやさしい張りつめた声をして呼びかける相手が、パパである筈がない。そして彼女はじっと母親の手を握り、いな握り締められて、そのかすかに断続的に呟かれる声を聞いていた。あたしも好きよ、呉さん、でもあなたは行ってしまうのね、もうこうして会うことも出来なくなるのね、でも死んでは厭《いや》よ、決して死なないと約束して、呉さん。彼女は母親の閉じられた目蓋《まぶた》に一滴の涙が滲《にじ》み出ているのを見た。こんなに母親が真剣である以上、たとえ譫言《うわごと》を喋《しゃべ》っているのだとしても、これは実際にあったことに違いない、と彼女は考えた。この呉さんという人は、ママの恋人だったのに違いない。彼女も、そして彼女の家族も、誰も知らないような秘密が、嘗《かつ》てママと呉さんとの間にあったに違いない。それはいつのことだろう。戦争中だということは分っている、しかしいつ。パパが応召してうちにいなかった間のことなのか。あたしが生れる前のことか。

安田教子が話し掛けた。どう、厭な気持、それとも平気。その問に、彼女は顔を起し、自分がぼんやりしていたことに気がつき、あたし落ちつかないの、と答えた。そうよ、初めての時は誰でもそうよ、そんなものよ。でも舞台に出てしまえば嘘みたいに平気になるものよ。ありがとう、と彼女は言った。もうじき私の出番だわ。

本当の打撃は、その時の母親の譫言にあったわけではなかった。その時はまだその意味を暁《さと》らなかった。母親を気の毒に思い、母親の心の中にも何か底知れぬ悲しみが隠されているのだろう、くらいに想像した。それから暫《しばら》く経《た》って、もうそのことを殆《ほとん》ど忘れかけていた頃に、彼女は一軒の本屋の店頭で、いつもの癖で新刊書などをあれこれと拾い読みしていた。その中に、戦歿《せんぼつ》学生の手紙を集めた一冊の本があり、彼女はそれを手に取って何ということもなくぱらぱらとめくってみた。そしてふと、一つの名前の上に眼が落ちた。呉伸之　くれのぶゆき　昭和十六年十二月＊＊大学法学部卒業　昭和十七年二月入隊　昭和十九年八月マリアナ方面にて戦死　陸軍中尉《ちゆうい》　二十五歳。そのあとに両親に宛《あ》てた短い遺書が載っていた。彼女はその頁《ページ》にざっと眼を通しているうちに、末尾に近いところで一つの固有名詞に行き当った。「万一の時には、藤代さんの奥さんにも宜《よろ》しく伝えて下さい。東京で入隊するまで大層お世話になった人です。やさしい奥さんでした。」その日は暑い日で、汗が額から目蓋の方へと伝わって流れた。

彼女は恐ろしそうにその本を本棚《ほんだな》に戻し、追われるように本屋を立ち去った。見なければいいものを見てしまった。呉伸之。昭和十七年二月入隊。そして藤代さんの奥さん。東京で入隊するまでお世話になった人です。昭和十九年八月マリアナ方面にて戦死。今さっきの文句が、もう決して忘れることの出来ない鮮明さで、次々に浮び上った。拭《ぬぐ》っても、拭っても、汗が顔や腋《わき》の下に滲み出た。昭和十七年二月入隊。そして水に落ちた一つの石のように、疑いの波紋がそこからひろがり始めていた。

ボーイの役の青年が、ドアから、舞台裏へ戻って来た。さあ、しっかりおやんなさい、と安田教子が言った。大丈夫だよ、落ちついていつものようにやればいいんだ、と下山譲治が言った。彼女は椅子から立ち上った。よく客がはいってる、とボーイが自分の沈着ぶりを見せるかのように下山に呟《つぶや》いた。みんなでくの坊だと思うんだよ、と下山がまた彼女に注意した。彼女は頷《うなず》いた。

パパはどうせ来てくれはしないだろう。でも呉さん、あなたは遠いところからあたしを見守っていてくれるでしょう、と彼女は心の中で呟いた。どうかあたしをよく見ていて頂戴《ちょうだい》。ひょっとして、あなたが、あたしの本当のパパでないとしても、でもあたしは、あなたを愛した藤代ゆきの娘です。

彼女は下山の合図と共に、薄暗い舞台裏を出て、今やイネスとして、ボーイをうしろに従えながら、照明に照らし出された舞台の上へとしっかりした足取りで進んで行った。

四章　夢の通《かよ》い路《じ》

はかなしや枕《まくら》さだめぬうたたねに
ほのかにまよふ夢の通ひ路
式子《しきし》内親王

わたしは今まで長いあいだ影のなかにいたような気がするし、今でも影のなかをふわふわとただよっているような気がする。それは暗くて陰気でじめじめして日の射《さ》すことのない場所にいるような気持なのだが、じっさいにわたしが歩けなくなり、もう立ち上ることもできなくなって、こうして寝たきりになってしまってから幾年が過ぎたことだろうか。わたしの記憶はところどころあやふやになっていて、ものごとを正確に思い出すこともできない。わたしがこの部屋のなかにじっとあおむけに寝ているようになってからの歳月のほうがそれ以前の歳月よりも長いというはずはないのに、わたしにはかぞえるだけの根気もなくむしろどっちにしても同じことだと思う。というのはわたしにとって時間というものはもうないのだし、この影のなかにいるような気持は死んでしまった人たちがあの世で感じている気持とどれほども違ってはいないだろう。わたしもまたとうに死んでいて、ただ魂だけが残っていて美佐子や香代子の顔を見ているのだとときどき考えることがある。しかしあの子たちにはわたしのからだはあっても魂はないにひとしいのだからおかしい。わたしのからだは決してよくなることはないだろうし、あの人がわたしを死人を見るような眼で見ているとしても無理ではないのだ。ひとは死人を憐《あわ》れみの眼で見るから、たとえ生前にその人をどんなに憎んでいたとしても、その相手が死んでしまえばいままでの憎しみをわすれてお気の毒にとかお可哀《かわい》そうにとか言うが、わたしもあの人にとってはもう死んだもどうぜんだから、それであああいうふうにわたしを見るのだろう。

いったいいつからあの人はわたしをああいう眼で見るようになったのだろうか。もうずっと以前に、わたしたちが結婚したばかりで、はじめて生れた坊やが生れるとまもなく死んでしまったことがあったが、もうその時からあの人は泣いているわたしを隣れみの眼で見つめながら、子供なんてまた生れる、そんなに歎《なげ》くものじゃない、とまるでひとごとのように冷淡に言ったものだ。その憐れみはわたしにむかってではなくわたしたちの子供へとむけられなければならなかったのだ。そんなにいつまでもくよくよするものじゃない、お前のからだのほうがよっぽどだいじだ、そんなことでからだをそこねたらどうする、とあの人は言ったが、それは愛情とか親切とかいったようにはわたしの耳に聞えなかった。なぜわたしがそんなに悲しむのかあの人はわかろうとしなかったし、わからないというそのことでわたしを苦しめていることがわからなかった。もうその時から、あの人にとって妻であるわたしも死んだ子供とおなじく死んだ人間にすぎなかったのだとわたしは思う。

　わたしはその時からもう死んでいたのだろう。あのはじめての、名前さえつけないうちに死んでしまった坊やといっしょに、わたしのからだもまた死んでいて、ただ魂だけがふわふわと生き残っていたのだろう。しかしじっさいにはそうではなく、わたしのからだだけが生き残り、魂は死んだもどうぜんのありさまでものを見てもよろこぶこともなく悲しむこともなかった。ママはどういう気なのよ、とじれったそうに香代子が言い、お母さんはいつも何を考えていらっしゃるの、と美佐子がわたしにたずねたところで、わたしにどんな気があろう、わたしにどんな考えがあろう。はかなくてすぎにしかたをかぞふれば花にものおもふ春ぞへにける。しかしわたしにはもうかぞえることもない。ただ影のなかにいて、その影のなかに朦朧《もうろう》とあらわれるものの姿を眺《なが》めているばかりだ。

　ひとはどういうふうにして死というものに馴《な》れて行くのだろうか。わたしにとって最初の経験はただ長い不在というにすぎなかった。わたしに清《きよし》ちゃんというちいさな弟がいて、まだほんの二つか三つの頃のかわゆいさかりにふとした病気で死んだ。おそらく急性の肺炎かなにかだったのだろう。わたしは幼稚園にかよっているおねえちゃんで、どんなにかこの弟をかわいがっていたものだ。キュウピイさんのように眼のぱっちりしたちぢれ毛の子で、わたしのあとを追いかけてはころぶとすぐに甘え声で泣いた。おおいい子ね、清ちゃんはつよいんでしょう、もう泣かないわね、おねえちゃんがだっこしてあげますよ、と言いながら、おもたいその子を抱けもしないのにむりにかかえあげようとしたものだ。かすりのきものをきて、じきにこにこしていたその弟の顔がいまでもわたしの眼に浮ぶ。ゆきちゃん、そんなに清をおもちゃにしてはだめよ、と母に言われても、でもあたしはお守りをしてあげてるのよ、と言いながらしきりに弟をあやしていた。わたしのほうがあやされていたのかもしれない。その頃のわたしはいちばんしあわせだったように思う。そしてふとある日、わたしは別の部屋に女中といっしょに閉じこめられ、父や母がしきりにさわいでいるのを、どうしたの、清ちゃんがどうかしたの、と女中にきいてみても、ええ御病気なんですよ、いまお医者さまがおいでになっていらっしゃいます。お嬢さまもついでに診《み》ていただきますか、と言われて、いやよ、とばかり蒲団《ふとん》のなかにもぐりこんでしまった。病気のおそろしさも知らなかったし、死というものがどういうものなのかも知らなかった。しかしわたしは女中の言葉のうちになにかしらただならぬ気配を感じてはいたし、父や母がわたしのことをすこしもかまってくれないのに、わけのわからないくやしさをも感じていた。このちいさな弟はそれまでも一家の愛情をひとりじめしていたから、それがわたしにときどき異常な嫉妬心《しっとしん》をおこさせることもあったが、わたしはいつか父や母が弟を愛する以上にわたしもまた愛していることに気がついたのだった。いや気がついたのではなく、そのほうが万事につけて得なので自然にそういうふうになってしまったのだろう。わたしはもともとちやほやされるのに馴れていたが、弟が生れて両親の愛情がそちらへ移ったからといって、ひねくれるよりはむしろあきらめることのほうを選んだ。それからのわたしの生きかたは何につけてもじきにあきらめてしまうようになってしまったが、それは子供の頃のこうした経験にもとづいているのかもしれない。

清ちゃんはあっけないように死んでしまい、わたしはそのちいさなからだが白いきものにつつまれて寝かされていたのをおぼえている。どうして眠っているの、どうして起きないの、とわたしはたずねたような気がする。その眠りが二度とさめることがないというのが、どうしてもわたしにはわからなかった。棺《ひつぎ》におさめられてどこかへ連れて行かれたきり、もうもどってこないというのも、わたしにはみんながわたしをだましているように思われた。もうきっと目がさめたわ、連れてきて頂戴《ちようだい》よ、と母にたのんでいたが、わたしにはあまりにも死という実感がなくてそれが母の涙をいっそう誘うようだった。もとよりわたしもまたすこしは泣いたにちがいないが、それはおとなたちを見ならって泣いたままで、お葬式にひとがあつまればそれも珍しくてたのしいというふうだった。ただわたしはそれから時がたつと少しずつ死ということを理解して、おさなくて死んだ清ちゃんを思い出すたびに涙をながした。しかしそれも、自分の好きなおもちゃを取り上げられて泣くのとどれだけの違いがあったろうか。弟がいなくなりわたしはまた両親の愛情をひとりじめできたはずなのに、わたしはそんなに素直には心をもと通りにもどすことができなかった。清ちゃんがいなくなったことは、わたしの気持のうえに何がしかの傷をつけていたにちがいなかった。今となって考えるならば、わたしが結婚したあとあんなにも男の子をほしがり、そして生れた子が坊やだと知ってあんなにもよろこんだのは、その時の傷がまだ癒《いや》されずに残っていたためではなかったろうか。それが坊やの死とともに、今度はもう取りかえしのつかない傷となってわたしの心をむしばみ、一切を影のなかにつつみこんでしまったような気がする。清ちゃんが死んだ時に、また赤ちゃんを頂戴、とわたしは母にたのんだけれど、母はわたしの無邪気なねがいをどんな気持で聞いていただろう。わたしは自分がおなじような経験をして、はじめて人生には取りかえしのつくこととつかないことがあり、一度うしなったものにはもう代りというものがないことを痛いほど知ったが、母もそれとおなじだったろう。しかしわたしはその時おさなくておとなの気持はわからなかったし、子をうしなった母親の気持がどんなに空虚なものかを知るはずもなかった。死はただわたしを掠《かす》めてすぎたというだけのことだった。

それはもう昔のことだ。わたしの坊やが死んでからもう三十年にもなろうとしているのだし、清ちゃんが死んだのはそれよりもはるか以前のわたしがまだ子供の頃のことだ。それはまるで川の水にうつしている自分の影は変らないのに流れて行く水はもうもとの水ではないようなものだ。でもわたしはときどき、わたしのいちばんはじめの死の経験を思い出し、それがわたしにとってただあるひとの不在というにすぎなかったことを一種の羨望《せんぼう》に似た気持で考えている。そういうふうに死がおだやかな消滅であり、この世からあの世への移住にすぎないとすれば、わたしは今さらひとの死によって傷つけられることもない。わたし自身の死を待ちながらじたばたして苦しむこともない。わたしは今ではもうものを読むのもおっくうでテレビを見ているばかりだが、テレビのドラマのなかではどんなにたくさんの人が生きたり死んだり歎いたり笑ったりしていることか。じつにたくさんの人がその状況に応じて死んで行く。しかしそれを見ていると死はただの幻に、影に、すぎないことがわかり、わたしにはむしろそらぞらしい気持さえおこってくる。どうしてああも嘘《うそ》のように死んで行くのだろうね、とわたしが言うと、香代子は、それはママ、ドラマなんですものしかたがないじゃないの、もしほんとうに死んでしまったらそれこそ大変よ、と笑うが、それがドラマであることぐらいわたしだって承知しているし、そのドラマが終れば死んだはずの役者がのこのこと起き上って、ああくたびれたとか何とか言うだろうことも想像できる。しかしその死はひとつの約束にすぎないことを当の役者があまりにも心得ていて、そこに死んで行く者のくるしみが察せられないかぎり、その死は嘘のようだと言わなければならない。清ちゃんの死はわたしに嘘のようだったし、もしすべての死がそういうふうに感じられるならば、それは何と幸福だろうか。わたしは子供の頃のその経験をのぞいては、死をいつものっぴきならぬ運命として受け入れてきた。それは棘《とげ》のあるもの、ひとの心を突き刺すものだった。それは刃のあるもの、ひとの心から血を流させるものだった。香代子のように単純にお芝居だからと笑ってすませる子とちがって、姉の美佐子はわたしといっしょにテレビを見物しながら、可哀そうにと言って涙ぐむことがある。その死がテレビの画面のうえにうつし出される偽りの像にすぎないことがわかっていても、美佐子にはその死が耐えられないほど哀れに思われるのだろう。でも美佐子、お前はどれだけ死というものを知っているだろうか。お前はやさしい娘だからそれまでいたひとがいなくなったあとの心のむなしさを想像することはできるだろうが、しかしからだから手や足をもぎ取られたように心からその一部分をうばい取られたその痛みを感じることができるだろうか。わたしは今のお前の年になるまでに母をうしない父をうしない結婚してはじめて生れた子供をもうしなっていた。そのことはわたしを不幸にしたが、死は死んで行くその本人にとって不幸なばかりではなく、そのかたわらにいるひとたちをも同時に不幸にしてしまうものだ。いや死んだひとはそれかぎりあの世へ行ってしまうから残された者がどのような苦しみに耐えているのか、もう知ることもないだろう、それとも、呉《くれ》さん、あなたは今も遠い世界からわたしがこうしてあなたのことを思いつづけ、寝たきりの病人となって自分の残された日々をかぞえながら一日また一日と朽ちはてて行くのを眺めていらっしゃるのだろうか。わたしはそれを知らない。あなたがわたしを呼んでもその声はわたしの耳にとどくことはなく、またわたしがあなたを呼んでもそれがあなたに聞えるかどうか。わたしは昔の日のことを思い、夢のなかであなたに、昔の若いあなたとともに、しばらくの時をすごすばかり。しかしあなたはもう思い出すということもなく、あの世で蓮《はす》のうてなのうえに暮らしておいでなのか、この世に生れ変って新しいいのちを生きておいでなのか、それとも暗いところで暗い風に吹かれておいでなのか、わたしは知ることもできない。しかしわたしはまだ生きていて、あなたのことを思い出している。生きているから思い出すのか、思い出すから生きているのか。わすれてはうちなげかるるゆふべかなわれのみ知りて過ぐる月日を。それを知っているのはわたしばかりだ。わたしがこうして生きているかぎり、あなたはわたしといっしょに生きている。

しかし忘れるということは死の与えるもっとも恐ろしい力であるにちがいない。たしかにわたしは呉さんのことを思い出しはするが、正直なところそれはときどきのこと、折にふれてのことにすぎない。わたしが昔おぼえた歌のかずかずを、それもわたしが特に好んでいた式子内親王の御歌などを折々に思い出すのとどれほどの相違があろう。おそらく誰でも、ひとは忘れている時間のほうが長く、ときたま思い出せばそれまで忘れていたことを忘れるのだ。いつもいつも思い出しつづけていたようにつうよく考えるのだ。よけいな部分を忘れるからこそ、思い出した折にその姿はいっそう鮮明に、まるでその場にいま自分がいあわせているかのように、感じられるのかもしれない。それにしてもわたしたちはどんなに多くのことを忘れて行くことだろう。昨日見たテレビの題名を今日はもう思い出すことができない。昨日美佐子とはなしたことの内容を今日はけろりと忘れてしまっている。お母さん、しっかりして頂戴、昨日そう言ったじゃありませんか、と美佐子がうらめしそうな声をする時など、わたしは、そうだったね、とは言うものの、その内容までを思い出しているわけではない。美佐子はわたしの頭の状態がおかしいと考えるか、それともわたしがいいかげんだと考えるかもしれないが、わたしにとって今の生活というものはすこしも大事ではなく、影のなかに生きているというだけにすぎないから、昨日《きのう》とか一昨日《おとつい》とかいう時間の基準はわたしには通用しないのだ。昨日と今日、今日と明日《あす》とに、どれだけの違いもない。一日は一日と過ぎ去り、春がすぎて夏がき、夏がすぎて秋がくるように、時はうつろう。しるべせよあとなき浪《なみ》にこぐ舟のゆくへも知らぬ八重の潮風。ただその一日一日にわたしは少しずつ忘れて行く。忘れることが死の与える力だとすれば、わたしのように生きながら忘れられた人間はすでに死の手にとらえられているのだろう。忘れるとともに忘れられる。わたしは父や母のことをもうほとんど思い出すこともない。昔はそのために心に深い傷を受けて歎きかなしんだのに、その傷はいつのまにか癒《いや》されたのだろうか。いやそれはむしろわたしの心の奥底で、わたしの眼に見えぬものとして、その傷を大きくしていたにちがいない。もう思い出す必要もないほど心が傷そのものになってしまったにちがいない。あるいはその傷は別の傷をまねくもとになっていたのかもしれない。

母は震災で死んだ。しかしわたしは母のなきがらをこの眼で見たわけでないから、あるいは母がまだどこかに生きているのではないかと長いあいだ考えていた。それもまた不在というものかもしれなかった。わたしは震災のときのおそろしさを今でも夢に見てうなされることがあるが、記憶はその一場面を境にしてぼうっとかすんでしまっている。わたしは小学校の雨天体操場にいた。わたしはその時学校の近くの友だちの家で遊んでいて、おひるになったから帰ろうとしていたところだったらしい。急激な地震で友だちの家はすぐに火を出した。友だちの父親は家族とともにわたしを小学校へと避難させてくれたが、その足でわたしの家の様子を見てくるといって出かけたなりなかなかもどってこなかった。広い雨天体操場のなかには刻々に人がふえ、あつまってくる人たちはみな蒼《あお》ざめた顔色をして声高《こわだか》にそとの模様をはなしていた。その小学校も、またそこから四五町はなれたわたしの家も、下町の被害の多かった区域に属していたが、そのうちにここも危険だと言って人々が動揺しはじめると、わたしは自分の父や母がどうしていつまでも迎えに来てくれないのだろうかと気になってたまらず、友だちの手をしっかり握ったままぶるぶるとふるえていた。そのうちに火事がしだいにこちらへ近づいたらしく、雨天体操場のそとが煙のために薄暗くなってきた頃、やっと友だちの父親に連れられてわたしの父が、これがいつもの温和な父の顔かと思われるほどの鬼のようなすさまじい表情を見せて、人を押しわけてはいってきた。ゆき、ゆき、と大声で呼び、わたしをひとつかみに抱きあげた。友だちの家族もそこからほかに移ることにきめ、わたしは父におぶさって体操場から外の通りへと出たが、火と煙との渦巻いている通りにおおぜいの人が泣きわめきながら走って行くのを、その時はじめてわたしも死ぬんじゃないかという実感をもって眺めた。父の肩に、そこだけは安全だと思って爪《つめ》を立てるほどにしがみつき、お母ちゃんは、とたずねて、父が、お母ちゃんはだいじょうぶだよ、お前のくるのを待っているよ、とかすれた声で答えるのに合点合点をしていたが、その間にも、ひっきりなしの揺れかえしにからだをふらつかせながら、父はわたしたちの家のあるのとは違った方向に飛ぶように走った。こっちはおうちのほうとは違うじゃないの、とわたしが叫んでも、答えるのは焼けおちる柱や梁《はり》のおそろしい響きばかりだった。そのうちにわたしは父の背中でいつしか気をうしなったにちがいない。わたしの記憶はそこでぷつりと途切れているから。

母がどういうふうにして死んだのか、わたしも知らないしまた誰も知らない。父はあとになってもその時の模様をわたしにはなそうとしなかった。それはおそらくその時の思い出が父をくるしめたからだろうが、父もじっさいに起ったことがらを知っていたはずもない。わたしはひとに聞いたり自分の想像をまじえたりして、その模様を組み立てている。わたしたちの家は祖父の代から町内で大きな洋品店を開いていたが、この古びた建物はさいしょのひと揺れでもろくも半壊した。父は店員や女中を呼びあつめ、母を助けて外へ出たが、もうその時にはとなりの家から火が出ていて、ほんの身のまわりの品以外には家財や品物などを何ひとつ持ち出すひまもなかった。母はしきりにわたしのことを気づかい、ゆきちゃんを見に行ってください、と父にたのんだらしいが、お前や店の者をあずけてからじきに見に行く、と父は言って近所の識《し》りあいの家へまず避難させた。しかしその家もあまり安全だとはいえなかったので、さらに次の町へと識りあいをたずねて連れて行った。母が心配するのを、ゆきは友だちの家にいるはずだから、そこのうちで面倒を見てくれているだろう、と言って母をなだめていた。そして父がわたしを探《さが》しに出かけたあとで、母はいっそう不安になり、父の帰りが思ったよりも遅くなるいっぽうなので、とうとうたまりかねて自分もわたしを探しに出て行ってしまった。父はようやくわたしの友だちの家までたどりつき、その家がすっかり火につつまれているのを見て一時は茫然《ぼうぜん》としていたらしいが、折よくわたしの友だちの父親が気がついて、父は小学校へとわたしを迎えにくることができた。しかし母のほうは、わたしをたずねて歩くうちにいつか火の浪に呑《の》まれてしまった。

父はふだんからおとなしくて陽気なたちだったが、その時からまるでひとが変った。焼跡に急造の店を出すようになっても、毎日のように母をさがして歩いた。ほとんど口をきかなくなり、笑顔を見せることもなくなった。店員や女中たちにも、なぜあの時母を引きとめなかったのか、なぜ行かせたのかという無言の叱責《しっせき》をいつもあびせているようで、それが気ぶっせいなのか、店の者もいつしか一人ずつやめて行ってしまった。父は母をこのうえなく愛していた。母が生きている時にはその愛はすこしも目立たなかったけれども、母が死んでみると、父がどんなにか母を愛していたことがわたしの目にもよくわかった。震災の時に、母はまずわたしのことを心配し、父はわたしよりもさきに母のことを心配した。母の身の安全を講じてからわたしを探しに行こうとした。わたしはそのことで父を責めようとは思わない。父にとってそれは当然のことだったにちがいない。そして母にとっては自分をさきにして子供のことをあとにする父がもどかしかったにちがいない。自分のために探しに行く時間がおくれたという思いでいっぱいになり、前後の見さかいもなく母は安全な場所からとび出して行ったのだろうとわたしは思う、可哀《かわい》そうなお母さん、まるでわたしのために死んだとしか言いようがない。子供のために死ぬというのは母親としてはむしろ本望だったのかもしれないが、しかしわたしはあとになってくるしい目にあうたびに、母がはやく死んだことをどんなにか怨《うら》んだだろう。もしお母さんさえ生きていたらと、返らぬ歎《なげ》きを幾度したことだろう。そして同じ想《おも》いは父にもあったにちがいない。父はまるで根をうしないもう商売のほうにも身を入れてすることがなくなった。古くからの店の者もいなくなり、わたしが女学校にはいった頃には店はすっかりさびれていた。父は遂《つい》にはからだをこわし、わたしが結婚したすぐあとで死んだ。母が死んだことがやがては父をも殺したような気がわたしにはする。そして愛というものはそのひとのために死ぬことができる場合にもっとも強くもっとも烈《はげ》しいものだとわたしは思う。

若い娘が結婚というものに夢をいだくとすれば、それは愛が結婚という形で申し分なく実現するはずだと考えられるからではないだろうか。美佐子や香代子の場合には、結婚というものがはたして夢であるのかないのかさえもわたしはほとんど知らない。香代子はまだ大学生だからそんな問題は先のことだとしているかもしれないが、美佐子なんかもっと真剣に考えてみてもよさそうだと思う。あの子はお見合いというとばかにし、そうかといって恋愛をするほどのはきはきした気性も持っていない。あたしはこのままでいいのよ、と美佐子が言うのを聞くと、わたしはじれったいような気持になる。わたしには夢があった。夢をそだてたのは父の母に対する深い愛情をこの目で見たことだった。母が震災で死んだあとも、父は後添いをもらわず、わたしを連れて毎月一日《ついたち》になるとお墓参りに出かけた。父はほとんど口をきかなかったが、その日を忘れることは決してなかったし、わたしが女学校から帰ってくるのを待ちかねるようにしてわたしを連れていった。わたしを相手に毎晩のように独酌をかさねていたが、わたしはおしまいまでつきあうのは御免だと言って、さっさと自分の勉強机へと行ってしまったものだ。あの頃の父のさびしさが今のわたしにはわかるような気がする。もう少し父にたいして思いやりがあればよかったのにと思う。いやわたしはそういう気持を、わたしが女学校を出て、遠縁の親戚《しんせき》のうちに行儀見習いに行くようになってから、しみじみと感じていた。そこの叔父は官庁のお役人で、叔母のしつけはきびしかった。わたしはときどき夜床にはいってから父のことを思い出して泣いた。うちにいたってろくな縁談もありはしないさ、と父は言った。それよりか叔母さんに世話してもらってしあわせになるんだな。わたしは厭《いや》だと言い張ったのだが、父はどうしてもきかなかった。お前みたいにしていたんじゃ襖《ふすま》を足の先であけかねないからな、などとわたしを怒らせるようなことを言った。しかしわたしが決心して父の家を出て行儀見習いというていのいい女中奉公にあがったのは、そうすれば一日も早く父が再婚してすこしは元気を取りもどしてくれるかと考えたからだった。父にその気はなかった。父はただわたしのためを思い、やもめ暮しではこのうえ年頃の娘を育てることができそうにもないと考えて、わたしをよそへあずけたのだ。そしてわたしは叔母の家でくるしい目にあうたびに、早く結婚したい、そしてたのしい家庭をつくりたいとねがっていた。結婚というものは、父と母との場合のように、かならず幸福なものと夢みていた。もし運命が、たとえば震災のようなかたちで、ひとを襲うことさえなければ。

わたしはお見合いをして藤代《ふじしろ》の家へと嫁《とつ》いだ。夫もやさしかったし舅《しゅうと》や姑《しゅうとめ》もやさしかった。しかしわたしは自分の父のことが気がかりでならなかった。父は結婚式にも顔を出していなかった。すこし加減が悪くてね、と叔母はわたしに説明したが、わたしは新婚旅行のあいだにひまを見てはせっせと父に絵葉書を出し、帰ったらじきにお見舞に行くと書いた。しかし帰ってからは忙しい日がつづき、叔母はわたしにこっそりと、私たちが親がわりになっているのだから、大っぴらに見舞いに行くのはぐあいが悪いだろう、と言った。わたしはそのことでくるしみ、とうとう夫に相談することにした。父が病気なんですけど、ちょっと見舞いに行ってもよろしいでしょうか、とわたしはあの人に言った。その時あの人は、父って君のお父さんかい、と訊《き》きかえした。そして、君にお父さんがあるのか、とおどろいたように叫んだ。わたしはその時目の前がくらくらくなるような気がした。いったいこの人はどこまでわたしのことを本気で嫁にもらったのだろうと考えた。もちろん父はいます、母は死にましたけど。どうしてそれをごぞんじないんですの、とわたしは訊いた。そうかい、僕は知らなかった。君の御両親は二人とももうなくなっているのだと思っていたよ。それがあの人の返事だった。それはまるで、そんなことには関心がなかったと言わんばかりだった。自分にとってはどうでもいいことだというようだった。ひとの父親が生きているか死んでいるかということが、どうしてどうでもいいなんて考えられるだろうか。あなたは木の股《また》からでも生れたんですか、となぜその時わたしは言ってやらなかったのだろう。わたしは泣き、夫は詫《わ》び、そしてわたしは父の見舞いに行った。父は病院にはいっていて、わたしの顔を見ると、なんだ見舞いに来たのか、とぽつりと言った。しかし父が心のそこでどんなにかよろこんでいることはわたしにもすぐに察せられた。それは寝台ひとつを置いた狭い病室で、くすりくさいにおいがむっとたちこめ、窓のそとにしらじらと河が流れていた。父は血管の浮いた細い腕をして、顔には無精ひげを生《は》やしていた。ゆき、おれはもうだめだよ、と父は言った。

わたしはそれから暇をぬすんでは病院へ父の見舞いに行った。お前そんなにうちをあけてもいいのか、と父に訊かれるたびに、ええ、だいじょうぶ、みんな承知していますと口にはしたものの、それはうそだった。わたしは夫や舅が勤めに出て留守のあいだに、それとない口実をつくって姑の目をごまかしながら病院へ出かけた。もしわたしがいちいち断ったところで、姑はやさしい人だったからもちろんいけないとは言わなかっただろうし、夫や舅に知れたからといって、どうということもなかったはずだ。ただわたしは叔母に釘《くぎ》をさされていたために、心のどこかに父のことを口にするのを憚《はばか》る気持がはたらいていたのだろう。その結果わたしは、大っぴらにならら毎日でも行けるところを、つい姑に遠慮して二日が三日になり三日が四日になった。可哀そうな父はどんなにか毎日わたしのくるのを待ちかねていただろうに。そしてわたしが父にうそを言ったことは、わたしをして困った破目《はめ》におとしいれた。藤代さんはどうしているねとか、お前はいいところへお嫁に行ったよとか父に言われるたびに、わたしはことの不自然さをしだいに感じはじめた。どうしても一度は夫に父の見舞いに行ってもらうのでなければ、わたしが幸福にしているとか夫はとても理解があるというのが、いかにもそらぞらしくひびくようになってしまった。それに女房の父親が重態なのに、夫が一度も義理の父親にあったことがないというのは不自然でなくて何だろうか。父だってあいたいにきまっているのだ。夫にあって娘をよろしくたのむと言いたいにきまっているのだ。それに父の加減はよほど悪くて、いつ万一のことがあるかわからなかった。そこでわたしは決心し、ある晩、夫にむかって、実はあれから幾度か父の様子を見に病院に行ったけど、ぐあいが悪くなるいっぽうのようだから、あなたもわたしといっしょに見舞いに行ってもらえないだろうかとたのんでみた。あの人はむつかしい顔をして聞いていたが、君が行ってあげればそれでいいじゃないか、と言った。わたしは茫然とした。あなたはわたしがいちいちあなたにお断りしないで父の見舞いに行ったのが、お気に入らないんですか、とわたしは訊いた。そういうわけじゃないよ、そんなおっかない顔をするなよ、とあの人は言ったが、御自分の顔のほうがよっぽどおっかなかった。いったいあの人はその時何を考えていたのだろう。あの人はこう言った。君にはひとりきりのお父さんだ、君もあいたいだろうし、お父さんも君にあいたいにきまっている。だから僕は君をとめはしない。おやじやおふくろには僕からもよくはなしておく。叔母さんが何と言ったか知らないが、おやじたちだって人情はわきまえている。だから君がいざとなれば病院に寝泊りして看病したってちっともかまわない。ただ、僕は行きたくない、僕のことはそっとしておいてほしい。それを聞いた時にわたしは夫の理窟《りくつ》にどうしてもついていけなかった。いったいなぜ、それほどまでにわたしの父にあいたくないのだろう。父が嫌《きら》いなんですか、とわたしは訊いた。夫は笑って、あったこともない人に好きも嫌いもないさ、と答えた。それじゃなぜなんです、なぜわたしといっしょに行ってくれないんです、と重ねて訊くと、あの人はくるしそうな顔つきをして、僕は病院へ行くのが病的にこわいんだよ、決して悪気じゃないんだ、と言った。それでは理由にならない。わたしは泣いて、いっしょに行ってくれないのならわたしも決してもう病院へは行かない、と言い張った。わからず屋だと言ってあの人は怒り出した。しかしわからず屋なのは、わたしではなくあの人のほうではなかっただろうか。わたしはとうとうその晩夫を病院へ連れて行くことに成功せずに、言い合いをしながら寝てしまった。わたしの父は容態が急変してその晩のうちに死んだ。わたしは死目にあうことができなかった。

それはもう三十年も前のことだ。そしてわたしはそれ以来、あの晩夫がなぜあんなにも厭がったのだろうと考えることがあった。お前は自由にするがいい、決して干渉はしない、しかし自分のことは放っといてもらいたい、それが夫の主義だということが徐々にわたしにもわかった。しかしあの時のもっとも大きな原因は、あの人の心の奥にある何かえたいのしれない恐怖感に基くものだったろう。そのことをわたしは長い時間をかけてすこしずつわかってきたような気がする。それは病院へ行くのがこわいというよりも、死んで行く人間を見るのがこわいのだ。あるいは死人を見るのがこわいのだ。それはわたしとも、わたしの父とも、まったく関係のない恐怖心がそうさせていたのだろうと思う。その後やがてわたしたちのはじめての坊やが生れ、生れてすぐに死んだ時にも、あの人は何とも言えないおっかない表情を浮べて、ろくろく坊やの死顔《いきどお》を見ようとさえしなかった。わたしはその時も何という心のつめたい人だろうかと憤《いきどお》ったが、しかし今から思えば、あの人には何かしらそれに触れると疼《うず》くような深い傷痕《きずあと》が心にあったにちがいない。ただわたしはそれをたずねようとしなかったし、あの人はわたしに教えようとはしなかった。

わたしが世間のことはまるで知らずに結婚し、結婚してまもなく父が死んだということは、そののちのわたしたち夫婦の不幸をもうその時からあらかじめ運命が用意していたようなものだ。父がなくなったあとの寝台の枕《まくら》のしたには、わたしが新婚旅行の旅さきから父に出した絵葉書が残されていた。わたしは看護婦さんからその数葉の絵葉書をわたされて、どんなに父がわたしのことを思いつづけていたかを胸のいたくなるほど知らされた。おそらく父は、母が震災で哀れな死にかたをしたあと、わたしがかたづくまではと思って歯をくいしばって生きてきたにちがいない。そして娘はいよいよというその時にも、夫婦喧嘩《げんか》をして、見舞いに行くことをおこたってしまったのだ。それはたしかにわたしの責任だった。君をとめはしない、親子だもの、そばについていたいだろう、早く行ってあげたまえ、と夫は言ってくれた。それを、いっしょに行ってくれないのならわたしも行かない、などとかたくななことを口走って泣いたのはたしかにわたしが浅はかだったのだ。しかしわたしは父の死んだあとで、どんなにか夫を怨《うら》んだことだろう。もしも夫が世間の夫なみのやさしさを持っていてくれさえすれば、わたしは大っぴらに父のもとへ行き、これが夫だと紹介して父を安心させ、その晩死水をとることもできたはずだ。夫があの時自分は厭だと言ったその気持をわたしは決してわからなかったし、そんな心のつめたい残酷な人間に一生連れ添わなければならないのかと思って、くやし泣きに泣いたものだった。しかしわたしには藤代家のほかに家はなかった。母もなく今は父も死に、叔母の家にはつらい思い出ばかり、親戚らしい親戚はほかにはなかった。とすればわたしはこの家のなかでむかし夢みていた幸福を実現しなければならなかった。父の死んだあとで、舅も姑も事情を知って大事にいたわってくれたし、夫は夫なりにわたしをかわいがってくれた。ただ二人のあいだに薄紙のようなものがはさまり、それがわたしにはもどかしかった。わたしの父と母とがきずいていた家庭と、わたしたち夫婦のつくっている家庭とは、まるでちがったもののようだった。舅や姑は昔ふうの人間でどこか形式張っていたし、夫はいつも何を考えているのかわからないような奥そこのしれないところがあった。わたしの唯一《ゆいいつ》の希望は子供が生れることだった。子供さえ生れれば二人のあいだも円満に行くだろうと考えていた。わたしは身ごもり姑はいっそうわたしを大事にしてくれた。それで万事はうまく行くはずだった。それでうまく行きさえすれば何ということもなかっただろう。

可哀《かわい》そうなわたしの坊や、まるで死ぬために生れてきたようなわたしの坊や、お前は名前さえつけられずに、ふたたびお前の生れてくる前の暗い闇《やみ》のなかへとかえって行ってしまった。お前のかわゆい大きな泣き声をわたしは思い出す。しかし夫には、坊やに心をうごかされるようなものは何もなかったのだ。生れた時にもひどくよろこぶということはなく、死んだ時にもひどく悲しむということはなかった。舅や姑が初孫の誕生だといってあんなに大騒ぎをしていた時にも、あの人はあいかわらずどこか遠いところを見つめているようなそっけない表情をして、抱いてやろうともしなかった。姑が、お前ももっと人並みの顔ができないものかね、と言っても、夫はにやりとしただけで、僕だってうれしくないわけじゃないが、と答えていた。ほんとにお前は変っているよ、と姑はとりなしたが、わたしにしてみれば変っているどころではなかった。坊やができさえすればわたしたちの仲もしっくり行くだろうと考えていたのだから。しかしこの人はまだ子供ができたということに馴《な》れていないので、いずれは人並みにかわいく思ってくれるだろうとわたしは願っていた。坊やはじきに死んだ。わたしたちのあいだをつなぐべき糸はそこでぷつりと切れてしまった。暮るる間も待つべき世かはあだし野の末葉《うらば》の露にあらしたつなり。わたしは歎きかなしんだが、その涙のなかには、坊やをいたむ気持とともに、夫との行末のことを思いめぐらして、こうしてわたしはどうなるのだろうという未来へのにがい気持もかくされていた。わたしはなかなか床上げをすることができず、毎日のように寝床のなかで泣いていた。その頃のことを思うとすべては夢のような気がする。

わたしは幾年となくこうして寝床のなかで暮らしているがもう泣くこともない。わたしの涙の泉はいつのまにか涸《か》れてしまった。ひとは若ければ泣くこともできるが、年をとるにつれて泣くよりももっとつらいこともあるのだ。美佐子は何かといってはすぐに涙ぐむ。それはあの子の性質がやさしいからだろう。わたしが死ねばあの子もきがねなく嫁にいけるだろうし、そうすれば母親のそばで泣いていた昔のことをなつかしく思い出すこともあるだろう。ちいさい時から泣虫の子だった。おれは泣虫な子供はきらいだ、と夫はじきに言った。美佐子ができたからといってわたしたち夫婦のあいだはすこしもよくはならなかった。さいしょの坊やが死んでからの五年間のあいだに、わたしたちは子供によって愛情をたしかめあうにはあまりにもよそよそしくなりすぎていた。だって女の子ですもの、すこしぐらい泣いたってそうあなたみたいにがみがみおっしゃらなくてもいいでしょう、とわたしはさからった。そういう時に、あの人はそのまま黙りこみ、わたしを相手にするのもばかばかしいというふうだった。あの人は癇癪《かんしゃく》をおこすけれどそれはじきに褪《さ》め、それまでの感情のたかぶりを恥じるかのように自分の殻のなかに引きこもった。そういう人だった。それでもわたしにつらくあたったとか、やさしくなかったとかいうわけではない。ただそのやさしさは、これという理由もないのにふと冷たくなり、そうなるともうわたしには手がつけられなかった。おれはおれお前はお前という気持が底にあって、何とかしてその壁をやぶろうと御自分でもつとめていたのだろうが、それはいつも霧のように下りてきてあの人の心を包んでしまった。そうすると家庭のなかであの人ひとりが孤立した。おじいさんもおばあさんもわたしの味方であり、せっせと孫をかわいがっていたから、あの人は異分子のように御自分ひとりを大事にしていた。いったいあの人は何がおもしろくて生きてきたのだろう。いつでも気ぶっせいな顔をして、勤めから帰ると黙って食事をし、黙って自分の部屋へ行き、黙って寝る。たまに快活な顔を見せ、美佐子におもちゃなどを買ってきてあやしているかと思うと、ぷいと立ち上って消えてしまう。あれでは美佐子のほうでなつくはずもない。この頃もあの人のそういう性質はちっとも変ってはいない。わたしのそばに来ていっしょにテレビを見ているが、見ているんだかどうだか。わたしが感想を口にしても、それもそうだなとか、けっこうおもしろいじゃないかとか、お座なりのことを言っているだけ。もう昔のように癇癪をおこすこともなくなり、ひどく沈みこむようなこともなくなったが、性質が円満になったというよりは自分のこともひとのこともどうでもいいのだという気持で、くらしているのだろうと思う。復員してきた当座は、香代子も留守ちゅうに生れてもうずいぶん大きくなっていたし、おじいさんもおばあさんもなくなっていたので、あの人も親子水いらずの暮らしがたのしいように見えたが、それも長くはつづかなかった。だいたいあんなに死んで行く人や死んだ人を見るのをこわがっていたのが戦争に行って、どんな目にあってきたのだろうと、その頃わたしは思っていた。舅《しゅうと》が戦後まもなく栄養失調でなくなり、姑《しゅうとめ》がそのあとを追った時にも、わたしは二人の死水をとりながら、あの人がいないのをむしろあの人のためによかったと思っていたぐらいだった。あの人は昔話とか思い出話とかをしたことがない。戦争へ行った時のこともほんのすこししかわたしは知らない。あの人の子供の頃のこともまるで知らない。おじいさんやおばあさんもそういう昔話はほとんどなさらなかった。だからわたしは、あの人の性質がどういう原因でああも陰気になったのかわかることもできない。しかし夫婦なんてものは、たいていは、相手の気ごころがよくしれないままにおたがいに年をとり、いつかはわかったような気になって、そのままだましだまされあいながら暮らしているのではないだろうか。

美佐子が生れたあとで、あの子がしだいに大きくなりかわいくなって行っても、わたしたちの仲は褪めたままだった。夫は大きな軍需会社に勤めていたが、戦争がその暮にはじまった年には以前よりもいっそう忙しくなって、しばしば出張で家をあけた。美佐子も手がかからなくなり、わたしは心のなかのむなしさを何かで埋めようと思って、近くのお習字の先生のところへ手習いなどにかよった。お師匠さんは未亡人で、わたしに手習いだけでなく和歌なども教えてくださった。世のなかが騒がしくて誰もがあわただしくしているというのに、わたしはみやびやかな平安朝の歌集などを見て、それまでになかった心のやすらぎをおぼえていた。

もう戦争なんか遠い昔のことになってしまったし、香代子なんかにはまるで理解することができないらしい。わたしも戦争中は夫が応召した留守に子供たちをかかえてずいぶん苦労をなめた。疎開《そかい》した先でもさんざん泣かされた。しかし今から思うと、わたしは戦争のはじまる頃のしばらくの時期だけ生き生きとたのしく暮らしていたような気がする。たのしかったといってはいけないのかもしれない。しかしわたしが女らしく愛するということを知ったのはその時期だったし、それは近づいた戦争のおかげだった。もしも戦争がなかったなら、そういうたのしいことも知らず、わたしの人生はただむなしく朽ちて行っただけだったろう。戦争はおそろしいし、わたしは結局はその戦争のために愛するひとをうしなってくるしんだのだから、たのしいというのはただ一面というだけのことかもしれない。しかしひとは愛する時に、くるしむことさえも心のよりどころになっているのだ。わたしがこうして何の希望もなく寝たきりで暮らすようになれば、それはわたしにとっては戦争よりももっとくるしくてもっと惨《みじ》めな状態だと言えるだろう。なぜならば今のわたしにはもうよりどころもない、きたるべき平和もない、死のほかに終りということもないからだ。戦争がわたしにわずかばかりの幸福をあたえたからといって、それをわたしの自分勝手というのはあたらないだろう。

わたしは手習いのお師匠さんにおそわった和歌のなかで特に新古今集の式子内親王の御歌に心をひかされていた。花はちりその色となくながむればむなしき空に春雨ぞふる。わたしは今でもいくつかの御歌を暗記しているが、それは手習いをかねてわたしが新古今集から御歌ばかりを書き抜いて稽古《けいこ》をしたためかもしれない。お師匠さんはそれならといって、わたしに古い和本の式子内親王御集を貸してくださったりした。どこにわたしがそんなにも心をひかされたのか、もちろんわたしは敷島の道にくわしいということもなく、ただ女らしい共感を内親王におぼえたというだけにすぎない。それにしても内親王は後白河天皇の第三皇女という身分の高いおかたであり、おさないうちに賀茂《かも》の斎院にいらせられ、十一年のあいだ潔斎して神につかえられた。またのちには薙髪《ちはつ》して尼となりたもうた。その一生は不犯《ふぼん》であり清浄な御生涯を終られた。わたしと似ているところは何ひとつない。それでも女らしい恋ごころをうたわれたその御歌のなかに、わたしがわたしのみたされない気持を読みとろうとしたのは決して読みすぎというわけではなかっただろう。内親王の御生涯はさだかにはつたえられていないし、その恋のお相手もあきらかではない。しかしかなしい恋歌はどのような伝記にもまさって内親王のくるしい御生涯に燃えつづけていたものを示しているのではないだろうか。わが恋は知るひともなしせく床の涙もらすな黄楊《つげ》の小枕。玉の緒よ絶えなば絶えねながらへば忍ぶることの弱りもぞする。そのかたは心のそこにどうにもならない恋ごころをもち、ひそかにそれに耐え、そして歳月のむなしく過ぎ行くのにやさしい涙をこぼしていられたのだ。そこにわたしは女というもののあこがれを見てとったのだろう。わたしには恋もなかった、愛するひともなかった。それでも愛したいという気持、玉の緒よ絶えなば絶えねという強い気持をわたしがもたないわけではなかった。

わたしが呉さんを愛したのは、その頃のわたしのむなしい気持と式子内親王の御歌によって掻《か》きたてられたわたしのなかのあこがれとが、ひたすらに愛をもとめていた結果なのだろう。わたしはもう三十という年に近づき、人生をすこしずつ知るとともにそれに幻滅し、夫にも家庭にもすこしも生きがいを感じていなかった。手習いをしたとて何になろう、歌をつくったとて何になろう。そうして惰性のように生きているうちに日は一日一日と過ぎて行くのだ。今のわたしのようにあきらめてしまえば、惰性のなかにちいさなよろこびを発見し、庭の木の葉の色づいたり散ったりするありさまにも、空の色の移り変りにも、その時々の生きがいを感じることができるが、その当時わたしはあきらめるには若すぎ、若くあるにはすでに老いつつあった。夏と秋行きかふ空の通ひ路という躬恒《みつね》の歌があるが、わたしはその頃、二十代と三十代との通い路にいて、心ぼそい思いに身をふるわせていた。鏡台の前に坐《すわ》って、もともとあまり美しくもない自分の顔をぼんやりと眺《なが》めていた。

お師匠さんのうちの二階に遠縁にあたるとかいう大学生が下宿していた。わたしはお師匠さんとお近づきになるにつれて、ほかのお弟子さんたちよりも年をとっているせいもあって、ついこまめに雑用をしてあげることが多くなり、そのうちにこの家とすっかり馴染《なじ》みになって呉さんともお話などをするようになった。呉さんは田舎《いなか》から勉強のために東京に出ていて、来年の春は卒業するはずになっていた。いつもは大学から帰ると二階の御自分の部屋に閉じこもって、むずかしそうな法律の御本などを読んでいた。わたしはお師匠さんがお弟子さんたちにお稽古をつけているあいだに、ほかに人手もなかったので、よくお茶を入れて二階へとはこんであげた。おくさん、そんなことをされちゃ僕は恐縮だなあ、と呉さんは白い歯を見せて言った。いいのよ、わたしだってすこしは息を抜かなくちゃ。いつも呉さんは御勉強でたいへんね、と言いながら、わたしも机のよこに坐り、いっしょにお茶を飲み、きもののよく似合う呉さんの若々しい顔を見つめていた。わたしの弟がもし生きていたら、ちょうどあなたぐらいになるんだけど、とわたしはつぶやいた。そうですか、でも僕たちの年頃じゃみんな戦争に取られるだけだからなあ、と呉さんはふとい眉《まゆ》をひそめていた。僕等はこの十二月にどうやら大学を繰り上げ卒業になるらしいんですよ。そうしたらすぐにもう入隊ですからね。わたしは合槌《あいづち》をうって、いやねえ戦争なんて、うちの主人なんかもいつ応召になるかわからないってこぼしていますわ、と言った。それはいつだったか、わたしたちがもっと親しくなってからのことだったかと思うが、呉さんはめずらしく強い言葉でわたしに訴えた。僕たちは学問をするために大学にはいったんじゃなくて、兵隊に行く時期をすこしでものばすために大学生になったようなものです。人生の目的は、学問をしたり仕事をしたりすることにあるというよりは、お国のために死ぬことにあるんです。どんなに勉強したって結局はめでたく戦死というので終りですよ。その言いかたには自暴自棄といったひびきはなかった。呉さんはまじめで誠実な青年だった。ただどんなにまじめで誠実でもどうしようもない、死を待つよりほかにはないと心にきめて、その心をわたしにうち明けてくれたようだった。僕は死ぬのがそんなにこわいわけじゃない、と呉さんは言った。どうせ死ぬときめてしまえば、一日一日がうつくしく見えるし、死ぬことそれ自体もきっと美しく見えると思うんです。僕はりっぱに死にたい、男らしく勇敢に死にたい。わたしはそれに反対した。だって戦争に行ったからってかならず死ぬとはかぎりませんわよ。呉さんはかすかに笑った。おくさんは政治のことなんかあまりごぞんじないだろうけれど、アメリカとの関係はだんだんに悪くなる一方ですよ。シナ事変もここまできてしまえば今度はアメリカやイギリスと戦争になることは目に見えています。そうなればもっともっと悲惨なことになるかもしれません。アメリカは物量でくるんだから、日本は若さと精神力と神風ぐらいで対抗するほかはない。しかし神風はそうそううまいぐあいに吹いてくれるとはかぎらないんだから、残るものはわれわれのいのちがあるだけです。生きてかえれるなんて考えちゃ、お国のためには働けませんよ。でもあなただって死にたいとは思わないでしょう、とわたしは訊《き》いた。そんなことを訊いても何にもなりはしないのに、わたしはそれをたしかめたかったのだ。呉さんは笑って、あたりまえですよ、と言った。

わたしの呉さんに寄せる気持がすこしずつ変って行ったのはいつ頃だったろうか。それまではなくなった弟を想《おも》うような淡々しいものだったのに、死を決して一日一日を生きているという呉さんの気持が、不意にわたしの心をつかみ、その締めつける力がやがてわたしの呼吸をくるしくした。わたしは毎日を何の希望もなく、ただ惰性のように生きている。しかし世のなかにはいつかはかならず死ぬと、しかもその死を美しく死のうと、心にきめてなにごともないようにやさしく微笑しながら生きている青年もいるのだ。それはわたしとは何という違いだろう。わたしは呉さんを羨望《せんぼう》し自分の身を憐《あわれ》んだが、しかし思いかえしてみると、羨望されるべきなのは兵隊に取られるおそれもなくてすごしている女の身のわたしのほうではなかっただろうか。わたしは呉さんを尊敬し、同時にそれまでに感じたことのなかったあたらしい感情を知った。それが愛であることにわたしはやがて気がついた。

気がついたとて何になろう。わたしは毎日のようにくるしい想いとたたかい、家事にいそしみ、時間をさいては机にむかって法帖《ほうじょう》をなぞったり美佐子といっしょに遊んだりしてそのことを忘れようとつとめた。夫がいる時は夫のことを考え、舅や姑にまめまめしくつかえた。しかし夫は依然として出張でうちにいないことが多く、わたしは何をする気力もなくぼんやりと時をすごすことがしばしばだった。わたしのようにすでに結婚してひとりの娘の母親でさえある女が、呉さんのような若い大学生に心を寄せていたところでどうなるものか。それはわたしひとりの片想いにすぎず、呉さんは何も知らず何も気がつかずにただわたしにあえばやさしく微笑するというだけのことだ。わたしはしだいにお師匠さんのところへ行っても呉さんと顔をあわせるのがくるしくなり、なるべく二階へはのぼらないようにしていた。しかし顔を見なければ見ないで心はいっそう搔きたてられた。夢にても見ゆらむものを歎きつつうちぬるよひの袖《そで》のけしきは。わたしはその頃どのような夢を見ていたのだろうか。

夏になって呉さんが暑中休暇で郷里へかえるというすこし前に、ある日わたしは久しぶりに二階で呉さんとむかいあっていた。どんな用事で呉さんをたずねたのかわたしはもう忘れたが、おそらくは用もなにもなくてただあいたい一心だったのだろう。夕立の来そうな気配でむしあつい夕暮だった。おくさんにあえてよかった。しばらくくにへ帰ります、と呉さんは言った。わたしはそのことを知ってはいたが知っていてあいに来たと思われるのは恥ずかしかった。わたしは多分あまり口をきかなかったようにに思う。そのうちに不意と雷が鳴りだし稲妻が窓のそとを走った。こわい、とわたしは叫んだ。表がまたたくうちに暗くなり、つんざくようなひびきをして雷が立て続けに鳴ったかと思ううち、すさまじい落雷が近くに落ちた。わたしは畳のうえに俯伏《うつぶ》せになってふるえていた。だいじょうぶですよ、ここへ落ちはしないから、と言った呉さんの声がすぐそばでしてて、わたしの肩のうえにやさしく手が置かれているのをわたしは感じた。こわいという気持と、いっそここへ落ちてくれたらわたしは呉さんといっしょに死ぬことができるという矛盾した気持とが心のなかでたたかっていた。でもこわいわ、と言ってわたしは呉さんにしがみついた。弱虫なんだなあ、おくさんは。まるで子供みたいだ、とわたしを励ましてくれたが、呉さんのからだもかすかにふるえているようだった。わたしは肩を抱いているその手のなかにからだをあずけるようにしながら、篠《しの》つくようにふりだした雨の音を聞いていた。やあ窓をしめないと降り込みそうだ、と呉さんは言った。わたしはその胸にしがみついていて立たせようとしなかった。そしてわたしはとうとう口にしてしまった。わたしはこうして死ねたらそのほうがいいの。呉さんの抱いている手に力がはいり、わたしはその膝《ひざ》のうえにしどけなくからだを折り曲げた。きものの裾《すそ》がみだれていはしないかと思いながら、ただ足をちぢめて喘《あえ》いでいた。息がくるしい、とわたしは言い、呉さんは手をゆるめ、わたしは首をあおむけて呉さんが窓のそとを見つめているその顔をむさぼるように見た。肩がはだけてしまったがわたしは身づくろいをしようとは思わなかった。こわくて胸がどきどきしているの、とわたしは言った。呉さんはちょっとわたしのほうを見、まぶしそうに眼をそらし、わたしの肩を抱いた手をすこし横にずらしたが、わたしのからだがそれにあわせて動いたためにそのあたたかい手はわたしのはだかの胸のほうへ滑《すべ》り落ちた。その手は乳房をかすめ、離れようとしてそこにとまった。おくさん、とかすれた声で呉さんは言った。おくさん、僕はあなたが好きだ。

それはどういうことだったのだろう。その言葉をわたしはどんなにか切望し夢にまで願っていたのに、わたしは不意にこわくなり身をしりぞけた。それは夢でこそ可能なので現実におこることはないと信じていたためだろうか。わたしはうしろにさがり、呉さんは茫然《ぼうぜん》としたように畳に坐っていた。部屋のなかはうす暗く、ふきぶりの雨が窓の前の畳を濡《ぬ》らしているのをわたしは見ていた。すみません、と呉さんはあやまった。わたしはその時いまにも泣き出しそうだった。何のすまないことがあろう。それを望んだのはわたしだった。死んでもいいとまで思ったのはわたしだった。しかし雷は落ちなかったし、わたしはいざとなると臆病《おくびょう》で呉さんの手をふりはらってしまったのだ。

寝ぐるしい夏の夜に、幾度となくわたしは呉さんの言った言葉を思い出した。おくさん、僕はあなたが好きだ。それは呉さんの本心だったのだろうか、それともあの時の一時の心のまよいというにすぎなかったのだろうか。わたしは疑い、なげき、結局はしかたがないことだ、いまさらわたしのようなものを呉さんが愛してくれるはずもない、とあきらめた。呉さんは帰省し手紙は来なかった。わたしはしげしげとお師匠さんのところへかよい、そのひとの口から呉さんの消息を聞くことにせめてもの慰めを見出《みいだ》していた。夏がすぎ秋のはじめに呉さんはまたお師匠さんの二階に帰って来た。

わたしはふたたび呉さんの顔を見ることを恐れるとともに小娘のようにはにかんでいたから、きっとおどおどしていたことだろう。呉さんはわたしの顔を見てにこりとし、おくさん、また来ました、と挨拶《あいさつ》したがその場にはお師匠さんもいたのでそれ以上の話はできなかった。しかしわたしは呉さんのさりげない眼つきから、この人はずっとわたしのことを忘れないでいてくれた、想っていてくれたという印象を受けた。そのつぎに二人きりで二階であう機会ができた時に、わたしは大胆になって、おあいしたかったわ、と言った。僕もです、と呉さんは答えた。夏休みのあいだ顔を見ないでいた時間をひととびに飛びこして、わたしたちはまたあの雷のとどろいていた夕暮の時とおなじ気持のなかにひたされた。呉さんはわたしの肩をそっと抱き、わたしたちはどちらからともなく唇《くちびる》をあわせた。

その秋わたしたちはほんの短い時間だけときどきあっていた。そとであうことはむずかしかったので、ただお師匠さんの眼をぬすんで、夕方のほんのしばらくの間だけ二階で顔を見あって話をしていた。そこにはいつも罪の影が落ちていた。わたしには夫があり娘がありお師匠さんの信頼にたいしても裏切っているという気持は抜けなかった。おなじ心持は呉さんのほうにもあっただろう。わたしはそのためにいっそう狂おしくなり、呉さんはそのためにいっそうとまどい、おそれ、くるしんでいた。積極的なのはわたしのほうだった。わたしは死んだっていいのよ、と言った。わたしは悪い女ね、とも言った。しかしわたしはわたしの愛をとどめることができなかった。わたしのいのちはこの刻まれた時間のなかにあますことなくそそぎこまれなければならなかった。呉さんは十二月に卒業し、翌年の二月には入隊することにきまっていたから、わたしたちのあえる日はわずかしか残されていなかった。それにお師匠さんのところにお稽古《けいこ》に行く時間もかならずしも自由に与えられているわけではなかった。お稽古に行ったとて呉さんにあえるわけではなかった。わたしがあなたにゆっくりあえるのは夢のなかだけね、とわたしは言った。夢の通い路というんですか、と呉さんは言った。

その秋から冬にかけて月日はどのように過ぎたのだろう。それはあまりにも早くほとんどその一日一日を思い出すこともできないほどに早かった。次の年の秋わたしは田舎に疎開《そかい》していて、旧家の離れで生れたばかりの香代子により添って庭の木の葉が散って行くのをかなしく眺めていた。その時でも一年前のことはもう夢のような気がしていたのだ。桐《きり》の葉もふみわけがたくなりにけりかならず人を待つとならねど。その御歌はすねたような弱々しい終りかたをしているけれど、心はかならず待つといういちずの女ごころを示しているのではないだろうか。しかしわたしがかならず待つと呉さんに誓ったところで、呉さん自身が死を決して軍隊に行った以上わたしの誓いが何になろう。きっと帰って来て頂戴《ちょうだい》、帰って来ると約束して頂戴、とわたしは呉さんに迫った。そうは行きませんよ、たとえ僕が生還したいと思ったって僕の一存じゃままならないんですからね、敵さんの出ようしだいで弾《たま》があたればそれまでですよ、と呉さんは笑った。でもせめてそれじゃ帰ってくる気はあるとわたしに言って頂戴、決して無謀なことはしないって、もし道が二つあるなら危険じゃないほうを選ぶって。はい、あなたの言うようにします、と呉さんは尚《なお》もおどけて言った。これは戯談《じょうだん》じゃないんだから、わたしは本気なんだから、よくって、じゃげんまんをして頂戴。おくさんはまるで子供ですね、と呉さんは言い、まじめな顔でわたしたちは小指と小指とを絡《から》みあわせた。はいげんまん。たしかにそういう約束はした。しかしそんな約束がどれだけの役に立つのか、呉さんの生還する見込みがすこしでもあるのかどうか、わたしにしてもそれがむなしいことはよくわかっていたのだ。呉さんははじめから死ぬ気だった。お国のためだからしかたがないと思っていた。そう思いつめている人をわたしは愛したのだ。あう時間が短くてしだいに残された日々が尽きてくれば、わたしの心持は行き場もなくはげしく燃えあがった。呉さんのほうはむしろ静かでじっとその時を待っているように見えた。お師匠さんがたまたま留守をしてわずかばかりの時間がわたしたちの自由にまかされると、わたしは気も狂わんばかりに、わたしを抱いて、わたしをどうにでもして、と叫んだ。呉さんは臆病でいつもすこしふるえていたし、その手はわたしが誘わないかぎり敢《あえ》てわたしのからだに触れようとはしなかった。しかしわたしたちにはもうためらっているだけの時間がなかった。どうか今は二人とも生きていることを教えて、とわたしはつぶやいた。たしかにその時わたしたちは生きていた。これが生きていることだと信じていた。

わたしはその冬とうとう米英との開戦が宣せられてから、二月に呉さんが入隊するまでの自分が、どのようにして暮らしていたのかをよく思い出すことができない。わたしはきっと夢遊病者のように夢と現《うつつ》とのさかいをさまよっていたのだろう。夢はしかしさめた。さだめられたとおりに呉さんは入隊し、翌月の三月に夫に赤紙が来た。わたしはまるでわたしにたいする罰でもあるかのようにわたしの夢をさまさせた。わたしは夫のことを忘れていたわけではなかったが、この時ほど自分を罪深く感じたことはない。夫はいつものように陰鬱《いんうつ》な顔つきをして、しかたがない、と言った。舅《しゅうと》は昔ふうの人で日本がかならず勝つと信じていたから、めでたいとよろこんで、どこからかお頭《かしら》つきの鯛《たい》をくめんしてきた。夫は無感動にそれを見ていた。お父さんが兵隊に行くなんてあたし厭《いや》だ、と美佐子がだだをこね、夫は、なにすぐ帰ってくるさ、となだめていた。しかし夫はじきに輸送船にのせられて南方へと連れて行かれた。美佐子は毎日のように泣虫ぶりを発揮して、おじいさんから叱《しか》られていた。日本軍のシンガポール占領のニュースのあと町は戦勝気分で湧《わ》きかえっていたが、わたしは沈んでばかりいた。今まで出張で留守をしていたのとちがって、夫が出征してしまうとうちのなかは火の消えたようだった。その年の春、アメリカの飛行機がはじめて東京を空襲した頃、わたしは妊娠していたので美佐子とともに田舎にある舅の本家へと疎開した。姑《しゅうとめ》がついてきてくれたが、舅は勤めの関係で東京を離れることができず姑もわたしを置いてもどって行ってしまった。わたしは心細い想いで日を暮らした。はかなくぞ知らぬいのちを歎《なげ》きこしわがかねごとのかはりける世に。かねごとは残っても人の契《ちぎ》りしことは今はどうなったのであろう。呉さんも夫も、明日をもしれぬ戦いの庭にいて、わたしひとりは旧家の生《お》い茂った草むらにすだく虫の音色に耳をかたむけていた。その年がすぎまた次の年がすぎた。わたしは疎開先での生活にもようやく馴《な》れて行ったが、呉さんの消息はわからなかった。そして戦況はしだいに悪化しやがて次の年の冬のはじめ、毛筆書きの一通の封書が東京から廻送されてわたしの手もとに届いた。わたしはその裏書きを見た瞬間にすべてをさとった。

拝啓秋冷之《の》候加エテ時局モ愈々《いよいよ》重大ヲ加エッツアルノ際ニ益々《ますます》御健勝ノ段奉賀候《そうろう》
陳者《のぶれば》愚息仲之《のぶゆき》儀兼テ皇国ノ為《ため》ニ奮戦中ノ処《ところ》　去ル八月十二日マリアナ方面ニテ戦死
仕《つかまつり》　候平素一方ナラヌ御《ご》好誼《こうぎ》ニ与《あずか》リ……

その一しずくの涙をも見せようとしない昔かたぎの父親の手紙のなかに、わたしは無量の感慨を読んでいた。わたしの眼は涙にくもった。呉さんのお父さん、わたしも仲之さんを心から愛していたのです、とわたしは遠くから呼びかけた。しかし愛していたとは言っても、わたしにとってはあまりにもはかないことだった。わたしが呉さんを知っていたのは一年にもみたず、しみじみと話をしたことはかぞえるほどしかなかった。そしてあれほど約束したのに呉さんはやはりかえってこなかった。死ぬ間ぎわにせめてわたしのことを思い出してくれたのだろうか。それとも過去のことはすべて忘れてお国のために殉じたのだろうか。一人の女の愛なんか戦争というおおぜいの人が死んで行く時にあっては、砂のようにこまかく水のようにうつろうものにすぎなかった。

わたしは疎開先で終戦をむかえ、二人の子供を連れて東京へもどってきた。久しぶりに見る舅や姑はすっかりやつれはてていて、それは焼け落ちた東京の眺めとともにわたしをおどろかせた。まず舅が栄養失調で死んだ。夫が復員してこないことも舅の気持の張りをなくさせていたらしい。ついで姑もなくなった。姑はわたしにあとを宜《よろ》しくたのむと言った。お前にも苦労ばかりかけたと言って涙を流した。お母さん、どうかあの人が帰ってくるまで元気でいて下さい、とわたしは枕《まくら》もとにつき添って声をかけた。きっともうじき帰って来ますわ。しかし姑はそれを信じていただろうか、そしてわたしはそれを信じていただろうか。お前も可哀《かわい》そうにね、と力のない声で姑は言った。お前は両親もないし、わたしたちもいなくなったら、もっともっと苦労をしなければならないだろうね。だいじょうぶですよ、お母さん、もっと元気を出して頂戴、そんなに気をおとすものじゃありませんわ、とわたしは繰返した。わたしはこれでいいのよ、おじいさんが死んだらもうわたしの生きがいはないんだものね。でもお前は夫運も悪かったしね、あの子も決してお前が嫌《きら》いじゃないんだからゆるしてやっておくれ。そして姑は何か言いたそうな顔で考えていたが、それを口にせずに、ゆきさん、お前はほんとうに可哀そうなひとだねえ、とつぶやいた。お母さん、そんなことはいいんですよ、とわたしはうち消した。お前の好きだったひとはどうしたの、と姑は訊《き》いた。わたしはぎくっとなり、お母さん何をおっしゃるの、と戯談にしようとしたが姑は軽く眼をつぶったままで言い続けた。わたしは知っていたんですよ、でもだれにも言ったことはない。お前のように夫からうとんじられていれば、別のひとが好きになるのも無理のないことだと思っていました。世のなかにはどうにもならないということがあるもんだからねえ。あの大学生はどうしました、と姑はゆっくりと訊いた。戦死しました、とわたしは答え、それとともに涙がまぶたにあふれてくるのを感じていた。そうだったの、と姑はかすれた声で言い、わたしの手をそっと撫《な》でていた。だれにも言わないようにね、と姑はつけたした。

姑が死んでしばらくして夫が復員した。わたしは過去のことは振り切って子供たちを育てることに努力した。そして美佐子も香代子も大きくなった。夫もわたしのために尽してくれた。しかしわたしたちのような夫婦仲はいまさらどうよくなるというものでもなかった。わたしが病気で倒れてしまってから、あの人や子供たちは生きつづけているのにわたしだけは影のなかにただよっているようなものだ。今のわたしには、生きている人たちよりも死んだ人たちのほうがずっと身近なのだ。夢のなかでわたしはその人たちにあい、いっしょに笑ったり泣いたりする。時間のなかを往《い》ったり来たりする。

わたしはなかなか眠られないのでいつからか毎晩睡眠剤をいただいて寝るようになった。そして毎朝のように明け方はやく目をさます。硝子《ガラス》窓のそとがすこしずつ白んで来る頃おいで、そばで美佐子がすやすやと眠っている寝息を聞きながら、それまでに見ていた夢のことなどを思い出している。そういう時にわたしは式子内親王の御歌のかなしく静かなしらべを幾度となく口のなかで繰返す。暁のゆふつけ鳥ぞあはれなる長きねふりをおもふ枕《まくら》に。しづかなる暁ごとに見わたせばまだ深き夜の夢ぞかなしき。内親王は尼とならせられて、夜ごとにどのようなはかない夢をごらんになったことだろうか。わたしは内親王のような清浄なお暮らしをしてきたわけでもないし尼となったわけでもないが、おなじ想いがこの身をしめつけるような気がする。わたしは夢に見たひとに呼びかける。呉さん、わたしは罪深い女でした。でもわたしは生きたかったのです。あなただってそうでしょう、あなただってほんとうは生きたかったのでしょう、でもわたしたちはあの頃生きていました、そして生きていることもまた長きねふりにすぎないのではないかとは思いませんでした。いまわたしはそう思います。呉さん、あなたはとうに死んだし、わたしはまだこうして生きているけれども、でもわたしたちは結局は長きねふりのなかに影のようにいつまでも生きているのだとわたしは思います。

朝がしらじらと明けて行くのを、わたしは眼をつぶって、自分がまだ生きているのかもう死んでいるのかわからないような気持になりながら、見残した夢を惜しむかのようにもう一度眠ろうと思う。夢のなかだけでわたしは自由に歩くことができ、恋しい人にあうことができる。その通い路をとおってまたお師匠さんの家に行き、墨のにおいをかぎ、そして階段をとんとんとあがって、呉さん、お茶を入れてきましたわ、と言うことができる。その階段の一段ごとにはずんでいた自分の心をたしかめることができる。そして呉さんは白い歯を見せて、おくさん、いつもすみません、と言うだろう。僕はあなたが好きだ、と言ってくれるだろう。あなたは僕の愛したたった一人の女だ、とも言ってくれるだろう。そのひと以外には決して言ってくれなかった言葉をこの耳に聞くことができるだろう。呉さんは死んではいないし、それからの二十年は過ぎ去ってはいないとわたしは思う。わたしがその頃夢のなかであっていたその人と、今わたしがあっているその人とに、どんなちがいがあろう。

冬の朝のさむざむとした光が硝子窓から部屋のなかに射《さ》しこんでくる。わたしは眼をひらき、今日の一日がまたはじまったことを知る。今日の一日も昨日の一日とかくべつの変りもないだろう。明日の一日も似たようなものだろう。しかしいつか、そのうちに、わたしのからだもわたしの魂もすっかり影のなかにつつまれてしまうだろう。今日がその日でないとはたして誰が言えよう。そしてわたしは硝子窓を見つめながら、もうすぐよ、と誰にともなくつぶやいてそっと微笑するのだ。

五章　硝子《ガラス》の城

子供が部屋のそとの庭の中ではしゃいでいる声を、彼はうつらうつらしながら聞いていた。ほらこんなに大きいんだよ、と子供が叫んだ。葉っぱがくっついたまま凍ってしまってらあ。びっくりしたようなその声が彼の頭の中を突き抜けた。それに重なり合って、大きな声を出しては駄目よ、パパはまだおやすみなんだから、とたしなめる妻の声と、そんなこと言ったってお前、子供だものしかたがないよ、と取りなしている妻の母の声とが絡《から》まり合った。今朝も冷えたらしいな、と彼は考え、うとうととまた眠ってしまった。

今、彼は目を覚《さ》まし、硝子戸《ガラスど》に白っぽく当っている陽《ひ》の光を眺《なが》めていた。妻がカーテンを開いて行ったのだろう、透明な硝子ごしに暖かい光線は彼の寝ている蒲団《ふとん》のそばまで射《さ》し込んでいた。その向うには裸になった樹《き》の梢《こずえ》や枝が風にしなやかに揺れていたし、更に遠くの晴れた空にはちぎれたような羊雲が二つ三つ浮んでいた。彼は手を延ばして煙草《たばこ》の箱を取り、その一本に火を点《つ》け、仰向けになってゆっくりとくゆらせた。表はきっとからっ風が吹いて寒いだろう。あの雲は何千メートルという高空にある凍りついた水滴の集りで、それが眼にも留まらぬ速さで空間を疾駆しているのだ。ただ下界から見た場合に、それは冷たさをも速さをも感じさせず、しごくのんびりと羊が草でも食っているように見える。

彼は冬の寒い朝に、こうして暖かい蒲団の中にぐずぐずしているのが好きだった。確かに前の晩は暁方《あけがた》近くまで仕事をしていたのだから、今日のところはそのための寝坊という口実はあったが、あなたは怠《なま》け者よ、と妻に口癖のように言われるだけのだらしなさは、自分でも認めていた。こうしている間は、すべてが平穏で安全なような気がしていた。一日が始まり、やがて彼は無数にいる都会人の一人として街に出て行くだろう。無数にいる文化人の一人として、そのための特別の意義を感じることもなく芸術を見たり論じたりするだろう。無数にいる知識人の一人として、無益な思弁を弄《ろう》し埒《らち》もない分析を重ね、生きていることの証明を自らに強《し》いるだろう。しかしこうして硝子ごしに冬の冷たい風を遮《さえぎ》り、蒲団の中で煙草を吸っている限りは、何の緊張もなく、自分のだらしなさを愉《たの》しむことが出来た。己《おれ》はお前みたいな働き者じゃないんだよ、と彼は妻に言った。あなたなんか革命になったら一番先に銃殺されるわよ、と妻はひやかしたが、もしも人生に変化というものがあるのなら、革命でも戦争でも何でもいいからそれが欲しいと思わないわけではなかった。この日常のなまぬるさから抜け出せるならば、その報いが死であっても我慢してもよいような気もした。しかし彼はやはりこのなまぬるさ、この安楽な気分、この平和が好きだった。たとえその主義を理解しても今さら自分の魂を改造して銃殺を免れようとは思わなかった。

家の中は静かで、子供は幼稚園へ行き、妻は勤めに出、妻の母だけが茶の間にいて掃除か何かをしているらしかった。彼はもう一本の煙草を取って火を点けた。さっきの羊雲はいつのまにか視野から消え、また新しい形の雲がそこに浮んでいた。大きな氷だよ、と子供が言っていたような気がする。夏のうちに彼は自分でセメントをこねて、子供の水遊び用の小さなプールをつくってやった。そのプールに張った氷を子供が手に取って玩具《おもちゃ》にしながら喋《しゃべ》っていたのだろう。葉っぱがくっついているよ、と言っていたような気もする。夜の間、彼がストーブの側《そば》でせっせと原稿を書いていた間に、プールの水の上に散っていた落葉もろとも、氷が次第に張り詰めて行ったのだろう。彼の眼に、太陽の光にすかして見ると、黄ばんだ葉脈をあらわにした枯葉の幾枚かがその中に閉じ籠《こ》められている透明な厚みが、浮び上った。手にした氷の冷たさを感じ、天然のつくりあげた氷と枯葉との芸術的な模様を眼の芯《しん》が痛くなるまで見詰めていた。やがて枯葉は変形し、硝子戸の向うの羊雲の姿に戻った。

己は葉だ、己は呪文《じゅもん》によって氷の中に捉《とら》えられた一枚の葉だ、と彼は考えた。その葉の魔物のような全体が彼の頭脳にいっぱいに閃《ひらめ》いた。葉は氷の外に広がった世界を見るだろう。そこにはもっと自由にもっと人間らしく生きられる世界があるだろう。そこには風が吹き、常緑の葉が風にふるえ、冷たい空気が思惟《しい》を喚《よ》び覚ますような世界があるだろう。しかし枯葉にとっては、厚い氷がその透明な壁によって外界から彼を遮断しているのだ。彼は外へは出られない。遠い空間を疾駆している雲を、己がここにいて硝子ごしに眺めながら、決して手に取ることが出来ないように。

しかしここは暖かく、彼はこうして怠けている自分自身に満足だった。寒風の中に出て行きたい自分と、硝子戸の内側で惰眠を貪《むさぼ》っていたい自分とがいた。妻と子供と妻の母とからなる家族を、もうどうにもならない現実として受け入れている老《ふ》け込んだ自分と、美佐子のことをしょっちゅう考え、その恋愛の可能性を夢みている若々しい自分とがいた。三十五歳という自分の年が、矛盾を孕《はら》んだ不思議な現在を形づくった。十年前に感じ、呼吸し、生活していた情熱は、それが嘗《かつ》ては確かに自分の中で生きていたにも拘《かかわ》らず、今ではまるで他人の経験のような気がしていた。そして十年後の自分の姿は、ただの空想にすぎないのに、今の自分と少しも違わない乾《ひ》からびた存在にきまっているようだった。何かが自分を変えてしまった。現在に至るまでの間に、少しずつ何かが加わって行った。加わったものは分別だろうか、生きることの技術だろうか、生活力といったものだったろうか。消えたものは若さの持つ無鉄砲だった、がむしゃらな信念だった。自分への誇りだった。いや消え失《う》せたものは沢山あった。加わったものの少さに較《くら》べれば。

加わった最大のものは家族であるに違いない。彼は妻の母がお勝手でかたことやっている物音に耳を澄ませた。気楽に考えるならば、彼は下宿屋にいるようなもので、彼と妻とは母の賄《まかない》つきでこの家に下宿しているとも言えた。妻は結婚しても彼女のもとからの勤めである仕事を止《や》めようとはしなかった。子供が生れる前後を休んだだけで、その仕事に生き甲斐《がい》を感じているようだった。彼女は或《あ》る進歩的団体の機関誌の編輯《へんしゅう》をしていた。そして血のメーデーの頃に彼を揺すぶっていた情熱が潮の引くように年ごとに消え失せて行ったのに対し、彼女の方は常により積極的で家庭と仕事とを両立させ得ると信じていた。彼はそれに反対することが出来なかった。むかし彼もまた大きな口を叩《たた》いたので、今さら我々の結婚は失敗だったんじゃないかとは言えなかった。妻にとっては彼も、彼等の子供も、この家庭も、必要なことは確実だった。ただ彼にはもっと別の生活が必要だったのだ。

もうそろそろ起きませんか、と妻の母が隣の部屋から声を掛けた。彼は生返事をし、新しい煙草に火を点けた。家庭か。何という重荷を彼は背負い込んだものだろう。妻と二人で、お互いに自分の仕事を生かしながら共同の生活を続けるという初めの計画は、何と簡単に反古《ほご》にされてしまったことだろう。妻の母がいつのまにか泊り込み、家事的才能がゼロだと自称する妻とは反対に、きびきびと炊事や洗濯《せんたく》を片づけてくれた。子供を生むか生まないかという大事件に当って、この親子は共同戦線を張って彼の意見を押し潰《つぶ》した。そしていつのまにか現在のような、おばあさんと、パパと、ママと、坊やとの、ごくありきたりの家族の形態が採られてしまった。それは一度つくりあげられると、もういくら揺すぶってもびくともゆるがなかった。恐らく死以外には。

母が亡《な》くなりましたの、と美佐子が言った。彼はその時の美佐子の沈んだ顔つきを思い出し、自分もまた心臓の締めつけられるような印象を覚えたことを、その印象が今も鮮明に残っていることを、なまなましく感じていた。それは伏眼がちの美佐子の表情が彼の同情心を刺戟《しげき》したせいなのか、それとも久しぶりに美佐子に会ったその嬉《うれ》しさが、彼女の母の死という意外なしらせによって、不意に冷却させられた驚きのためなのか、彼にはよく分らなかった。それはお気の毒でした。僕はちっとも知らなかった、と彼は月並みな悔みを言った。美佐子は顔を起したが、それは泣顔ではなかった。でもその方がいいんです、誰にとっても。どうして、と彼が訊《き》いたのに対して、どうせお母さんはずっと寝たきりでよくなる見込はなかったんですもの、と答えた。お父さんだって重荷をおろしたような気持だと思いますわ、と附け足した。

彼はその時一度だけ見たことのある、しかしそれが当人だと確信があるわけではない美佐子の父親のことを、思い出していた。その人にとって重荷であったかなかったかは、娘の忖度《そんたく》し得る限りではあるまい。美佐子は平常から母親びいきで父親があまり好きではないようなことを彼に向かっていつも口にしていた。しかし他人から見て、家族の一人一人がその父や妻や娘に対して実際にどういう気持を持っているものか、どうして知ることが出来よう。久しぶりに君に会ったけど、君は少しやつれたようですね、と彼は言った。美佐子はちょっと眼を大きくして、そうかしら、と言いながら片手の指先を頬《ほお》に当てた。一つの死が家族の各員に何等《なんら》かの形でそれまでと違った状況をつくるということはあり得るだろう。例《たと》えば美佐子が、以前の彼女に較べて、母の死によって痛手を受けたとはいえ、もっとのびのびとした、責任を解除された立場にいる者の気安さをその顔に見せている点などに。ひょっとすると最も肩の重荷をおろしたのは美佐子かもしれない、と彼は考えた。病気の母親を抱《かか》えて主婦代りに一家を切り廻していれば、次第に婚期を逸しかけているという焦躁感《しょうそうかん》も、母親を置いては嫁に行けないという不安も、あったに違いない。しかし今では、彼女は自分の意志を持つことが出来るし、それが嘗てなかったような成熟した美しさを見せているような気がした。それは一種のコケットリイ、一人前の女の持つ色っぽさだった。その本人の気づかないでいる魅力が、母親の臨終やお葬式のことなどを彼女が話している間じゅう、彼の気持をみだしていた。前に彼女の口から聞いたことのある彼女の見合の相手という青年は、そのお葬式に来たのだろうか、などと埒もないことを彼は考え続けていた。

もし一つの死が状況を変えたとすれば、美佐子の母親が亡くなったことで一番やきもきしなければならないのは、或いは彼かもしれなかった。彼はここ一年ばかり、時時彼女と会っていた。或る展覧会の会場で、先生、三木先生、と呼び掛けられた時に、彼はこの初めて見る若い女が、嘗て或る高等学校の講演会で彼との連絡係をつとめていた生徒と同一人だとは気がつかなかった。藤代美佐子はきまりの悪そうな顔をして、お忘れになりましたでしょうけど、と言った。彼は講演のあとで活潑《かっぱつ》に質問して来た昔の高校生とこのおとなしそうなお嬢さんとの間に、そう説明されるまでは容易に類似点を見出《みいだ》し得なかった。君はあの時とても澄ましこんでいましたね、と彼はもっと後になって、もっと親しくなってから、ひやかした。しかしその時は、彼の方も真面目《まじめ》くさって、君はこういう展覧会などによく来るんですか、と訊いた。ええ、先生をお見かけしたことは二三度あるんです、でも恥ずかしいから声を掛けるのをやめました、と美佐子は言った。好きなんですね、絵が、と彼は訊き、それなら今度君に個展の案内状などを送ってあげましょう、と約束した。個展って先生の個展ですの、と美佐子が訊いた。いいやそうじゃない、僕は単なる批評家だから個展といっても自分のじゃない。識《し》り合いのあっちこっちの画廊でしょっちゅう個展をやっていますからね、なるべく面白そうな奴《やつ》を選んで送りますよ。わたしはそんなにはうちを明けられないんです、母が病気で寝ているものですから、とその時美佐子は心細そうに言った。

母親が病気で寝ている限り、美佐子は嫁に行く筈《はず》がないと彼は信じることが出来た。そう信じることがいつから一種の望みのようなものに変ったのか。画廊での個展の案内状とかデパートでの展覧会の通知などに、彼は目立たない小さな字で日と時刻とを書き込んだ。そうしなければ偶然だけをたよりに会期中に美佐子と会うことは難しかった。美佐子はそれに気がつき、三度に一度は二人は二人だけの小さな秘密によって会場で落ち合うことが出来た。二人はそのあとで近くの喫茶店などへ行き、絵の話や彼女の家族の話などをした。両親と彼女と大学生の妹とからなる彼女の一家は、お手伝いさんもいて、恵まれた家庭のように思われた。もしも母親の長煩《ながわずら》いという不幸さえなければ、彼女はとうに結婚している筈だった。今でも結婚は時間の問題のように見えた。そして彼は時々、己は彼女を恋人扱いにしているのだろうか、と疑った。恋人というには彼の態度は礼儀正しく彼女の態度は率直だった。つまらない結婚なんかするんじゃありませんよ、とエゴイズムの苦味を心の襞《ひだ》に感じながら彼が言う時に、美佐子は親切な叔父さんか従兄《いとこ》にでも忠告されたように、おとなしく首を振って頷《うなず》いた。もし独身だったら、己はきっと彼女に結婚を申し込んだだろう、と彼はいつのまにか考えるようになった。そして独身という仮定は、彼の空想をいつもそこ限りで打止めにした。そういう仮定は不可能だった。彼は三十五歳だったし、妻と子供と妻の母とを抱えた一家の主人だった。或る短期大学の講師であり、新聞や美術雑誌に常に執筆している美術評論家だった。もうメーデーに行くことも破防法反対のデモに加わることもなかった。安保闘争の時も彼は腰を上げようとせずに、あなたって人は堕落したのよ、と妻に罵《ののし》られた。もしも三十五歳が人生の道の半ばであるとするならば、残り半分は現在を雛型《ひながた》にしてこのまま続いて行くだろう。そこに新しい道が生れることは決してないだろう。要するに三十五歳というのは、人生に対する幻想が褪《さ》め、この現実を不可避のものとして受け入れる年齢なのだ。氷は厚く張りつめて、そこに閉じ籠められた一枚の葉は透明な向うの世界を見ることは出来るが、そこから逃《のが》れることは決して出来ない。

彼は腕時計を見、慌《あわ》てて起き上った。洗面を済ませてから、妻の母が食事の支度《したく》をしている間に狭い庭に出てみた。風は吹いていたが陽の光は暖かく、枯芝の上に二つに割れた氷の板が、溶けかかったままその形を残していた。汚《きた》ならしい葉っぱが半分ほど氷の中に埋め込まれていた。遠くの空で凧《たこ》の唸《うな》る音が聞えていたが、彼が首を起してもその姿は寒々と晴れた空のどこにも見当らなかった。

彼は講師控室のストーブの前の椅子《いす》に腰を下して、番茶を啜《すす》りながらストーブの上の薬罐《やかん》が滾《たぎ》るのを見ていた。少し早目に講義を終ったので、控室の中はまだがらんとして他には次の時間の下調べをしている教師が二人ほどいるだけだった。その二人はせっせと横文字の教科書を覗《のぞ》いたり字引を引いたりしていた。彼は手持無沙汰《ぶさた》そうに腕時計を見、まだ少し早いな、と呟《つぶや》いた。

彼はこれから或る画廊へ行き、そこで美佐子と会うつもりにしていた。その個展の案内状に、例によって今日の日附と時刻とを書き込んでおいた。美佐子の来る確率は大体三分の一だったが、このところ久しく会っていないのできっと来てくれると都合よく考えていた。会えるものなら毎日でも会いたかったし、いつのまに気持がそんなに傾斜してしまったのか自分でも不思議なような気がした。しかししげしげと会うことは出来なかった。今頃の時節では展覧会はそうそうは開かれなかったし、それ以外の場所で会うことは、会おうと彼女に切り出すことは、なぜだか気が咎《とが》めた。現在のようなのもロマンチックで悪くないなと一方では考えていた。

　しかし己はもうロマンチックなことを愉《たの》しむほど若くはないんだ、と彼は自分に言い聞かせた。彼女のような若い娘にはそれもいいだろうが、彼はもっと大人《おとな》の筈だった。もしも彼の友人たちが、この恋愛だか何だか分らない一種のプラトニックな関係を聞きつけたなら、歯がゆくて見ていられないと言うにきまっていた。現に彼が美佐子と幾度か落ち合ったことのある画廊の主人は、こっそり彼をつかまえて、三木さん、うちをランデブーの場所にするとはひどいですぜ、とひやかした。ほんの偶然だよ、と彼は答えたが、相手はその手は喰《く》わないとでも言いたそうに、肉の厚い下唇《したくちびる》を反《そ》らせてにやにや笑っていた。この方法もそろそろ人目につくようになったな、とその時彼は考えたものだ。人目についたところで何の疚《やま》しいこともない。絵の好きなお嬢さんと一緒に絵を見て歩いていると言えばよかった。しかしこうした秘密っぽい、その実ただ会ってお茶を飲むだけの二人の関係に、苛々《いらいら》し始めていたのは彼自身だった。自分の気持を彼女に伝えることもなく、彼女の気持を知ることもなかった。それはひどく子供っぽいようだった。いやしくも三十五歳の男子としては情ないような状態だった。

しかし彼は美佐子と会うたびに、いつもごく平凡な話題のほかは避けて通った。その代り彼女と真剣な話をしている自分を、幾つかの場合に当てはめて空想し、自分の反応を測定した。ただどの場合にも、現在よりもよくなるという見通しはなかった。第一の場合に、彼女はびっくりして顔を起し、まあ先生、わたし先生がそんなお気持だなんてちっとも知りませんでしたわ、と言うだろう。つまり彼は異性として認められていたわけではなく、ただ美術の専門家である一人の先生というだけなのだ。それは現在の状況を気まずくするだけだろう。第二の場合に、彼女は顔を赧《あか》らめて、わたしも先生が好きですわ、でも先生はわたしをからかっていらっしゃるのでしょう、と言うだろう。彼は熱心に自分の誠意を披瀝《ひれき》し、二人の間柄は一層親密になるだろう。しかしそれも彼女がどこかへ嫁に行くまでのことだ。たとえ母親が亡くなったからといって、彼女が家庭に縛られた良家のお嬢さんであることに変りはない、もしそうなったら、いよいよ彼女を失う破目《はめ》になった時に彼は一層悲しい思いをしなければならない。第三の場合に、彼女は顔を輝かせて、先生のためならわたしは何でもします、と言ってくれるだろう。彼女は家を出て自活し、彼との関係ももっと踏み込んだものになるだろう。しかしそれなら、彼の方にも自分の家庭を破壊するだけの勇気があるだろうか。妻と子供とを棄《す》てて彼女と一緒になるだけの勇気が。それがなければ彼はただのドンジュアンにすぎず、彼女と恋愛遊戯を試みたというだけのことだ。それに彼女は独立して一人暮らしの出来るような当世むきの新しいタイプの女性には見えなかったし、それだけの自信もないようだった。わたしはお母さんの看病をするので、学校は高校きりでやめたんです、と彼女は言った。教養なんて大学でおそわるものじゃありませんよ、と彼はその時慰めたが、最も彼女にふさわしいのは職業婦人よりは一家の主婦であることだろうと彼は想像したのだ。そういうふうに一つ一つ考えて行っても、最後に問題になるのは肝心の彼自身の気持だった。彼女がどう出ようと、ぎりぎりの時に彼がどう答えるか、どう答えられるか。それは彼の持つ勇気と選択とに関《かかわ》っていた。勇気は十年前に使いはたされ、今の彼には赤旗を振るだけの気力も残っていなかった。選択は今の妻と結婚する時に既になされていた。そして子供を生むことを承知した時に既になされていた。

己《おれ》は結局臆病《おくびょう》で、センチメンタルで、エゴイストで、惨《みじ》めなインテリの見本なのだ、と彼はいつも考えた。

近くのテーブルで教師たちが雑談を交《かわ》していた。控室の中には次第に人がふえて、今は煙草の煙が立ち籠《こ》める中を陽気な笑い声が溢《あふ》れていた。離婚したんだとさ、驚くじゃないか、誰も気がつかなかったのかね、と彼の方からは顔が見えないだみ声の主が喋《しゃべ》っていた。あの人がね、よくまあ思い切ったものですね、奥さんと仲が悪いとは聞いてたが、と若い語学教師が言い、周囲にいた二三人がそれぞれ歎声《たんせい》を洩《も》らした。一体直接の原因は何です、と一人が訊いた。性格の不一致という奴だろう、直接もくそもないさ、とだみ声の主は得意そうに断定した。近頃はやりの離婚騒ぎか、いずれ週刊誌に出たらよく研究してみよう、と誰かが言い、君のところは大丈夫か、という声も聞えて来た。僕はまだ独身ですよ、と若い語学教師は答え、まわりの連中は一斉に笑った。

彼は椅子から立ち上り、鞄《かばん》を片手に歩き出した。やあもう帰るのか、と呼びとめられたが軽く首で会釈《えしやく》をして通り過ぎた。三木先生、三木先生、と誰かが背中で呼んでいるのも、気がつかない振りをして行き過ぎようとしたが、お電話ですよ、と言われて足をとめた。女事務員が、事務室の方にお電話です、と繰返した。彼はその女と連れ立って薄暗い廊下を通り、事務室の方へ歩いて行った。廊下の窓硝子《ガラス》がところどころ破れたままになっていて、そこから冷たい風が吹き込んでいた。己には離婚なんかとても出来ない、と彼は考えた。もしそんなことを口にしたら、妻は本気でびっくりして気でも狂ったのかと言うだろう。彼等は仲のよい夫婦で通っていたし、性格の不一致などという口実はなかった。妻は妻なりに彼を愛していた。

もしもし、三木ですが、と彼は受話器を手に首を屈《かが》めるようにして言った。

先生ですの、あたし藤代美佐子です。

君ですか、珍しいんだなあ。電話なんて初めてでしょう、よく分りましたね。

だって先生がいつか教えて下さったじゃありませんか。お忘れになったかしら。

覚えてはいます、でもね、君がまさか電話を掛けてくれるとは思わなかった。どうしたんです、よく電話をする気になりましたね。

いまお手伝いさんがお買物に行って留守なんですの。それでね、先生、あたし今日は画廊の方に行けないの、それでお断りしようと思って。御免なさい。

何か具合でも悪いんですか。君がわざわざ断ってくれるなんて驚いたな。

具合が悪いっていうんじゃなくて、あたしそこに行きにくいの。だって父が午後行くって言うんですもの。父と会うのは厭《いや》だわ。

もしもし、よく分らないな、美佐子さんのお父さんが秋田治作の個展に来るってわけですか。

そうですの。何でも秋田さんて画家と昔のお友達なのですって。ゆうべわたしに、お前も絵が好きなんだから一緒に行かないか、なんて。どきっとしました。

来ればいいじゃないですか。

いや、先生がいらっしゃるのに。それにあたし、父と出掛けることなんかまるでないんです。

そんなことはどうだっていいでしょう、お父さんだってきっとお寂しいから美佐子さんにお相手をしてもらいたいんですよ。いらっしゃい、僕だって会いたいし。君のお父さんは何時頃《なんじ》見えるんだろう。

午後とは言ってましたけど、あたしは知りませんの。それじゃまたね。

もしもし、ちょっと待って。じゃ来ないんですか。どうしてなんです。どうもよく分らないな。考え直して、これからお出掛けなさい。僕だってこれから向うへ廻るんだから。それにお父さんの方はもう行ったあとかもしれないし。僕だって会いたいんですよ。

ええそれは分っていますの。ではさよなら。

彼が急いで何か附け足そうとしているうちに、電話は切れてしまった。彼は声をひそめて話をしていたが、それでも事務員たちに聞かれなかったかどうか、首を起して様子を窺《うかが》った。広い部屋の片隅《かたすみ》にある電話に気を留めている者はいなかった。彼は誰にともなく会釈をして事務室を出て行った。

彼はオーバーの肩に首を埋《うず》め、風が音を立てて吹いている道を校門の方へと急いだ。美佐子はなぜ来ないのだろう、そしてなぜわざわざ電話で断りなんか言ったのだろう。父親と一緒だということがそんなに恥ずかしいのだろうか。

冬の初めの頃の或《あ》る日曜日の晩、彼は美佐子から切符を売りつけられて、彼女の妹が出演するという大学の演劇部の公演を見に行った。どうせ学生芝居だと思えば大して興味も湧《わ》かなかったのだが、こうした機会にでも美佐子に会えることは愉《たの》しみだった。その頃には、彼の心はもう深く捉《とら》えられていた。

幕の明く前のざわざわした空気の中で、彼は横手のドアからはいって通路に立ち止り、そこから観客席を見廻して舞台に近い前方の席に美佐子がいるのを見つけた。彼女は落ちつかない様子で時々誰かを探《さが》すようにうしろを振り向いていたが、彼とは眼が合わなかった。彼女は一人きりで来ているようだった。ベルが鳴り、場内が暗くなると、彼は横手の、通路のすぐ近くの空席に腰を下し、彼女の妹というのがどんな役をするのか、薄暗い光の中でプログラムの字をすかして見た。出し物はサルトルの「出口なし」で、彼女の妹の藤代香代子の役はイネスだった。イネスが舞台に登場した時に、彼は成熟した女の魅力を出しているそのメーキャップに驚かされたが、声は若さを隠し切れなかった。その顔は姉とはちっとも似ているようではなかった。姉と違って、化粧のよく合う舞台むきの大柄な顔をしていた。

舞台に惹《ひ》きつけられているうちに、ふと彼は自分のすぐ側《そば》の暗い通路に遅く入場した一人の男が立っているのに気づいた。その男はじっと舞台を見ていたが、やがて彼の斜め前の空席に腰を下した。その横顔は美佐子とどこかしらよく似ていた。これはひょっとしたら彼女の父親かもしれない、と彼は考えた。彼は舞台を見たり、斜め前の席の男の顔を見たりして、ともすれば自分の思考の中に沈んで行った。この人は、と彼は相手を美佐子の父親にきめてしまって考えた。この人はきっと娘への義理でよく分りもしない芝居を見に来たのだろう。なかなか上手《じょうず》じゃないかと娘にあとで言うために。そして暗い観客席に坐《すわ》って無駄な時間を潰《つぶ》しながら、心の中ではやはり何か別のことを考えているのだろう。何かを。仕事のことを、家庭のことを、病気の妻のことを、それとも誰か他の女のことを。そして彼は舞台の上で熱心に与えられた役を演じている妹と、その妹をまじろぎもせずに眺《なが》めている筈《はず》の姉の美佐子のことを考えた。すると不意に、自分がまったくののけ者であるような気がした。

舞台がもうすぐ終るという肝心なところで、斜め前の席にいた男はすっと立ち上って横手のドアから出て行った。未練もなく、舞台の方を振り返りもせずに、素早く消えてしまった。彼はちょっとばかり呆気《あっけ》に取られたが、直に舞台の方に注意を引き戻された。公演は大成功で、お義理でない拍手がホールの中にどよもした。彼はなるべくゆっくりと腰を上げ、さりげなく美佐子の姿を探しながら廊下をうろついていた。やっとその姿を見つけ出すと、面白かった、妹さん上手ですね、と言った。美佐子は壁際《かべぎわ》に寄って帰りを急ぐ客たちを避けると、わざわざ来て頂いて有難うございました、と丁寧に礼を述べた。君のお父さんも見えていたようでしたね、と彼は教えたが、美佐子は頭から打消した。そんな筈はありませんわ、父は来てなんかくれませんわ。その声はこういう場所には不似合なほど悲しげに響いた。あら藤代さん、という彼女の友達らしい若い女の声がした時に、彼は会釈をしてすぐその場を離れてしまった。彼女も、彼女の父親も、何という寂しそうな人間なんだろう、という印象を反芻《はんすう》しながら。

彼は校門を出るとタクシイを拾った。深々とクッションに凭《もた》れながら、己たちはみんな寂しいのに、どうして心を通わせることが出来ないのだろうか、と考えた。彼は自分と妻との間に、また自分と美佐子との間に、何が邪魔しているのかを探ろうとした。それは結局己のせいだ、己の心が硝子を隔てて見ているだけで、その向うに出て行こうとしないからだ、と彼は自分に呟いた。

救急車が凄《すさま》じいサイレンの音を響かせながら、彼のタクシイの側を駆け抜けた。旦《だん》那《な》、どうやら事故ですぜ、と運転手が彼に声を掛けた。そうらしいね、近頃はまったく危いからな、と彼は生返事をし、それでも窓の外を硝子ごしに眺めていた。

葉のすっかり落ちた街路樹が醜く枝を歪《ゆが》めて立ち並び、その一つ一つが墓標のように見えた。タクシイは前の方の車がつかえていたために次第に徐行し、警官が笛を吹きながら止らないように指示していた。やがて事故の現場が硝子の向うに映った。小型の乗用車が運転をあやまって電柱に衝突したものらしく、ひしゃげたように歩道に乗り上げていた。救急車が赤いランプを明滅させながら傍《かたわ》らに停止し、白衣の男たちが、血まみれの男を担架の上に運び上げていた。そして彼の乗っているタクシイは、警官の笛に催促されて、すぐにその前を走り抜けた。もろにぶつかったらしいですね、あれじゃたまらないな、と運転手が前を向いたままで言った。

不意に彼はその時の光景を思い出していた。白煙の中から、鉄兜《てつかぶと》をきらめかせた警官たちが潮のように溢れ出していた。異様な喚声があたりに立ち籠め、周囲がまったく歪んで見えた。きなくさい臭《にお》いと、怒号する表情と、風を切る警棒と、押し倒された身体《からだ》と、そして彼もまた走り、揉《も》み合い、倒れ、そして起き上った。その時彼は臆病者ではなかった。畜生め、畜生め、とわけの分らなくなった憤怒《ふんぬ》を叩《たた》きつけ、身体中の神経をふるわせながら、またばたりと倒れた。彼のすぐ近くに、血まみれの男が警官たちに抑《おさ》えつけられていた。その男の表情はまるで鬼だった。早く逃げろ、とその口は彼に怒鳴っているようだった。彼は這《は》い、よろめき、立ち上った。鉄兜のきらめく中を、彼は再び走った。ぶつかり、押し飛ばし、己は怖《こわ》いんじゃないんだ、己は臆病者じゃないんだ、と呪文《じゆもん》のように称《とな》えながら、安全な方へと逃げて行った。火を吹いている自動車の残骸《ざんがい》のすぐ側を、不意に肩や背に激しい鈍痛を覚えながら、馬鹿《ばか》のように走っていた。

今は己は硝子のこちら側にいるだけだ、氷の中に葉のように鎖《とざ》されているだけだ、と彼は考えた。そのこちら側は、安全である代りにひどく孤独なように思われた。

職業的な敏捷《びんしよう》な眼を光らせながら、彼は壁面に懸《かか》っている油絵を一点ずつ、じっくりと、しかし素早く、見て歩いた。秋田治作の久しぶりの個展は近来にない成功である、という展覧会評の書き出し文句を既に頭の中に浮べていた。鋭い直線的なフォルムによって包容された豊かな深い色彩。四十年の（三十年か）画歴に裏打ちされた物質の存在感。感想の一つ一つが一種のきまり文句によって表現されるのを、彼は我ながら苦々しいものに感じていた。美佐子と一緒に絵を見たあとでは、彼は決して難しい術語を使って作品の価値を彼女に説明しようとはしなかった。美佐子は自分でも絵を描いていると洩《も》らしたことがあったから、彼はなるべくその参考になるように、技術的な注意などを混えて作品の美しさを彼女に分らせようとした。美佐子はどんな絵を描いているのか決して言わなかったが、ごく初歩の、具象的な写生の域を出ないだろうことはた易《やす》く想像できた。アンフォルメルの展覧会などでは、どこがいいんでしょう、と真面目《まじめ》な顔をして彼に訊《き》いた。彼はもっともらしい解説をしたが、しかし自分でもどこまで本気でアンフォルメルを信じているのか、苦笑を浮べないわけにはいかなかった。アンフォルメルよりは君の方が美しいですよ、と一度だけつい戯談《じようだん》を言ったことがある。美佐子はまあと言ったなり、眼を大きく開き、それから赧《あか》くなった。

彼は小さな声で、御免、とあやまった。

画廊の主人が彼を中央の長椅子《ながいす》に腰を下している長身の男に紹介した。秋田先生、これは三木さんといって、うちでもいろいろお世話になっているやり手の批評家ですが、たしか先生は初めてでしたね。

その男はゆっくりと立ち上った。僕みたいに田舎《いなか》に引き籠《こも》っているとさっぱり附き合いがないからね、秋田治作です、まあお掛けなさい。その画家はまた長椅子に、どっこいしょ、と掛声を掛けながら腰を下した。三木さんか、あなたはたしか翻訳もやるんでしたな、ロークマーカーのシンテチストの本の訳をしたのはあなたじゃありませんか。

彼は意外の感に打たれて頷《うなず》いた。彼の翻訳したその研究書はむやみと高級で売行も芳《かんば》しくなかった。それを画家が、それも田舎暮らしの画家が、読んでくれたというのは嬉《うれ》しくもあれば光栄でもあった。画家は話題が見つかったのを悦《よろこ》ぶように、その本の読後感を語り始めたが、その意見は鋭くて傾聴に値いした。しかし彼は眼を起して画廊の中を見まわしていた。美佐子の父親はもう来たのだろうか、それともこれからなのだろうか。受附にある署名簿には藤代という姓はなかったが、署名をするような習慣のある人とも思われなかった。こぢんまりした画廊の中には客が七八人ほど熱心に絵を見ていた。そして彼はつい口に出して言ってしまった。藤代さんという方はもうお見えになりましたか。それは相手が口をつぐんだので、今度は彼の方が個展の印象を口にすべき番なのを、暫《しば》く時を稼《かせ》ごうとしたためだったろうか。それとももしも藤代氏が帰ったあとだったら、思い切って美佐子の家に電話し、もう大丈夫だからこちらへ来ないかとすすめてみるつもりだったのだろうか。画家は、ほうと驚いたような顔をし、藤代はまだ来ないが、もうじき来る筈《はず》ですよ、あなたはお識《し》り合い、と尋ねた。いや藤代さんは僕は識らないんですが、とへどもどしながら彼は答え、しまったと思い、どうやってこの失言を取り消そうかと考えた。何でも御友人だとか聞いたもので、と急いで附け足した。ああ昔の友達の一人です、と相手はそれ以上穿鑿《せんさく》せずに、不意に過去の中に沈み込むような表情になった。我々はまだ学生の時分に、一緒に左翼運動の真似《まね》ごとみたいなことをやった仲間ですよ。我々は気が弱くて二人とも転向した。転向しなかった奴等《やつら》は死んだ。今では五十の坂を越えて、私はへぼ絵かき、藤代は何とか会社の社長、変ったもんですなあ。

へぼ絵かきということはありませんよ。戯談じゃない、と彼は勢い込んで反対した。秋田さんの今度の作品はきっと大した評判になります。

評判ですか、と相手は軽く受け流した。三木さん、評判なんてものはちっとも問題じゃないんだ。私は何も清貧を売物にするつもりはないが、人に識られることとか絵が高く売れることとなんかは、まあどっちでもいいんですよ。田舎に暮らしていれば、金もかかりませんからね。本を読んだり、庭を弄《いじ》くったり、散歩をしたり、うわべは気楽なものです。しかし仕事となると、これは自分の気の済むように仕上げなければならない。同時代との競争じゃなくて、自分の持っている時間、残された時間との競争ですからね。そこまで言って、秋田治作は眼をあげ、ああ藤代が来たな、と呟《つぶや》いた。その顔に懐《なつか》しそうな色がさっと漲《みなぎ》った。

彼もまた受附の方に眼をやり、そこにいつぞや隠れるように娘の舞台姿を見物していたその同じ人物を発見した。画家が側へ行って話し掛けたので、藤代氏の横顔が正面に変ったが、画家のようにあらわな嬉しさは見せてはいなかった。ただ美佐子とよく似た、内気そうな、何を考えているのか分らないような表情で、友人の手を固く握っていた。頭髪は画家よりも遥《はる》かに白いものが多かったし、もっと老《ふ》け込んだ感じだった。彼女はどうして一緒に来たがらなかったのだろう、と彼は考えた。そして彼は、この上待ったところで彼女は来ないだろうと思い、そう思いながらも腰を上げかねていた。

画家がまた戻って来ると、彼の横のソファにどっかと掛け、平然と先程の話の続きを始めた。芸術は時代と共にも動くでしょうが、個人の内部に於《お》いても動いているでしょう。時代と共に歩むことも大事だが、自分に納得の行くように、それがエヴォリュエすることも大事だ。私はこの個展にわざと古い時期の作品も出しておいた。あの辺のところですね、と画家は手をあげて遠くの壁の方を指した。ちょうど藤代氏がその前に立って絵を見ていた。あれは私がヨーロッパに滞在していて、伝統の力と風土の力というものを痛感していた時代のものです。それから私は日本へ帰って来て考えた。伝統は私個人の内部に新しく築くほかはない、風土は私個人の周囲に見出《みいだ》すほかはないとね。日本人にはエスプリ・ド・ジェオメトリイが伝統的に不足しているのだから、いきなりアブストラクトを与えたって、描く方も見る方も、呆気に取られるだけです。その訓練がまだ出来ていない。勿論《もちろん》これはあなたみたいな批評家や、若い画家諸君は別ですよ。これは私自身の内部的伝統の問題なのだ。だから私は、私自身の必然性に従って、具象から抽象へと自分のエヴォリューションに従うんです。目下のところは半具象半抽象だ。しかしこれが私の精いっぱいですからね。

彼は頷いた。とんだお説教を聞かされるぞと警戒しながら、彼はこの画家の明けっぴろげなところに次第に好感を持ち始めていた。田舎に住んで話相手もないのだろうから、不意に喋《しゃべ》りたくなったその気持を充分に理解した。それと同時に、相手の情熱を羨《うらやま》しく感じていた。この人はもう五十五か六になっているだろう、しかしその気構え、自己のエヴォリューションへの決意、豊富な制作量、それは情熱的と呼ぶにふさわしいものだ。それが実作者というものの正体なのだろうか。

彼は批評家という自分の立場について考えた。確かに彼は他人の絵を美術史という伝統の流れに当てはめて評価することも、一人一人の画家の内面の進化に応じて検討することも出来る。しかし果して批評家である自分自身の内面というものが、それだけの進化を持っているのだろうか。本も読んだし、理論も消化したし、数多い作品も見た。駆足でヨーロッパの美術館も見物して来た。しかし肝心の自分の魂が十年前から少しは成長したと言えるだろうか。頭脳の襞《ひだ》は複雑になり、脳細胞はふえ、知識は昔とは比較にならないほど増大した。それでも己《おれ》には芸術の正体なんかちっとも分っていないし、この人のように、創造することの使命を自分への義務として感じることも、そのことに悦びを見出すこともないのだ。生きることが悦びだということさえないのだ。

藤代氏が絵を見終ってこちらの方へ歩いて来た。画家はぴょんとソファから立ち上ると、三木さん、そこらでお茶でも飲みませんか、と誘った。そして自分は藤代氏に、おいちょっと外へ出ようや、と言い、相手の返事も待たずにすたすたと歩き出した。彼は困って、僕は三木と言います、と藤代氏に自己紹介をすると、しかたなしに画家のあとからついて行った。藤代氏は口の中でもぐもぐ言っていた。画家がこの二人を識り合いだと誤解したことは確かだったが、こうなってみるとあらためて訂正を申し入れるわけにもいかなかった。それに己は何もこの人の娘を誘惑してるわけじゃないんだから、と彼は考えた。

近くの喫茶店の中にはいって座を占めると、画家は大きなあくびをし、ああいうところにいると肩が凝ってね、とこぼした。それから不意に真面目な顔に戻って、奥さんとうとういけなかったそうだな、気の毒だった、と藤代氏に悔みを言った。

二人が話し合っている間、三木はこそばゆい気持でコーヒーを啜《すす》っていた。この喫茶店は彼が美佐子と二三度来たことのある店で、ひょっとしたら今日も、ちょうど今頃、ここに二人して腰を下し、秋田治作の絵はなかなかいいじゃありませんか、君はそう思わない、などと言っていた筈だった。それを今は、秋田治作その人と、美佐子の父親という、とんでもない組合せを前にして、神妙にかしこまっているのだから。もしも、僕はあなたのお嬢さんをよく識っています、とでも言ったなら、この人はどんな顔をするだろう。

ねえ三木さん、と話し掛けられて、彼は驚いて顔を起した。こいつは僕の絵に生命力があると言うのだが、批評家としてあなたはどう思いますね。

生命力ですか、それは適切な批評ですね、と彼は答えた。僕も実は何と言えばいいかと考えていたんですが、生命力か、秋田さんは御自分の中心部をつかまえて離さない、その中心部に向かってまっしぐらにのめり込んで行ってる、という感じです。

なるほど、と画家は頷き、私は何も批評したわけじゃない、と藤代氏は憮然《ぶぜん》とした顔で答えた。君はそう謙遜《けんそん》するが僕にはありがたいんだ、生命力さえあればまだまだ枯渇することはないからな。三木さん、藤代みたいな友達の批評というのは、批評家の言うのとはまた違ったよさがあるものですよ。そこには何と言っても僕という人間を識っている強みがある、その人間の表現として作品を見てくれる、しかるに批評家は。

そこへ彼が口を入れた。批評家は作品によって人間を判断しようとする、ですか。

画家は笑い出し、君は気を悪くしましたか、と訊いた。

そんなことはありません。僕だって批評家の存在価値を認めないわけじゃない、自分だってその一人ですからね。ただ批評家という商売は、肉を仕入れて来てソーセージを作っているような気がするんです。混《ま》ぜもののソーセージをね。一体批評家というのは、自分で実作を試みる必要はない、他人の作品を材料にごたくを並べていればいいことになっていますが、僕は実作者と批評家との違いは、子供と大人、或いは青年と中年との違いじゃないかと思うことがあるんです。実作者というのは、つまり子供がそのまま持ち越されて大人になった人間です。子供というか青年というかそのよさですね、つまり好奇心とか、情熱とか、生命力とか、無鉄砲とか、野心とか、そういったものをいつまでも保ちながら年を取る。批評家の方は初めから大人です。分別もあれば知識もある。穿鑿《せんさく》好きで、おせっかいで、偉そうな顔はしているが、肝心の若さを見失っている、心のなか、魂のなかにある純粋さを理解できないで、言葉の綾《あや》でつくろうだけです。これは少し極端な言いかたですがね。

つまり僕の方があなたより若いということかな、と画家は言い、店の中に響くほどの大声で笑った。

その時、画廊の主人が硝子戸《ガラスど》を明けてはいって来ると、さっそく画家を見つけ出して、何か耳打ちをした。そうかい、じゃちょっと待っていてくれないかな、藤代は今晩僕と附き合えよ。そして彼の方に会釈をし、画廊の主人と連れ立って店を出て行った、彼もそれを汐《しお》に立ち上ればよかった。美佐子が画廊に来ていはしないかとふと想像した。しかし何かが彼の腰を重くし、藤代氏と向かい合うように席を変えて、立派な芸術家ですね、秋田さんは、と言った。

相手はかすかに頷いたが、口から出て来たのは彼をびっくりさせるような質問だった。ときにあなたは独身ですか。

彼はぽかんとし、それから答えた。いや、僕は結婚しています。

そうですか、しかしお若いですね、と相手は言った。どうも失礼なことを訊いたが、あなたがさっき実作者と批評家ですか、その区別を子供と大人というふうにおっしゃったのは大層面白かった。私たちは年を取ると、誰しもいっぱしの批評家になるものですよ。確かに穿鑿好きでおせっかいになる。私には年頃の娘がいるんですがね、私の妻が長い間煩《わずら》っていたものだから看病にかかりきりで、ろくな花嫁修業もしていない。妻は亡《な》くなりましたから、何とかしてやりたい、いいお婿《むこ》さんを見つけてやりたい、と考えています。そこで批評家の眼で娘を見る。もう少しお化粧でもしたらどうだろうとか、お花かお茶でも習ったらどうだろうとか、誰々さんは気に入らないかとか、まあうるさいことは言わないが娘の気を引いてみる。ところが言ってみれば私は批評家、娘は実作者という立場なんですね。秋田みたいな頑固《がんこ》な絵かきは批評家が何と言おうと平気ですが、それと同じだ、娘はてんで私の気持なんか分ろうとはしない。つまり肝心のあの子の生命力というものを私はつかんでいないんですな。

彼は身体《からだ》を固くし、冷汗の出るのをこらえていた。美佐子の話をこんなふうに聞かされるとは思ってもいなかった。

父親という批評家が、娘という作品を理解できないというのは悲しいですね。どうしてこういうことになったのか。大体娘が何を考えているのか私には見当がつきませんしね。

近頃の若い人はむずかしいから、と彼は言った。

そうね、しかし下の娘はアプレですが、この子の方はどっちかといえば昔風に出来てるんですよ。それでも若い者の気持は分りませんなあ。あれも厭《いや》だ、これも厭だ、私のことは私でする、放っといてくれ、こうですからね。今日も秋田の個展に一緒に行かないかと誘ったのですが、来ようとしない。わけを言うのでもない。母親が死んで寂しいんでしょうが、寂しいからって父親に当ることもないでしょう。そして僕も寂しいんですがね。彼は心の中で呟いた。あなたも寂しいんでしょうね。そのうちによくなりますよ、と彼は平凡なことを口にした。あなたみたいな若い人を見ると、ついお婿さんの候補者みたいに思って見る、これは父親という批評家の眼ですね、と藤代氏は言って微笑した。

彼は首をうなだれた。

街はとっぷりと暮れて、よく晴れた夜空に星をぶち蒔《ま》けたようにネオンの広告塔が燦《かがや》いていた。彼はオーバーの両ポケットに手を突込み、鞄《かばん》を小脇《こわき》に抱《かか》えて、白い息を吐きながら雑沓《ざっとう》の中に紛れ込んだ。忙しそうに歩いている人たちの間を、早くもなく遅くもない足取りで、方向も見定めずに、漫然と足を運んだ。

あの人が彼女の父親だった、と彼は考えた。善良な父親は己《おれ》がその娘を識っていることに気がつかずに、心の中につもっている悩みを打明けた。しかし己の方は何も言わなかった。己は卑怯者《ひきょうもの》で、あの人の誠意に対して真実のところを教えようとはしなかった。ただの第三者として、合槌《あいづち》を打っていただけだ。向うは己のことを、娘のお婿さんの候補者として初めのうちは見ていたのだ。もし己がその娘を愛している、死ぬほど愛しているのだと言ったなら、あの人はどんなに驚いただろう。怒ったかもしれない。妻子のある男、インテリぶった顔をした男、三十五歳にもなる男に、自分の大事な娘が誘惑されようとしていると知らされたならば。しかし己は決して不真面目な気持で彼女に近づいたわけじゃない。己が三十五歳で、妻子があって、インテリだということが、なぜ己の真実の愛をさまたげるのか。なぜ己は愛してはいけないのか。

愛してはいけなかった。今、そのことが不意に彼の思考の中で閃《ひらめ》いた。彼は自分の妻に対して、子供に対して、それがいけないことだとは考えなかった。家庭を破壊するだけの勇気はないとしても、しかしこの愛が罪だとは考えなかった。しかし彼女の父親に対しては、なぜだかそれを罪だと感じたのだ。それはなぜだろうか。それはこの父親にとっては明かに娘への愛が絶対のものなのに、彼の美佐子への愛が絶対とは違ったもののように感じられるからだろうか。この父親は絶対を奪われることでどんなにか苦しみ歎《なげ》くだろうが、彼は、彼の世代は、もう絶対なぞというものを決して持つことが出来ず、理想にしても愛にしても、もっと曖昧《あいまい》な別のものとして感じるようになってしまったせいだろうか。たとえこの愛が真実の愛であるとしても。

彼は足をゆるめ、とあるショウウインドウを横眼で見ると、その前で立ち止った。

冷たい光沢を見せて飾られている装身具を眺《なが》めた。よく見ると、宝石の首飾りやブローチは、城を形取った硝子の作り物の上のそこここに置かれ、その純粋な光を硝子の上に反射していた。それを見詰めているうちに、彼は溶けかけた氷の中に鎖《とざ》された葉っぱと、部屋の硝子窓の向うに空高く浮んでいた羊雲とを思い出した。タクシイの硝子ごしに眺めた潰《つぶ》れた自動車と血まみれの男とを思い出した。十三日の金曜日でも何でもないのに、いつどういう不幸が来るのか我々には分らない、と彼は考えた。もし今日、己が偶然彼女の父親に会うことさえなかったなら、己は今まで通り彼女を愛し、その愛をもっと押し進めて行っただろう。しかし今は己のなかの愛が生命を失って、この硝子の城のように、ただ光を反射するだけになってしまった。己は硝子の城に住んで、他人が愛したり生きたりするのを、批評家として眺めるだけの、つまらない人間になるだろう。

そのショウウインドウの少し先は地下鉄の入口で、そこの階段を下りて行きさえすれば彼は自宅へ帰れる筈《はず》だった。妻と子供と妻の母とが食卓を囲んでいる光景が彼の脳裏に浮んだ。そこには暖かい夕食が待っていた。しかし彼は白い息を吐きながらその階段の側を通り抜け、そのまま先の方へ歩いて行った。

六章　喪中の人

彼女は自分が酔っていることを感じながら、いつのまにか骨が溶けてぐにゃぐにゃになった身体《からだ》をクッションに凭《もた》れさせていた。タクシイは夜の通りをやけみたいに早く走り、その振動で彼女の首は下山譲治の方へ傾いたり窓硝子《ガラス》の方へ傾いたりした。香代ちゃん大丈夫かい、だいぶ廻ってるようだぜ、と下山は長い腕を延ばして彼女の肩を抱き寄せようとし、彼女はうるさそうにその手を払いのけて、へいちゃらよ、この位は、と答えた。そして眼を見張り、車の走っている位置を見さだめ、もう少し行くと交番があるからそこの先を左に曲って頂戴《ちょうだい》、と運転手に呼びかけた。運転手はむっつりしていて返事をしなかった。

今日は面白かったなあ、と下山は言った。下山はさっきから同じことばかり繰返していた。しかしその本心が、彼女を誘ってもっと他のところへ行きたがっていたのだということは彼女にも察しがついていた。わたしこんなに夜遅くなったのは初めてよ、と彼女は言い、下山は、ちっとも遅くなんかない、と言い張った。パパに叱《しか》られるから、という理由はなぜだか子供っぽい気がして口にしなかったが、車が自宅に近づくにつれて次第に父親のことを思い出していた。車は交番の先を曲り、人通りのまったくない暗い通りを走った。

もうこの辺でいいわ、と彼女は運転手に言い、送ってくれてありがとう、と下山に礼を言った。君んちはもう少し先だろう。ええ、でもここでいいの。そして開いたドアから身体を滑《すべ》らすようにして通りの上に立った。バイバイ、と言って歩き出した。車が彼女のうしろでバックしている音が聞えて来たが、彼女は振り向かなかった。

春らしいやわらかな味のする空気が息をする度《たび》に感じられ、涼しい風が頰《ほお》を撫《な》でた。足がふらふらして思いのほか酔っていることが歩いてみるとよく分った。彼女の家はもうすぐそこだったが、なるべくゆっくりと酔の醒《さ》めることを願って歩いて行った。歩きかたがいつか踊っているように錯覚された。そんなに飲んだ筈《はず》はなかった。要するにあとで踊ったのが悪かったのだ、と彼女は考えた。

玄関の戸がベルの音を響かせて開いたが、お手伝いさんは姿を見せなかった。ということはもう遅くて、お手伝いさんは先に寝たということを意味していた。パパももう寝てるだろうか、それともまだ帰って来ていないだろうか。そして戸《と》閉《じま》りをしようかしまいかと思案しているところに、姉の美佐子が姿を見せた。香代ちゃん、おそかったわねえ、お父さんちょっとこれよ。姉は指で角のような形を耳許《みみもと》でしてみせた。

彼女は、ふん、そう、と言い、戸閉りをして茶の間へ通った。手にしていたハンドバッグを畳の隅《すみ》にぽんと投げ出し、よく父親の方は見ずに、ただいま、と言って坐《すわ》った。香代子、と父親は呼び、彼女が顔を起すと手の先で仏壇の方を指していた。そうだった、と彼女は思い出し、ふらつく足に力を入れて簞笥《たんす》の上に置いてある小さな厨子《ずし》の前へ行った。その扉《とびら》は開いていて、おじいさんとおばあさんとの写真の間に亡《な》くなった母親の写真が飾られ、新しい位牌《いはい》が何の親しみもない漢字を並べた戒名を彼女に教えていた。彼女は鉦《かね》を叩《たた》き黙礼したが、こういう形式を、それがただの習慣にすぎないと思いながらも、厭《いや》でならなかった。

父親は黙って茶を啜《すす》りながら、美佐子が茶を注いで彼女にすすめるのを見ていた。それから割合と静かな顔で訊《き》いた。どうしたんだ、香代子、ひどく酔っているじゃないか。

今日は演劇部の追い出しコンパだったんだもの、ちっと位はいいでしょう。

ちっと位なんてものじゃないぞ。近頃の大学生はみんなそんなに飲むのか。

そうねえ、コンパのあとでダンスをしたからな。結局ダンスのせいでみんな酔が廻っちゃったのよ。黒川先生なんか、あたしの帰る頃はまだ踊っていた。

ダンスまでしたのか、と父親は苦々しい声で言った。

ダンスったって易《やさ》しいのよ、ツイストってちゃかちゃか動いていればいいの。パパは踊れて。

己《おれ》が踊るもんか、と父親は吐き出すように言った。

パパみたいな人が踊れないなんておかしいな。社長さんてみんなよく遊ぶんでしょう。黒川先生はそれはお得意なのよ。あたしたちは先生に教わったようなものよ。

何者だ、それは、と父親は訊いた。

あら黒川先生を知らないの。ほらこの前の演劇部の自主公演でサルトルのお芝居をやったでしょう、その時わざわざお講義をしてもらったし、演劇部とは因縁浅からざるものがあるからコンパにお招《よ》びしたのよ。それから先生に連れられて、下山さんとか、安田さんとか、五六人で一緒に踊りに行ったの。

近頃の大学の教師は踊りまで踊るのか、と父親は情なさそうに言った。よくそれだけの暇があるものだ。

姉の美佐子ははらはらしたような顔で二人の話を聞いていたが、お父さん、そんなにおっしゃるものじゃないわ、と言った。香代ちゃんがダンスをしたからって何もその先生まで悪くおっしゃらなくても。

そうよ、いい先生なのよ、と彼女も力説した。人気もあるし、あたしたちみんな先生のファンなの。お講義は難《むず》かしすぎて歯が立たないけど。そして彼女は小さな声で笑った。

父親は何か考えているように暫《しばら》く黙ったままでいた。それから徐《おもむ》ろに訊いた。香代子はお母さんが亡くなってから何日経《た》ったか知ってるかい。

彼女は首を上げ、もう三カ月になるわねえ、と答えた。

それでお前、何ともないか。酒を飲んだりダンスをしたりして。

美佐子が急いで口を入れた。お父さん、そんなの可哀《かわい》そうよ、香代ちゃんは若いんだもの。試験も済んだんだし、大事なコンパなんだし、大目に見て上げて。

香代子に訊いているんだ、と父親は言った。

何ともなくはないわよ、と彼女はややぞんざいな返事をした。でもママのことばっかり考えては暮らせないわ。

まだ百カ日も済んでない。謂《い》わば喪中といったものじゃないか。遊んで悪いとは言わない、ただほどほどにしなさい。いやしくもお前のお母さんだぞ。

彼女は父の小言に、はいと言って頭を下げればよかった。この父親はいつも口数が少なかったし、機嫌《きげん》の悪い時でも面と向かって怒ることは殆《ほとん》どなかった。しかしこの時、彼女は急に自分が抑《おさ》え切れなくなった。不意に父親につっかかりたくなった。

パパ、言われなくたってお母さんが大事なひとだったぐらいのことは分ってます。あたしはママが好きだったんです。パパよりも姉さんよりも、誰よりも、あたしぐらいママを好きだった人はいやしない。だからあたしぐらい、ママが死んで悲しがってる人はいやしません。パパなんかに分るもんですか。

そうかい、と父親は皮肉そうに答えた。それで哀悼の意を表してダンスをするのか。じゃどうすればいいんです。偽善者ぶって、毎日お仏壇にお線香を上げて、泣いてばかりいればいいんですの。

何を言うのよ、香代ちゃんは、と姉が言った。あたしだって泣いてばかしいやしないわよ。

姉さんのことじゃない、と半分涙声になって彼女は言い続けた。パパよ、パパに言ってるのよ、ママが生きている間は放っといて、死んでから歎《なげ》いたってそれが何になるの。死んだ人は死んだ人じゃないの。いまさら生き返ってくれるわけでもないのに。あたしがお酒を飲もうとツイストをしようと、ママはきっと悦《よろこ》んで下さる筈《はず》よ。ママは派手なのが好きだったし、あたしはママの子なんだから。

それは言い過ぎかもしれなかった。本当は、あたしはママの子でパパの子じゃないんだから、と口を滑《すべ》らすところだった。しかしいくら酔っていても、絶対にそれを口にしないだけの理性は残っていた。彼女はわっと泣き出し、分らないのよ、誰にも分らないのよ、と口の中で呟《つぶや》いた。

喪中だから謹慎するぐらいの気持はあってもいいだろう、と父親はおだやかに言った。何もお前が泣くほどのことはない、ひと言あやまれば済むことさ。ただ私はね、いつでも喪中だというふうに考えるんだ。人間というのは、次々に誰かを、誰か身近な存在を、喪《うしな》っているものさ、他人が死ぬから自分は生きている、つまり大袈裟《おおげさ》に言えば、人生というのは自分が死ぬまで他人の喪に服しているのだと考えることもある。それはまあ考えすぎだろうがね。何もお前を泣かせるつもりで言ったわけじゃない。泣きやんで早く寝なさい。

彼女はしゃくり上げていたから、父親の言っていたことの意味も、また父親が立ち上っていつのまにか寝室へ行ってしまったことも、気がつかなかった。無性に父親に対して腹が立ち、そして亡《な》くなった母親が懐《なつか》しく思い出された。確かに彼女はコンパの間も、ツイストを踊っていた間も、母親のことをちっとも思い出してはいなかったのだ。

香代ちゃんも割に泣虫ねえ、と姉が慰めるように、からかい半分の声で言った。きっとあなたは泣き上戸《じょうご》なのね。

彼女は泣きやみ、顔を起し、父親がそこにいないのを知って安心した。姉さんみたいな泣き虫じゃないわよ、と答えた。あたしは理由があって泣いてるんだから。で、あたしは、と姉が訊いた。

姉さんは何となく涙ぐむんでしょう。ママがよく言っていた、美佐子はまだねんねえなんだからって。

意地悪ねえ、厭なことばかり覚えていて。

彼女はお冷《ひや》をがぶがぶ飲み、姉よりも先に二階の自分の寝室へと昇って行った。しかしその間も、また寝衣《ねまき》に着かえてベッドに横になってからも、厭なことばかり覚えていてという姉の言葉が気になってならなかった。あたしはママの子なんだから、と父親に言った捨台詞《すてぜりふ》のことも思い出した。すると不意にまた涙が滲《にじ》んで来た。暗闇《くらやみ》の中で彼女は眼を大きく見開いたままでいた。

冬の寒い朝、彼女がまだ寝床の中にいた時に、姉が階段の下から呼ぶけたたましい声で彼女は目を覚《さ》まさせられた。彼女は寝衣の上にガウンを引掛けてすぐに母親の寝室へと飛んで行った。母親はまだ間歇《かんけつ》的に、ごく微弱な呼吸をしていたが、もう意識はなかった。父親は茶の間で医者のところへ電話を掛けているらしく、その切迫した声がかすかにここまで聞え、姉の美佐子は母親の蒲団《ふとん》の横に蹲《うずくま》ってしくしく泣いていた。朝が明けたばかりで、ガスストーブの火は赤く燃えていたが、彼女はそこに立ったまま全身の悪寒《おかん》を怺《こら》えていた。もう駄目だ、もうどうにもならないのだ、と彼女は考えた。

母親はかれこれ七年ばかしこの奥の座敷に寝たきりだった。どんな医者にかかっても病気の原因もまた治療の方法も分らなかった。その間に時々昏睡《こんすい》状態になることがあっても、暫くしてまた意識を取り戻した。ただ全身的な衰弱が日ましに甚《はなは》しくなり、その死が時間の問題であることは家族の誰にもおおよそ察しがついていた。その時が今来たとしても、それは早すぎもせずまた遅すぎるということもなかっただろう。彼女が演劇部の自主公演で大役を演じた時にも、母親はどんなにか自分が見物できないことを残念がり、彼女に根ほり葉ほりその難解な芝居の筋などを訊いたものだ。そして母親は、その日まで、——都内の大ホールを借りきって行われた盛大な公演に、まだ大学生の自分の娘が脚光を浴びるというその日まで、燃え尽きそうな生命の焔《ほのお》をかろうじて保っていた。母親は確かに姉よりはこの妹娘の方を可愛《かわい》がっていたし、彼女の方も母親を愛していた。あたしはママの子なんだから。それに間違いはなかった。ママの秘蔵っ子《ひぞっこ》なんだからという意味に、父親も姉も取っただろう。その寒い冬の朝は、彼女の出演した芝居の日からほんの一週間ほども経っていなかった。焔は燃え尽き、母親は三時間ほどして死んだ。

その三時間のあいだに、彼女が考えていたのは、もう駄目だ、もうチャンスは永遠に来ないのだ、ということだった。秘密は母親と共に死んでしまった。

彼女は母親が昏睡状態にあった時に譫言《うわごと》に呼んでいた呉《くれ》さんという名を決して忘れたことはなかった。それは母親にとって昔のごく懇意な、恐らくは恋人の、名であるように彼女には思われた。父親と母親とを見ていると、これがありきたりの夫婦というものだろうと思っていたが、しかし心の通い合った仲の良い夫婦だという気は決してしなかったから、寧《むし》ろ母親の過去にそういうロマンスがあったらしいということを、母親びいきとして、ほほえましく感じた位だった。しかし去年の夏、或《あ》る本屋で一冊の戦歿《せんぼつ》学生の手紙を集めた本を立ち読みした時に、偶然が、その呉伸之《のぶゆき》という昭和十七年二月に入隊し、昭和十九年八月にマリアナ方面で戦死した若い法学士は、確かに母親のよく識《し》っていたその人に違いないことを彼女に教えた。恐らくこの一冊の本は、父親の眼にも、姉の眼にも、触れることはなかっただろう。またたとえそれを見たところで、果して彼女ほど深刻にその裏の意味を考えることがあったとも思われない。

彼女の母親は、昭和十七年の三月に夫が応召したあと、祖父の本家のある田舎《いなか》の城下町に疎開《そかい》した。彼女が生れたのはその親戚《しんせき》の家の離れで、季節は夏だった。自分はひょっとしたら呉さんとママとの子かもしれない、そのささやかな、初めはごくロマンチックな空想が、次第に重たくなり、彼女の心を重石《おもし》のように抑えつけた。

母親にそれを訊いてみる機会がなかったわけではない。なぜそれを訊こうとしなかったのだろう、と彼女はその時考えた。それからもしばしば考えた。しかしテレビに飽きると寂しそうに天井を見詰めている母親に、思い切って自分から切り出すだけの勇気がなかった。そうよ、今のお父さんはお前の本当のお父さんじゃないんだよ、ともし言われたならば。もしそれが真実なら、それは受け入れるほかはないだろう。そしてそう考える時に、彼女は父親を、この無口で、そっけなくて、心からうちとけたことのない父親を、やはり他人として見ることは出来なかった。母親が死んでから、父親は二人の娘に対して何とかして親切にしよう、やさしく振舞おうとつとめているように見えた。少くとも姉はそう認めていた。しかし彼女は簡単にそれを鵜呑《うの》みにはしなかった。

自分が父親の本当の子であるかどうか、それがどれだけの大問題なのか。どうでもいいんじゃないか。母親ひとりの秘密で、母親と共にその秘密も死んでしまえば、自分がばたばたしたって何ということもない、と彼女は考えた。強《し》いてそう考え、そのことを忘れようとつとめた。学年末の試験が済み、日が一日一日と過ぎ、彼女は次第にそのことを、そして母親がもういないという事実を、忘れて行きつつあった。しかし例《たと》えば、今晩のような寝つかれない晩にふと過去が甦《よみがえ》ると、幾つもの映像が彼女の意識の上に浮んだり消えたりした。まだ元気でまめまめしくお勝手をしていた頃の母親と、ちょこまかと側《そば》にくっついて何かと母親にお喋《しゃべ》りをしながらお八つをねだっていた自分、小学校にはいっても必ず送り迎えをしてくれた母親、姉に好き嫌《きら》いはいけないと言いながら、彼女には言いなりに好きなものをつくってくれた母親、そして彼女の手を握りしめて呉さんと呼び掛けていたその細い声、その痩《や》せた小さな手、その閉じられた目蓋《まぶた》、そして骨壺《こつつぼ》の中の小さな骨、厨子《ずし》の中の昔の写真。

それはもうどうにもならなかった。懐しいと思い出すと、いいんだよ香代子、と言っている母親の声が聞えるようだった。あたしはもう考えない、あたしは眠る、と彼女は暗闇の中で宣言した。そして彼女は別のことを、四月からの新学期のことを、演劇部の次の公演のことを、そして下山譲治のことを、考え出した。しかしいつもと違って、眠りは彼女の意志のままに訪れては来なかった。

次の朝彼女は寝坊をしたから、父親はもう会社に出たあとで、姉は自分の部屋で絵を描いていた。お手伝いさんを相手に一人で遅い食事を済ませると、彼女は姉の部屋へ行ってそのあまり上手《じょうず》とは言えない油絵を見ていた。姉は、ちょっとここを仕上げるまで待っててね、と言い、彼女は、いいのよ、ごゆっくり、と答えた。姉が一段落すると、二人はお茶を入れて飲んだ。姉はからかうように、二日酔いじゃないの、と訊いた。

そんなでもない、と彼女は答えた。姉さんは近頃明るくなったわね。ママが亡くなったのは姉さんのためには本当によかった。だいいちこうして絵を描く暇だってあるんだし。

そうかしら、と描きかけのカンヴァスの方を見ながら美佐子は言った。こんな絵、ただの暇潰《ひまつぶ》しに描いているだけよ。こんなことしたって、才能もない素人《しろうと》のすることなんだもの、何にもなりはしないわ。あたしはちっとも明るくなったなんて思ってやしない。昔と同じよ、お母さんが生きていようといまいと、あたしなんてどうしようもないのよ。

あらあら、おセンチの本領が出たわね。

香代ちゃんなんかいいわねえ、若いし、お芝居という好きなものだってあるし、お友達も多いし。

彼女は姉の顔が不意にひどく翳《かげ》って、その長い睫毛《まつげ》が目蓋を隠しているのを、憐《あわ》れむように見た。姉さんはじきにこれだ。彼女は景気をつけるために訊いた。何とかさんて言ったお見合いの人はどうなったの。

どうもなりはしないわよ、あのままよ。

どうもあたしの見たところじゃ、姉さんは誰か好きな人がいるんでしょう。どうも怪しいな。

いないわ、そんな人、と姉は寂しそうに呟いた。そして気を取り直したように訊《き》き返した。香代ちゃんはどうなのよ、あんまりいすぎて困るくらい。

そんなでもない。目下は下山さんに傾斜している。

その人、演劇部の上級生でしょう。どんな人なの。

そうねえ、何て言ったらいいかしら。社交的で、そつがなくて、実力があって、親切で。

いいことずくめね、と姉は少し笑った。

ううん、でもちょっと怖《こわ》い。真剣なんだかどうだかよく分らないんだもの。

真剣て、どういうこと。

そうね、下山さんはあたしの前には教子さん、安田教子さんてやはり一年上の人だけど、その人が好きだったのよ。それからあたし。ねえ一体そんなふうにあっさり変れるものかしら。

経験がないから分りません。

どうも教子さんとは肉体関係があったに違いないの。いつか問い詰めたら、なにただの肉体関係にすぎないよっていう調子、もっともじきに言いそくなったと思ったらしくて、現代に於《お》いて、恋愛なんてものは肉体関係をのぞいては成立しない。プラトニックということはあり得ない、なんて大演説を始めたわ。

姉の美佐子は急に心配そうな顔つきになり、香代ちゃん、まさかあなたは大丈夫でしょうね、と言った。そんなの不潔よ。

不潔ってことはないわ。姉さんの頭は古いのよ。でもね、本当の恋愛なんて現代にあるのかしら。あたしもよくそのことを考えるんだけど、一体恋愛って何なのかしらね。他人どうし、男と女とが好きになる、それから嫌いになる、または好きでも嫌いでもなくなる、つまり他人になる。初めとちっとも違っていない。それでいて性《しよう》こりもなくまた始める。不思議なもんね。

あなた二十歳《はたち》ぐらいでもうそんなに色んなことを知ってるの、と姉は呆《あき》れたようにまじまじと彼女を見た。

「地獄とは他人のことだ」って白《せりふ》が、この前のお芝居にあったわ、と彼女ははぐらかした。

二人はそれ以上話を続けなかった。彼女は本当はもっと姉と相談して、下山譲治の真剣さと、それに対する彼女の感情とを打明けたかった。しかし姉が保護者ぶって、あなたは大丈夫、なんぞと訊くのに、それ以上のことを口に出すのは気が進まなかった。だいいち姉の方でも、確かに意中の人があるに違いないのに、妹の自分にこれっぽっちも洩《も》らそうとしないのが癪《しゃく》だった。父親にはこの問題について相談する気はなかった。父親はちっとも頼りにならなかったし、言下にとんでもないと言うにきまっていた。

彼女のその問題というのは、下山譲治から結婚しないかと言われていることだった。彼女はそれを言いだされた時に、頭から断った。相手がどこまで本気なのか分らなかったし、あまりに意外で人をばかにしていると思った。学生結婚なんてちっともおかしなことじゃない、と下山は言い張った。愛してさえいたら、年が若いなんてことは何でもないんだ。そうよ、愛してさえいたらね、と彼女は言った。だって香代ちゃんは僕を愛しているんだろう、と下山は追い掛けて来た。彼女は正直に答えた。分らないわ。

数日後の午後、下山譲治のアパートを訪《たず》ねて行った時にも、彼女はやはり下山を愛しているのか愛していないのか分らなかった。どういうことが愛なのか。亡くなった母親に対するもの、それは愛だった。しかし父親に対しては愛というよりどっちつかずの感情だった。姉の美佐子に対してはそれが愛かどうかは分らなかった。このつつましやかな、お上品な、いつも清潔な姉に対して、時々謂《いわ》れのない憎しみのようなものさえ覚えていた。家族は結局はみんな他人なのだと考えた。それに較《くら》べれば、下山譲治に惹《ひ》かれているこの心を愛と呼べないことはなかった。多分それは分らないながらも、愛なのだろう、と彼女は信じていた。でなければこうして会いに来る筈がない、と内心の声がささやいた。

香代ちゃん、この前は酔っぱらっていたからお目玉をくったろう、と下山譲治は椅子にふんぞり返って、やや横柄《おうへい》に訊いた。

パパはてんで理解がないんだから、と彼女は向かい合って腰を下し、急に父親の悪口を言い始めた。まだ喪中なんだから謹慎してなきゃいけないって。旧弊ったらないの。

とても我々の恋愛に理解を持ってはくれないさ。だから実績によって親たちの目を覚《さ》まさせるほかはないんだ。

実績って何。

我々が結婚することさ、と下山は平然と言ってのけた。

下山譲治は関西の実業家の息子《むすこ》で、学生としては身分不相応な贅沢《ぜいたく》なアパートに住んでいた。彼女がテーブルを前にして椅子《いす》に凭《もた》れていると、絨毯《じゅうたん》を敷きつめた広い部屋の三方に、シングルベッドや、大きな本箱や、窓の前の勉強机や、ステンレスのキッチンや、冷蔵庫や、ステレオ兼用のテレビや、それに向かい合った長椅子や、そういったものを一目に見渡すことが出来た。充分すぎる程の仕送りを受けていることは見え透いているのに、僕は金儲《かねもう》けのバイトがたくさんあるんだ、ラジオやテレビの仕事でね、と下山は豪語していた。それがどこまで本当なのか、彼女には見当がつかなかった。お坊っちゃんらしい鷹揚《おうよう》なところと、頭の回転の早い抜け目のなさとを持っていた。大学の講義には殆《ほと》ど出ていないのに、成績は悪くなくて課目の大半は優だった。僕は黒川先生の演習だって優だからな、と威張っていた。

学生結婚なんて、そんな夢みたいなことを言わないでよ、と彼女は反対した。うちのパパが承知するものですか。それに姉さんだってまだ結婚してないんだし。あなたのおうちだって、うんと言う筈《はず》はないんじゃないの。

うちはいいんだ、放任主義だからな。香代ちゃんみたいに臆病《おくびょう》じゃやっていけないよ。パパや姉さんが怖いのかい。

怖くはないわ、と彼女はやや憤然として答えた。心の中で、もし怖いとしたらあなたが怖いのよ、と呟《つぶや》いたが口にはしなかった。

実績だよ、問題は、と下山は繰返した。ときに何か飲むかい、ビールはどう。あたしコーラがいい、と彼女は言い、下山が冷蔵庫からビールとコーラとを取り出しているのを、相変らず椅子の背に凭れながら眺《なが》めていた。硝子《ガラス》窓から暖かい午後の日射《ひざ》しが射し込み、本箱の横の飾り台の上で古いペルシャの壺《つぼ》が明るい光を反射していた。下山は立ったついでにステレオのところへ行って、ムードミュージックのレコードを低音で掛けた。そして長椅子に腰掛け、君もこっちにお出《い》でよ、と言った。彼女はその隣に並んで腰を下した。

香代ちゃんがここに来ちまえば、それが実績だよ、と下山はサイドテーブルの上に置いた飲物をすすめながら、彼女に言った。そして片手にコップを持ち、もう片方の腕を彼女の肩に掛けた。結局のところ僕たちにとって、やってみなければ分らないんだ。大人《おとな》たちがああでもない、こうでもないと口を入れたって、今の僕たちの現実があんな古い連中に分るもんか。何ごとも実験だ、それが青春というものだ。好きな以上は一緒になる、一緒に暮らす、学生だろうと、年が若かろうと、そんなことはまるで連中とは無関係さ。連中だって昔は若かったんだが、封建的道徳とか社会的身分とかに縛られて、見合い結婚なんかをして、すっかり箍《たが》がゆるんじまってるんだ。うちの親父《おやじ》なんかだいぶアメリカナイズされて開けたようなことを言ってるが、それでも直《すぐ》にうんと言うとは限らんさ。しかしそのうちに折れるよ。君んとこの親父さんだって、初めはびっくりしてもそのうち馴《な》れるだろう。ときに君んとこはお母さんが死んだんだから、親父さんは再婚するんじゃないかね。

どうだか。パパはしないと思うな、と彼女は考えながら答えた。

なぜだい。お母さんが長い間寝たっきりだったんじゃ、どこかにいい人がいるんじゃないか。

さあ、パパはそんな器用なたちには見えないし。

お母さんをよっぽど好きだったというわけかい。

そうは思えない、と彼女ははっきり答えた。パパはきっとママを好きじゃなかったんだけど、結婚した以上は責任を感じるというタイプなのね。夫婦なんてあんなものかと思うと、あたし厭《いや》だわ。

だから我々はそうじゃないってことを証明するんだ、とますます自分の方に彼女の肩を引き寄せながら、下山は言った。結婚ってのはもっと素晴らしいものの筈だ、もっと燃えるような、肉体の火花のような。

それ、恋愛ってことじゃないの、と彼女は反問した。恋愛が火花のようなので、結婚は火花の散ったあとの燠《おき》みたいなものでしょう。だからさ、恋愛と結婚とが同時に行われればいいんだ。燠になってしまえばもう終りだ。そうなったら別れるさ。

そんな簡単なことかしら、と彼女は言い、相手の手を肩から振り払った。下山はレコードを取り替えに行き、彼女はその後ろ姿を見詰めながら、要するに下山さんは肉体関係というのが欲しいだけだろう、と考えた。彼女も亦《また》そのことに、好奇心と不安との入り混った感情を持たないわけではなかった。上からだけよ、と下山の手が彼女の胸に触れるたびに彼女は言った。膝《ひざ》から上は駄目よ、と足に触られた時には言った。しかし、いずれは、それだけでは済まないことが彼女にも分っていた。男の手はブラウスの下、下着の下の素肌《すはだ》を求めて来るだろう。膝という境界線は破られるだろう。それからは。もしそれが愛ならば彼女は少しも躊躇《ちゅうちょ》しないで相手に許すに違いない。しかし果してこれが愛なのだろうか。空想が行き止りになるのはその点だった。愛がないのに肉体関係だけがあるのなら娼婦《しょうふ》と同じことだ。肉体関係がなくても愛さえあれば、それは確かに愛の筈だった。それは姉の美佐子の意見だったが、彼女は姉の意見を半ばは肯定し半ばは否定した。肉体を知らないのにどうして肉体関係が分るだろう、愛を知らないのにどうして愛が分るだろう、と彼女は考えた。それとも姉さんは愛というものを知っているのだろうか。ひょっとしたら知っているのかもしれない。もしあたしが姉さんに勝つためには、姉さんよりも大人であることを証明するためには、この肉体関係という未知のことを経験するほかにはない。

下山に烈《はげ》しく執拗《しつよう》に接吻《せっぷん》されながら、彼女はそういうことを考えていた。部屋の中は暖かく、眼を閉じると快い甘い闇《やみ》があり、眼を開くとペルシャの壺に映っている窓の光があった。下山の手がスリップの紐《ひも》の間を通って裸の皮膚を探っていた。上からよ、と彼女は呟いたが、ブラウスの上からであろうと下からであろうと、その燃えるように熱い掌はもう肉体そのものだった。その掌はやさしい声とともに彼女を誘惑した。いいだろう、僕は君が好きなんだから。魔法のように彼女は呪縛《じゅばく》され、全身の感覚が酒に酔った時のように溶けて行った。もうどうでもよかった、どうなっても同じだった。しかし最後の理性が、ぐったりと虚脱して長椅子に横ざまに倒れながら、彼女に一つの質問を呟かせた。

でも赤ちゃんが出来たらどうするの。

下山は無造作に答えた。赤んぼなんかおろせばいいさ。

その時不意に彼女は死んだ母親のことを思いだした。このアパートへ来てから、今まですっかり忘れていた母親のことを。もしあたしが呉さんという戦歿《せんぼつ》学生とママとの間に出来た子供だったら、どうしてママはそんな子供をおろさなかったのだろう。なぜパパの眼を欺《あざむ》き、すべての人の眼を欺き、このあたしをまで欺きながら、あたしを育てたのだろう。それは、あたしを愛していたからだ。生れた子供を愛していたからだ。何よりも呉さんを愛していたからだ。それなのに、今、もし下山さんとの間に子供が出来たとしても、この人はその子をちっとも愛そうとはしないのだ。

彼女は相手の手を振り払い、必死の力をこめて起き上った。もし相手が暴力をふるうなら、その手に食いついてでも跳《は》ねのけようと思った。下山はその剣幕に驚いて身をすさった。どうしたんだ、香代ちゃん、と叫んだ。

ママはあたしを愛していた、と彼女は閃《ひらめ》きのように考えた。ママは名前もつけないうちに死んだという最初に生れた赤んぼを愛していた。姉さんを愛していたからあたしを愛していた。子供たちを愛していた。それはパパを愛し、呉さんを愛していたからだ。たとえママが不貞なことをしたとしても、それはママにとって充分に言いわけの立つことだったに違いない。きっとパパの方が悪かったからに違いない。それなのにあたしは、愛もないのに、愛もない人と、こういうことをしようとしたのだ。

彼女は立ち上り、スリップの紐を直し、ブラウスのボタンを掛けた。手がふるえてボタンがうまくかからなかった。

どうしたんだよう、一体、とまだびっくり顔で下山が訊いていた。あたしは喪中なんだ、と彼女は相手に答えずに、口を鎖《とざ》したまま自分の心に語りかけた。喪に服しているということは、亡《な》くなったママが生きたようにあたしも生きるということだ。ママは夫がありながら呉さんとあやまちをおかした。しかし愛はあった。愛があったからこそ、そのあやまちだって許されるのだ。あたしには愛がない。あたしたちには愛がない。愛がないくせに、若さだとか、実験だとか、肉体関係だとか、学生結婚だとか、言っているだけだ。あたしたちはみんな駄目なんだ。あたしたちの方がよっぽど堕落しているのだ。

彼女は何かはきはきしたことが言いたかった。厭だ、とか、嫌《きら》いだ、とか。しかし言葉は出ては来ず、その代り涙がぽたぽたと垂《た》れた。あたしは何処《どこ》かへ行ってしまいたい、ママ、あたしは何処か遠くへ行ってしまいたい、と彼女は心のなかで叫んでいた。窓からの明るい日射しの中に、真直《まっす》ぐに立ったまま、まるでそれが一種の演技でもあるかのように、どうにもならない涙をこぼしていた。

七章　賽《さい》の河原《かわら》

我々は皆、形を母の胎に仮ると同時に、魂を里の境の淋《さび》しい石原から得たのである。

柳田国男

私がこれを書くのは私がこの部屋にいるからであり、ここにいて私が何かを発見したからである。私はこれと同じような文句で始まる手記らしいものを、一年ほど前に書いた。しかし今は部屋も違うし、また私の発見したもの、或《あ》るいは発見したと信じているものもまた違う。一年ほど前には、私は澱《よど》んだ水の臭《にお》いのする掘割に面した安アパートの二階にときどき通って、そこで脚《あし》のぎしぎしする卓袱台《ちゃぶだい》に向かい、生れて初めて、原稿用紙の上に無用の文字を書き連ねた。私はそれを何かを発見するために書き、また何かを発見したと思い、しかし結局はそれが何であるか分らず、その手記を自分の家の鍵《かぎ》の掛かる箪笥《たんす》の抽出《ひきだ》しの中に投げ込んだまま、二度と見ることもなく忘れてしまった。今、私はその手記のことを思い出している。そして私は再び何かを発見したように感じ、それを自分ひとりのために書き留めておこうと思う。しかし心の底では、果して人が人生に何かを発見するということがあるのかどうか、嘗《かつ》て私が発見したと信じたものは錯覚にすぎず、現に今も、過去を振り返り、過去の自分を第三者のように見詰めてみても、この私が生きて来たことに何等《なんら》かの意義があるのかどうか、私にはどうも心もとないのである。しかし人はとにかく生きて行くほかはないし、その間に、生きていることは死ぬことよりも意味があると発見することもしばしばあるだろう。そういう時にのみ、言い換えれば他人は死んだが自分は生きていると考える時にのみ、生きる意味があるのではないかと思う。意識していない生は、殆《ほとん》ど死と等価物のような気が私にはする。

しかし私はこんな感想を書きつけるために、馴《な》れない仕事を始めたわけではない。私がこれを書く気になったのは、一つには部屋のせいである。この前の時も、部屋は私を誘惑した。それは偶然に台風の晩に出会った女が借りていた安アパートの一室であり、私はその女が逃げて行ってしまったあともその部屋を借り受けて、そこで何となく自由を満喫し、或いは孤独を満喫して、ペンを走らせた。

今も私は自由であり孤独である。しかし部屋は違う。これは相当にみすぼらしくはあるがとにかくれっきとした旅館の一室で、床の間には明治時代の或る政治家の軸が懸《かか》り、その前には鉄の香炉が置かれている。卓袱台も紛《まが》いものらしい紫檀《したん》でどっしりしているから脚の揺らぐこともない。私はその上に、町の文房具屋で見つけて来た小学生用の粗末な原稿用紙をひろげて、これを書いている。疲れると板の間になったテラスに出て、そこの椅子《いす》に凭《もた》れ、窓の外の景色を眺《なが》めている。と言ってもろくな景色が見えるわけではない。ここは日本海に沿った或る都市から少し離れたところにある小さな町なのだが、宿屋からは海は見えない。窓の外には、泉水に築山《つきやま》や楓《かえで》などをあしらった平凡な庭があるだけだ。しかし空だけはよく見えるし、秋らしい鱗雲《うろこぐも》が晴れた空を覆《おお》い、或いは曇って来ると幾重にも層をなした灰色の雲がむらがりながら動いて行くのは、いくら見ていても飽きるということがない。また波の音も夜になるとよく聞える。それは咽《むせ》ぶように、訴えるように、眠られない私の耳に聞えて来る。要するに小さな町の小さな旅館の、その最上等の客として私はもう十日ばかりここに滞在し、ここがすっかり気に入っているのだ。私はせっかく決心をしてこれを書き始めたのだが、病気のあとのぐったりした疲労感がまだ残っていて、物を考えたり書いたりすることが大儀でならない。お父さん、それじゃ大事にしてね、すっかりよくなってから帰って来て頂戴《ちょうだい》、と娘の美佐子は別れ際《ぎわ》に言った。そう言いながら眼をうるませ、女中さんが慰め顔に、御心配には及びませんよ、おあずかりしましたよ、と親切に言ってくれるのに度々《たびたび》礼を述べていた。私があとに残ったのは、まだ足がふらふらするということもあったが、どうせ会社をこんなに長く休んでしまった以上は、久しぶりに休暇を取った気で静養しようと思ったからだ。美佐子が帰ればお手伝いさんもいることだし、香代子と二人で家の中のことは何とかやって行くだろう。それに美佐子もあと一月足らずでI君と結婚するのだから、どうせそうなれば家事は美佐子の本業となるだろう。それでなくても妻が死ぬまでも死んだあとも、美佐子は我が家の主婦代りだったし、私なんかはいてもいなくても物の役に立つこともない。私は外で働き、それこそ馬車馬のようにこの十何年間か会社のために、そして家族のために働きづめで、旅先でこうして風邪《かぜ》でも引いて倒れない限り、ゆっくり休むこともなかった。それでよかったのだ。去年の秋、偶然私が女のいなくなったアパートの一室で秘密の時間を持つことが出来たために、私に物を考えるだけの余裕が生じたが、それが結局は何の役に立ったか。今も亦《また》、この自由で孤独な時間が、果して何の役に立つか。しかし私はとにかくも何かを、この私の中にあって呼び掛けているものを、恐らくは私ではなくもう一人の私である「彼」の言葉を、書いてみようと思う。

私の妻は昨年の冬の初めの頃、遂《つい》に亡《な》くなった。長年の間寝たきりで、その病名は医者にさえしかと分らず、しかも次第に衰弱して行きつつあることは明かだったから、妻の死は予想されたものだった。しかしどんなに予想されたものであっても、また私と妻との間にどうしても心の通わない一種の壁のようなものがあったとしても、予想と現実とは異り、死は心の空白とは関係がなかった。私はやはり妻を愛していたのだということを、妻が昏睡《こんすい》状態に陥り、次第に呼吸が緩慢になり、脈搏《みゃくはく》が微弱になって行くのを見守りながら、痛切に感じていた。しかしそれが今さら何になろう。私は行きずりの女のアパートへ時々通い、愛とは呼べないような愛をその女との間に交《かわ》し、心の底では昔死んだ女の面影をいつも思い浮べ、そして妻は一人病床にあって少しずつ死んで行きつつあったのだ。私は宗教を信じないが、罪ということは感じる。いな寧《むし》ろ感じすぎるほどに感じてこの生を生きて来たような気がする。妻の死もまた私にそれを感じさせたが、しかし私が罪深く感じるのは、いずれ必ず自分は自分を罪深いと感じるだろうと予想しながら、どこの誰ともよく分らないような若い女と仮初《かりそめ》の契《ちぎ》りを結んでいたことだ。その女にとっては私の親切に対する感謝の気持だったのかもしれない。私にとっては、そう、私にとってはそれは何だったのだろう。二人の間にあったものは、奇妙ではあるがやはり愛だと、私はその時信じていた。そして私のなかの彼は、そうではない、それは違う、お前はもう愛などというものとは関係がない筈《はず》だ、と私に告げていたのだ。お前の愛はとうに死んだ、彼女が死んだ時に、もう取り返すことが決して出来ないようなふうに、お前の愛もまた死んだのだ、お前は愛の亡骸《なきがら》にすぎない、生の亡骸にすぎない、とその声は語っていた。しかし死んで行く妻を見守りながら、私はこの罪の感じこそ即《すなわ》ち愛ではないだろうかと考えた。その考えはその時となってはもう遅すぎたが。

妻が死ぬ数日前の或る寒い晩に、私は妻と二人きりでいて次のような話を交した。妻が私にこう訊《き》いたのだった。ねえあなた、ふるさとってどういうものなんでしょうねえ。

お前はちゃきちゃきの江戸っ子じゃないか、ふるさとにずっと住んでいるんじゃないか、と私はやさしく答えた。なぜ急に妻がそんなことを言い出したのか私には分らなかった。しかし妻は落ち窪《くぼ》んだ眼に、私を見ているのではない表情を浮べながら、尚《なお》も繰返した。

ふるさとって、ただの生れた場所というのとは違うんじゃありませんか。もっとどこか遠いところにあるような。

お前みたいに東京に生れて東京に育ったような人間には、ふるさとなんて言ったって実感がないだろうな。

あなたはどうですの、あなたのふるさとはどこ、と妻は訊いた。

ふるさとなんてものはないんだ、私たちにはみんなそんなものはないんだ、と私ははぐらかすように答えた。妻の質問は私の最も痛い部分に触れていたが、妻は意識して私にそれを訊きただそうとしたのだろうか。妻の眼が私の上に焦点を合せたようだった。ガスストーブの上で薬罐《やかん》が滾《たぎ》っていた。むかし囲炉裏を囲んだ子供たちが眼を注いでいる中で、鍋《なべ》の木蓋《きぶた》が時々持ち上っては、しゅうしゅうとうまそうな匂《にお》いのする湯気を吹き上げていた。彼はその子供たちの一人だった。しかしその子供というのは誰だったのか。それはいつ、何処《どこ》のことだったのか。

あなたは一度も子供の頃の話をなさいませんでしたわね、と妻は言った。こうして夫婦になって長い間一緒に暮らしていながら、どうしてなんだろうとわたしはいつも思っていました。誰にだって、決して人には言いたくないことがあるものですがね。

そうだったかね、と私は言った。

あなたがこの家のおじいさんやおばあさんの子でないことは、わたしはうすうす知っていました。おじいさんもおばあさんも、亡くなられるまで、決してその話はなさらなかった。でもあなたは小さい時にどこかからこの家に貰《もら》われて来て、お二人の実子として育てられたのでしょう。そんなことちっとも隠すことはなかったのに。

お前が気がついていたとは知らなかったよ、と私は答えた。しかし人には言わないという約束だったのだ。親父やおふくろに固くそう約束させられていたし、それに自分はこの藤代《ふじしろ》家の跡取りだと自分に言い聞かせているうちに、すっかりそれに馴染《なじ》んで、昔のことはみんな忘れてしまった。お前には水くさいと思われたかもしれないが、私がどこの誰から生れたとしても、私の親はこの家の両親しかなかったんだよ。

でもあなただって、時々はふるさとのことを考えるでしょう、と妻は訊いた。

私はそして考えた。それがふるさとと言えるだろうか。もう記憶も薄れ、両親の顔も同胞の顔も思い出すことが出来ない。雪の深い東北の山国の河べりにある貧しい土地だったが、その後の五十年あまりの空白は私にその場所をさえもう忘れさせてしまっている。わたしはそのふるさとを懐《なつか》しいと思うことさえもないのだ。

わたしは自分のふるさとが海にあるような気がします、と妻は自分に語り掛けるように呟《つぶや》いていた。どうしてだか分らないけれど、ふるさとというと、何だか遠い海を思い浮べて。青くて、深くて、涯《はてし》がなくて。

私たちは新婚旅行には伊豆に行ったっけね、と私は言った。あそこの海は明るかったなあ、蜜柑山《みかんやま》では蜜柑が色づき始めていた。

あなたはやさしかったわ、と妻は言った。

それは似合の若い新婚夫婦だった。しかし彼はその旅行の間じゅう、新妻に対してやさしく親切に振舞おうと意識してつとめていたにも拘《かかわ》らず、果してそれが成功したかどうか。わたしは怖《こわ》いの、と相手が言えばその肉体に手を触れようともせず、それがやさしさでありいたわりであると信じさせながら、宿屋の椅子に凭れて穏かに晴れた海を眺め、彼は何を考え、何を見ていたのか。妻がせっせと絵葉書をペンの字で埋めているのを見ていた覚えがある。しかし海の色も蜜柑山も、それはもう朧《おぼろ》げな記憶でしかない。どういうコースでどういう宿屋に泊ったのかさえも定かではない。なぜならその時、彼は必死になって芝居をしていたのだ。彼のせいで自殺した女の霊に、なぜ死んだのか、なぜそんな馬鹿《ばか》げたことをしたのか、と決して答の戻って来ない質問を投げ掛けながら、うわべでは微笑を浮べて、君はよくそんなにたくさん絵葉書を出すところがあるなあ、などと言っていたものだ。

もう芝居をする必要はない、とその時老い込んだ妻の顔を眺めながら私は考えた。私がどういう生れであり、どういう恋愛を過去に持っていたか、今でなら告白することも出来るし、妻だってきっと分ってくれるだろう。こうして三十年もの間欺《あざむ》いて来たことをゆるしてくれるだろう。私は一瞬そう考えたが、出生のことはとにかく、死んだ彼女のことを口に出す勇気は容易に出て来なかった。こんな病人をおどろかすことはない、というもっともらしい口実がすぐに浮んだ。私はそういうふうに、卑怯《ひきよう》に、臆病《おくびよう》に生れついているのだ。そういう下賤《げせん》な生れなのだ。そして妻は譫言《うわごと》のように繰返していた。ふるさとって海ね、海のなかにわたしのふるさとがあるのね。

そして私は遂に言わなかった。私が東北の片田舎《かたいなか》で間引きぞこないの子供として生を享《う》け、幼いうちに東京のここの家に貰われて来たことを。一人の女を愛し、その女が自殺したことで私の魂もまた死んだということを。もし言うとすれば、私はそれを三十年前に言うべきだったのだ。これでも出来る限り妻を愛そうとした。たとえ妻が認めてくれないとしても、少なくとも私は誠実でありたいと願っていた。しかし私はどうしても、妻ではない別の女を、それももう既に死んでしまった別の女を過去に愛したために、新しく愛を育てるべき心の場所を持たなかった。

妻が死に、私は人前では一雫《ひとしずく》の涙をも零《こぼ》さなかったが、深く歎《なげ》いた。済まないことをした、お前という女の一生を、私のような男と夫婦になったばかりに、何のしあわせなこともなくてこうして死なしてしまった。そう私は心のなかで詫《わ》びたが、そんなものが何になろう。私は泣き崩《くず》れている美佐子や香代子を励まし、事務的に葬儀を営み、その儀式の間にも、しきりに心のなかで繰返した。ふしあわせな女だった、お前はほんとに可哀想《かわいそう》な女だった、しかし己《おれ》にはどうにも出来なかったのだ。己をゆるしてくれ、己はそういう男なのだ。いつでも、どうにも出来ないでいる男なのだ、と。そして私の心の呟きは、それが今死んだばかりの妻に向けられているものか、それとも遠い昔に、私の子供を身籠《みごも》ったまま淵《ふち》から身を投げて死んだ女に向けられているものか、もう区別することが出来なかった。

私は妻の骨壺《こつつぼ》を家に置くことは気が進まなかったので、年が明けて香代子の冬休みが終りに近づいた頃、信州の或《あ》る城下町にある藤代家の菩提寺《ぼだいじ》に、遺骨を収めに行った。私たち家族が、といっても今は私の他《ほか》に美佐子と香代子がいるばかりだったが、そうして一緒に旅行したのはこれが初めてだった。私はしょっちゅう出張で出掛けるので旅行には馴れていた。それでも娘たちと同じ汽車で旅に出るのは一種の感慨を私に催させた。

妻の実家は両親とも東京だったし、その墓地も谷中《やなか》にあった。妻としては早く亡くなった両親の傍《かたわ》らに眠る方が、舅《しゅうと》や姑《しゅうとめ》と一緒に先祖代々の墓に葬《ほうむ》られるよりも望ましかったのかもしれない。その城下町には私の父の本家があって、妻は戦争中から戦後にかけてそこに疎開《そかい》していたから、愉《たの》しいよりは苦しい思い出の方が多かっただろう。しかし藤代家の嫁として彼女はそこに葬られなければならなかった。その土地は他国者に対して厳《きび》しく、妻は辛《つら》い仕打を受けて泣いてばかりいたと復員して来た私に語ったものだ。少くともそこは妻のふるさとではなかった。しかし私たちは誰しも、ふるさとと呼べるほどのものを持っているだろうか。萍《うきぐさ》のように漂っているばかりではないのか。

その城下町には薄く雪がつもっていた。私たちは大伯父の家に（大伯父はとうに死んで、今は息子の代になっていたが、私と血のつながりのないこの従兄《いとこ》は私よりずっと年長だった）一応の挨拶《あいさつ》だけをして、宿屋に泊った。あくる日菩提寺に行くと従兄夫婦やその縁つづきの者が大勢来ているのには驚かされた。私はごく簡略に埋骨式を済ませようと思っていたのだが、田舎の風習ではそうもいかないらしかった。寺の本堂はしんしんと冷えて、長い読経《どきよう》が終った時にしびれがきれて立てないのは美佐子や香代子ばかりではなかった。神経痛にでもなりはしないかと、二人を助け起しながら私も自分の身体を心配したものだ。裏手の墓地の中は雪が深く、曇った空から思い出したように白いものが時々落ちて来た。掘り起された土だけが生ま生ましく黒かった。

私たちはもう一晩宿を取ることにし、その夜親戚《しんせき》の連中を宿に招待した。美佐子は、厭《いや》ねえ、早く帰りたいわ、と予定の狂ったことに不満らしくしていたが、香代子はかえって面白がって田舎言葉の声色《こわいろ》などを使っていた。これがあの小さかった美佐子さんか、これがあの時生れた香代子さんか、などと懐しそうに側《そば》に寄って来る年寄などに、美佐子はうるさそうにお辞儀をするだけで、香代子は愛想よく相槌《あいづち》を打っていた。集まった人たちは昔話に花を咲かせ、私はただ聞いていた。妻が疎開していたからといって、私には馴染《なじみ》の土地というわけではなく、殆《ほとん》どが識《し》らない人たちばかりだった。酒が廻るにつれて、話は私の妻の思い出からまるで関係のない方へそれてしまった。美佐子は退屈そうな顔をしてつくねんと坐《すわ》っていた。香代子は座を立って行き、恐らく彼女がその顔を覚えている筈もない大人たちと話を交《かわ》していた。私は香代子がけっこう酒を嗜《たしな》むのに少々びっくりした。

こうして私たちの家のなかから妻の姿が消えた。奥の座敷はもう誰も使わなくなり、茶の間の箪笥《たんす》の上に置かれた小さな厨子《ずし》の中に、写真と位牌《いはい》とが飾られるだけになった。長年の間寝たきりだったとはいえ、妻の存在というものは家庭の中で大きな部分を占めていたのだ。それに馴れることは難しかった。しかし私たちは馴れることにつとめなければならなかった。

私は妻の病状がいよいよ悪化してからは例のアパートへ足を運ぶことは殆どなかったのだが、年が明け妻の埋骨を済ませると、きっぱりと行くことを止《や》めた。あの若い女はとうとうそこへ戻って来なかった。私は不思議な夢を見たような気がして、その女が幸福でいることを祈った。あの女にとっての幸福とは、映画スターの恋人になることか、または自分が映画スターになることだろう。そういう種類の幸福もある。香代子だって芝居の女優か、テレビの女優にでもなる気でいるのだろう。しかし私にとっては、何が人生に於《お》ける幸福なのか、この年になっても少しも知るところがない。そして私は強《し》いてそれを知ろうとも思わない。

私たちは次第に妻のいない生活に馴れて行った。美佐子は眼に見えて明るくなったようだ。お手伝いさんに聞いてみると、時々外出もするそうだし、油絵の勉強もしているとのことだった。香代子は試験を間近に控えて勉強に精を出していた。娘たちは母親がいないという新しい現実を受け入れて、生活を建て直すことが出来た。しかし私は依然として妻のことを考え、それに関連して昔死んだ彼女のことを思い出した。なぜ人は、相手が生きている時に考えなければならないことを、その人が死んでから無益に振り返ってみるのだろうか。私は澱《よど》んだ水の上にがらくたを浮べていた掘割の中に、アパートの窓から、忘却の願いを籠《こ》めて大事に保存して来た小さな石を投げ捨てた。それが私の人生の一つの区切りであることを望んで、それからの一日一日を生きたいと願った。しかし石は沈んでも記憶はやはり意識の閾《しきみ》の上を、浮くともなく沈むともなく漂っているのだ。

わたしを離さないで、わたしはもうどこにも行くところがないんです、と妻が彼に言ったのは、結婚して暫《しばら》く後に妻の父が病院で死んだその葬儀のあとのことだった。彼は涙をいっぱい眼にためて彼を見詰めている妻の身体を抱き寄せながら、ああ勿論《もちろん》だとも、決してお前を離さないよ、どこへもやりはしないよ、と言った。お前をお父さんの死目に会わすことが出来なかったのは僕が悪かったんだ、いまさらくやんでも始まらない、これからは二人で仲良くやって行こう、つまらない喧嘩《けんか》なんかするのはよそうね。そう彼はやさしく言い、妻は彼の身体にしがみついて、あなただけなの、もうわたしの頼りになるのはあなた一人なのよ、と繰返した。ああ大丈夫だ、どこへもお前を行かせはしない、辛い想《おも》いなんか決してさせない、と彼は妻の背中を撫《な》でながら慰めた。しかし、その時彼は心の中でこう思っていたのだ。己は同じ文句を別の女から聞き、同じ文句を別の女にも言ったことがあったじゃないか。あなただけが頼りだ、と言われて、辛い想いなんか決して君にはさせないよ、暫くの間待っていてくれ給《たま》え、きっと君を迎えに来る、きっと君と結婚する、と彼女に約束したのじゃないか。その彼女は死んだ。彼はそれを知った上で親の定めた女と結婚した。まるで魂の抜け殻のように行動した。そして自分にすべてを委《ゆだ》ねて、わたしを離さないでと言っている女に、既に心は離れ、彼の手は誰の背でもない虚無の上をむなしく撫でていたのだ。彼の手は嗚咽《おえつ》とともに痙攣《けいれん》する妻の背中を、ゆっくりといつまでも撫でていた。

私は娘たちにとってよい父親でありたいとつとめた。父親が娘たちに気を使うというのは、考えてみればおかしなものだ。私は長い間二人を放ったらかしにしていたから、心のなかがどう動いているものか推量することも出来ない。しかし夕食のあと卓《ちゃ》袱台《ぶだい》を囲んで一家団欒《だんらん》というふうに行きたいと思っても、私はまるで馴れていないし、娘たちは私がそこに存在することが気になるようだった。そうして香代子の春休みになってから、何かが少しずつ変って来たように私には感じられた。美佐子も香代子も、何か心に隠していることがあり、それを私に打明けようとしなかった。それは二人が共謀して、或いは相談し合って、隠しているというのではなく、美佐子には美佐子の悩みがあり、香代子には香代子の悩みがあるというふうだった。ただ姉はひっそりと耐えていたし、妹の方はわざと陽気に振舞って時々私に反抗的なところを見せた。夜おそく帰って来て、酒気を帯びていることも少くなかった。しかし私は近頃の大学生の生活なんかさっぱり知らないから、厳しい小言を言ったわけではない。

桜のたよりが新聞紙上を賑《にぎ》わし、香代子の新学年ももうすぐ始まるという頃になって、私がつい大人《おとな》げなく癇癪玉《かんしゃくだま》を破裂させるようなことが起った。或る晩のこと、私は眼にあまる気がして、お前は近頃いったいどうしたんだ、と香代子に尋ねてみた。もう学校が始まるというのに勉強もしていないようじゃないか。こんな夜おそくまで何を遊んでばかりいるのだ。香代子はその晩も少し酔っているようだった。ややぞんざいな口を利《き》いた。勉強はしているわよ、パパ。昼の間はパパはいないんだから、あたしがどんな勉強をしているか知りっこないじゃないの。夜になってお友達とビールを飲んだぐらい大したことじゃないと思うわ。五月にやる演劇祭の公演の下準備がもう始まっているんだもの。その友達というのは誰だ、と私は訊《き》いた。誰だっていいじゃないの、パパとは関係がないわよ。

恐らく私が急に癇癪を起したのは、その関係がないという香代子の言葉だった。なに、どうして己と関係がないんだ、と私は烈《はげ》しく言った。そして香代子は見る見る顔色を蒼《あお》くした。言ってみろ、どうして父親である己と娘であるお前との間に、そのことが関係がないんだ。お父さん、と取りなすように姉の美佐子が口を挟《はさ》んだ。しかし香代子は少し顫《ふる》える声で、あたしが誰と附き合おうと、誰と結婚しようと、パパとは関係がないわよ、と言い切った。

私は実に愕然《がくぜん》とした。ほんのこの間まで子供だと思っていた娘の口から、こんな言葉を聞こうとは夢にも思わなかった。何を言うんだ、お前は、と叫んだきり二の句が継げなかった。香代子は真蒼《まつさお》な顔をして言い続けた。大学なんかやめてしまったっていいんだわ、あたしはあたしの好きなようにする、あたしだってもう成人なんだから、好きなことをする権利はある筈《はず》よ。大学をやめてどうする気だ、と私は少し落ちついて嘲《あざけ》るように訊いた。働くわよ、と香代子は言った。働く、お前がか。ええ働きますとも、パパのお金なんか貰《もら》わないでもちゃんとやって行くわ。ラジオだってテレビだって、仕事ぐらいきっと見つかるわ。

まさかあなた本気で言ってるんじゃないでしょうね、と美佐子がこれまた蒼い顔をして側からたしなめた。一体どうしたのよ、急に。姉さんなんか黙ってて、と香代子は遮《さえぎ》り、あたしはこんなふうに暮らしているのが厭なのよ、うちも厭、学校も厭、みんな厭よ、と悲鳴のように叫んだ。まるでヒステリイだな、と私は考え、この子の母親も亦《また》むかし発作のように叫び出すことがあったと、思い出していた。私はいつもの冷静さに戻って、馬鹿なことを言うのはやめなさい、とさとした。そんなに簡単に女優になれるもんじゃない、大学を出るのが何としても大事だ。あと二年じゃないか。パパになんか分るもんですか、と香代子は反駁《はんばく》した。パパなんか、あたしの公演を見に来てもくれなかった、あたしに才能があるかどうかも知らないで、頭から女優というと馬鹿にするのよ。そんなことはないよ、私はただお前が白粉《おしろい》を塗りたくって、舞台の上でしゃなしゃなしているのが見るに忍びないんだ。お前が暮にやった芝居は私も見たがね。そんなの嘘《うそ》よ、と香代子は叫び、姉もまた疑わしそうな表情をして私をうかがった。嘘なら嘘でもいいさ、と私は言った。パパには芸術が分らないのよ、と香代子は言った。パパにはあたしが分らないのよ、だってあたしは。香代子はそこで黙ってしまったから、何だ、と私は訊いた。しかし香代子は答えなかった。私はそこで自分の考えを説明した。私は芸術も分らないし、芝居も分らない、お前のことだってよく分ってはいないさ。しかし分ろうとはしているのだ。お前はもう一人前で勝手なことをしてもいいつもりでいるのかもしれないが、私にとっては大事な人間なのだ。うそ、パパが好きなのは姉さんよ、姉さんだけよ、あたしなんか、と香代子は不意に言った。何を言うんだ、お前たち二人に区別なんかあるものか、と私は驚いて叫び、どうしてそんなひがみっぽいことを言うのだ、いつ己がお前を美佐子と区別した、と詰問《きつもん》した。香代子は泣き出し、ママ、と呼んだ。ママさえ生きていたら、と血の出るような声で叫び、顔を覆《おお》いながら部屋を出て行った。なぜパパではなくてママなのだろうと一瞬、私は呆気《あっけ》に取られてそのうしろ姿を見送った。美佐子は妹のあとを追って二階へと昇って行った。私は一人茶の間に残され、なぜ私ではなくてママなのだろうともう一度心のなかで繰返した。

次の日私は会社に出て夕食までに自宅に戻ったが香代子は夕食になっても帰らなかった。夜が更《ふ》けても帰って来なかった。美佐子は心配そうに、どうしたんでしょう、と言い続け、私は、なに反抗期なんだろう、遅くなって帰って来るさ、と言った。私は待ち切れずに先に寝たが、熟睡することは出来なかった。あくる朝起きてみると、美佐子は腫《は》れぼったい眼をして、とうとう帰って来なかったわ、と私に教えた。しようのない奴《やつ》だ、電話で心当りを聞いてみなさい、と美佐子に命じ、私はそのまま出勤した。会社から二度ほど家に電話してみたが、一度は美佐子が出て、まだ分らないの、と言い、次の時はお手伝いさんが出て、上のお嬢さんも外出なさいました、と答えた。私は不安になり早目に家に帰った。

その晩、私は美佐子と二人きり奥の座敷に籠って美佐子の話を聞いた。茶の間だと女中部屋に近いのでお手伝いさんに気兼ねだということもあったし、妻の亡くなったこの部屋で、謂《い》わば妻の霊に立ち会ってもらって、美佐子から近頃の香代子のことを詳しく聞いてみたいという気も私にはあった。美佐子は妹の交友関係を調べ、一人ずつ電話を掛けて尋ね、そのうちのYという女子学生には自分で会って来たと言ってその模様を話して聞かせた。そのどこにも香代子は昨日から姿を現わしていなかった。Sという彼女と一番親しい筈の男の学生は、自信たっぷりに、香代ちゃんが来るとしたら僕んとこしかない筈だがな、と電話で言ったそうだ。その人以外のところは考えられないんだけど、と美佐子は言った。その人に傾斜しているって、香代ちゃんこの前あたしに言いましたわ。傾斜、と私は訊き直した。ええ、好きだって意味でしょう、と説明しながら美佐子はかすかに顔を赧《あか》らめた。

それなら安心だ、気紛《きまぐ》れを起してどこか旅行にでも出たんだろう、と私は美佐子を慰めた。いいえ、Sさんのとこに行ったのなら、あたしそんなに心配はしません、と美佐子は憂《うれ》い顔で答えた。そうじゃないから心配なんです。お母さんの使っていた睡眠剤だって、くすねようと思えば出来たんですもの。しかしお前、何も香代子に死にたくなるような原因はないじゃないか、と私は急いで反対した。私の心の底で恐れていたことも実はそれだった。人は確かな原因があるから自殺するとは限らない。人は時々、自分で自分を殺したくなるような気味の悪い誘惑に駆られることがある。しかも香代子の場合、原因がないと言い切れるだろうか。人はみなそれぞれに何等かの原因を隠し持っているかもしれず、香代子にしてもあの子だけの原因を持っていないとは限らないのだ。

煤煙《ばいえん》が硝子《ガラス》ごしに沁《し》み込んで来るような煤《すす》けた硝子窓に倚《よ》って、彼は過ぎ去って行く風景を眺めながら、彼女も亦《また》この汽車に乗り、この窓に凭《もた》れて、この風景を眺めたのだと考えていた。どういう気持で療養所をやめ、彼女の故郷へと帰って行ったのか。彼は彼女の気持をあれこれと穿鑿《せんさく》した。待ち切れなかったのか、僕のことを諦《あきら》めたのか、それとも村に帰って平凡なお嫁さんになって暮らすつもりになったのか。両側から山の迫った暗い谷間をその汽車は喘《あえ》ぎながら走り、彼は窓硝子に顔をくっつけて、まるで見てもいない風景を眺めていた。しかし彼は、彼女が死ぬとは、故郷の村の断崖《だんがい》の上から身を投げて死ぬとは、決して考えなかったのだ。彼女には原因があった。死ぬだけの充分の理由があった。しかも彼は愚かにも、その時、汽車の振動に身を任せながら、彼女が死ぬことをまるで考えてもいなかった。

美佐子が、ぽつんと言った。お父さんは冷たい人ね。

私はそれを口にしたのが死んだ妻であるような気がした。冷たい人か。私の心は不意に激した。美佐子、私は何も香代子のことを心配していないわけではないよ、と私は言った。どうしてお前たちはそんなに私のことを冷たいときめてしまうんだろうね。お前たちは二人とも私にとっては掛け替えがない。もし私に生きがいというものがあるなら、それはお前たちなんだ。正直を言えば、私なんか生きていても死んでいても同じようなものだ。しかしお前たちは違う、お前たちは生きなければならない。もしも香代子の代りに私が死ねばいいのなら、私はいつでも死んでみせるよ。

お父さん、御免なさい、と美佐子は涙声で呟《つぶや》いた。

私はこんなことは口にしたくないのだ、口にしないでも分ってもらえると思っていた。私はいつだってお前たちのことを気にかけているのだ、どうして私の気持が通じないのだろうね。

済みません、と美佐子はあやまり、私はずみでつまらないことを喋《しゃべ》ってしまったのを後悔し始めていた。どうにもならないことかもしれないな、と私は言った。たとえ親子の間でも気持が通じないということはあるだろう。気持が通じても、それでもどうにもならないということもあるしね。

美佐子はかすかに頷《うなず》いたが、どこまで私の言ったことを理解したのか、それは私には分らなかった。それにね、美佐子、と私は附け足した。私の見るところでは、香代子はそんなに思い詰めるたちじゃないよ。これがもしお前がいなくなったのなら、私は居てても立ってもいられないだろう。お前にはそういう危いところがある。しかし香代子は大丈夫だ、きっと帰って来る。

美佐子は小さなハンカチで眼を拭《ふ》き、そんなこと分りませんわ、と言った。お父さんがそんなことをおっしゃるから、香代ちゃんがひがむのよ。お父さんはあたしのことを贔屓《ひいき》にしてると思って寂しいんじゃないかしら。もっと香代ちゃんのことを考えてあげて。

美佐子は長い間黙ったまま手の中でハンカチを弄《もてあそ》んでいた。そして思い切ったように言った。あたしのことですけど、あたしまたIさんとお附き合いしてみようかと思っていますの。

そうかい、それもいいだろう。あれは見どころのある青年だよ、と私は言った。私はそれ以上深く彼女の気持を質《ただ》さなかった。私たちは二階の香代子の部屋へ行き、既に美佐子が一度調べた机や箪笥《たんす》の抽出《ひきだ》しの中などをもう一度よく探《さが》してみた。そこには格別手がかりになるようなものは何もなかった。乱雑な部屋の中を私はあきれたように見廻した。まだ子供だと思っていたのに、女らしい体臭がその部屋に匂《にお》っていた。

あくる朝、私は会社に顔を出し、仕事の段取りをつけると直《すぐ》にSという香代子と一番親しいという学生のアパートを訪《たず》ねてみた。その学生はまだ寝ていたらしくて、機《き》嫌《げん》の悪い顔つきで私を出迎えた。私は小説を書いているわけではないから、その時の会見の模様は省略する。私はここに自分の中の醜い部分は書き留めておくつもりだが、他人の中の醜い部分はわざわざ書く必要を認めない。Sは現代の大学生のうちの例外中の例外だろうと思うが、私は実に失望した。こういう種類の若い男と附き合っていることで、香代子に対してまで少々失望した。しかしそれは私がたまたま気が立っていたせいで、もっとよく識《し》ってみればSにも取柄はあるのかもしれない。私は不愉快な気分でそのアパートを出た。有難いことに香代子がここにいないことは、いなかったことは、確かだった。こんな男に娘を取られる位ならいっそ死んでくれた方がましだとまで、私はその時考えた。もっともそれは一時の激昂《げっこう》の結果にすぎなかったが。

私は公衆電話から家へ電話してみた。そして受話器の向うで、はいこちら藤代《ふじしろ》ですが、とのんきな声を出しているのがまさに香代子のいつもの声だと知った時の、私の気持を何と形容したらいいだろうか。怒りと安堵《あんど》とが一緒くたに私を押し潰《つぶ》した。香代子に、待っていなさい、今すぐ帰る、とそれだけ言って電話を切り、私は額の汗を拭《ぬぐ》った。何という娘だろう。何という徒労だったろう。

私は玄関で、お手伝いさんから香代子は二階の自分の部屋にいると聞かされた。美佐子は私が出勤したあとあちこちに電話していたが昼少し前に出掛けて行き、行き違いぐらいに香代子が帰って来たということだ。私はさっそく二階へと昇って行った。香代子の部屋のドアを開く時に私の手は思わず顫えた。香代子は部屋の中を片附けていたらしかったが、振り返って、あらパパ、と言った。あたしの部屋をこんなに散らかしたの誰、姉さんそれともパパ。私は香代子に近づき、その頰《ほお》を力まかせに殴《なぐ》りつけた。どこへ行っていたのだ、と私は怒鳴った。

香代子は眼を大きく見開き、手を頰に当ててびっくりしたように私を見た。その眼から大粒の涙がぽろぽろと零《こぼ》れ落ちた。私が娘たちに手を上げたのはこれが初めてだった。私でさえも、その時まで、自分がそんな野蛮な行動に出るとは思ってもいなかった。

ママのお墓参りに行って来たのよ、と香代子は涙をこらえながら言った。

そうだったのかと私は思った。怒りは急速に醒《さ》めた。それは当然考えられるべきところだったのに、私も、美佐子も、気が顚倒《てんとう》していてそのことに思い及ばなかった。

そうだったのか、と私は言った。あの町へ行っていたのか。そして私は雪のつもっていたあの広い墓地と掘り起された黒い土とをまざまざと思い起した。

そうよ、あそこの人みんな親切だったわ、よく来たと言ってあたしを大事にしてくれて、泊って行けって離さなかったわ。パパなんか、パパなんかには分らないわ。

そうかい、しかしなぜ黙って行ったのだ。パパだって姉さんだって、それは心配したんだ。姉さんは今もお前を探しに行っている。なぜ向うから電報を打つなり電話を掛けるなりしなかったのだ。

そんなこと考えもしなかった、と香代子は正直に答えた。パパが心配するなんて。どうしてパパが心配するの。自分の子でもないくせに。

私には香代子が何を言っているのか分らなかった。香代子は死んだように真蒼になり、譫言《うわごと》のように喚《わめ》き続けた。あそこはあたしの生れた町よ、あたしのふるさとよ、ママのお墓だってある。どうしてそこへ行ってはいけないの。どこへ行こうとあたしの勝手じゃないの。

お前は今さっき変なことを言ったね、と私は訊いた。

変、何が変なの、あたしはママの子よ、パパの子じゃないわ。あたしは、あたしは。

そしてそのあとはもう声にならなかった。私は倒れかかった香代子の身体をベッドの上に運んだ。香代子は横ざまに倒れて顔を覆ったまま泣き続けた。私は呆気に取られて茫然《ぼうぜん》と眺《なが》めていた。

さあ落ちつきなさい、パパに話して御覧。一体どうしたんだ、お前はれっきとした私の娘じゃないか、美佐子と何の違いもないんだよ。

私はすっかり怒りも醒め、小さな子供でもあやすように香代子の髪を撫《な》でてやった。香代子は長い間泣きじゃくっていたが、やがて次第に気を取り直した。御免なさい、パパ。あたしつまらないことを言った。黙って行ったこと本当に済みませんでした。でもあたし、気がくしゃくしゃして、何処《どこ》かへ行きたかったの。そしたらふるさとへ行ってみたくなった。なぜだか無闇《むやみ》と行きたくなっちゃった。そういう気持パパに分るかしら。

ああ分るとも。ふるさとのある人間はふるさとが恋しくなる時がある。ふるさとのない人間でも、どこかにそれを探したい気になることがあるものだ。

パパは東京の生れなのね、と香代子は訊いた。

私か、私は東京じゃない。私にはふるさとはないんだ。お前なんかその点しあわせさ。

香代子は不思議そうな顔をした。この子は美佐子と違って、もともと明るい性質だった。それに芝居がかっているところもあった。さっき泣いたことなんかケロリと忘れたように、でもどこかで生れたんでしょう、と訊いた。それは生れたさ、と私は答えた。それは何処。どこか東北の方だよ、もうすっかり忘れてしまった。変ねえ、と香代子は言ったが、その片方の頬はまだ私に打たれたために少し赧く、そこに涙の痕《あと》がこびりついていた。

お前はさっき口走ったことを、そうやってごまかそうとしているが、あれは一体どういう意味だったんだ、と私はなるべくやさしく尋ねた。香代子の顔色はまた蒼《あお》ざめた。観念したように暫《しばら》く下を向き、それから顔を起して、パパ、その前にあたしの訊《き》くことにも答えてくれる、と言った。いいよ、何だい。香代子はまた暫く考え込んでいて、それから尋ねた。さっきの続きなんだけど、パパがふるさとを知らないってのは、おじいさんやおばあさんの子じゃないってことなの。

私はその質問に私の最も痛いところを突かれた。死ぬ前に、妻は知っていたと私に告げたが、私としては誰にも明したことのない秘密だった。私は藤代家の籍に入り、実子として育てられ、ふるさとというものを忘れることを自分の意志に強制した。しかし私の中の最も弱い部分で、それは常に生き続けた。小学校から中学、高等学校、そして大学を途中でやめるまで、私は私の友人たちを見るたびに何かが違う存在、何かが欠けている存在として、自分を意識した。今、香代子の無邪気な質問に対して、私は周章狼狽《ろうばい》したが、嘘《うそ》を吐《つ》くことは出来なかった。お前に言っていいことかどうか分らないが、実はそうなんだ。パパはこの藤代家に貰《もら》われて来たんだ。生みの親は別にいるんだ。

どうなさっているの、そのパパの、御両親たちは、と香代子は訊いた。

とうの昔に死んだよ。死んだということだけはあとになって聞いたが、私の実家そのものも没落してしまったらしいんだね。なにしろ私の小さな時分に、どこからどう歩いて、どう汽車に乗って来たとも覚えていないような田舎なのだ。実家とは絶縁という約束で貰われて、いちいち消息を聞いたこともない、勿論《もちろん》そこへ帰ったこともない。だから私にはふるさとなんてものはないのさ。

だってパパ、それじゃ寂しいでしょう、寂しかったでしょう、そんな、ひとりぼっちで。

寂しいか、それは寂しいんだろうな。しかしここの家の両親、つまりお前のおじいさんやおばあさんは、本当に親身になって私を育ててくれた。そういう意味では寂しいなんて感じたことはない。

でも思い出すでしょう、と香代子は訊いた。生みのお父さんやお母さんのことを。

それが思い出しようがないんだよ。小さな時分のことで、記憶らしい記憶もない。懐《なつか》しいと言ったって懐しがりようもない。母親だけは恋しいような気がする。どんな母親だったろうかと思う。しかしね。

しかし、私はその先を説明しなかった。どのような母親だったのか、家がいくら貧しかったからと言って、棄児《すてご》同然に私を遠くへやってしまった母親なのだ。二度と会わない約束のもとに私を見棄てた母親なのだ、しかし母親はどういう想《おも》いをして幼い私と別れたのだろう。私にしてもそのことを想像することはある。しかし私の意志は、いつでも想像の途中でその糸を切ってしまうのだ。しかしね、と私は香代子に言った。生きるためにはそんなことは問題じゃなかったんだよ。生きるというのは、そういう過去に拘泥《こうでい》することじゃないのだ。

分ったわ、パパ、と香代子は言った。じゃあたしも話すわね。パパびっくりしないで。あたしはパパの子じゃなくて、ママと呉《くれ》さんという人の子かもしれないのよ。

私は確かにびっくりした。香代子の頭がどうかしたのではないかと疑った。一体誰だい、その呉さんというのは、と私は訊いた。香代子は説明を始め、私が昭和十七年に応召になる少し前頃に、私の妻が親しくしていた大学生だと説明した。戦歿《せんぼつ》学生の手紙を集めた本の中に、香代子は母親とその人との間の秘密を嗅《か》ぎつけたのだそうだ。

それで証拠は、と私は訊いた。どんな証拠があるんだね。証拠なんかないの、でもあたしの生れた時から逆に考えてみたらそうかもしれないでしょう、と香代子は言った。それにママはずっとその人のことを思い続けていたようよ。きっと好きだったのよ、その人が。それでお前は、ただそれだけのことで、私がお前のパパじゃないと思ったのかい。そうよ、だってパパはあたしのことにいつも冷淡じゃないの。姉さんの半分もあたしのことを好きじゃないようなんだもの。

馬鹿《ばか》だなあお前は、と言って私は笑い出した。まったく馬鹿者だよ。お前の顔を鏡でよく見て御覧。お前は確かに母親似だが、そのおでこのところとか、顎《あご》のしゃくれているところなんか、私にそっくりじゃないか。香代子も釣られて笑い出した。鏡はしょっちゅう見ます、でもパパみたいに変な顔じゃないわよ。

私と香代子との間は、このようなやりとりがあってから眼に見えて親しくなった。香代子が姉さんには言わないでと頼むので、私も私自身の出生のことを美佐子に教えないという約束で、このことを二人だけの秘密にした。香代子は憑物《つきもの》が落ちたように、快活な大学生に戻った。美佐子の方はまたI君と交際を始め、やがて仲人《なこうど》を頼み、結《ゆい》納《のう》を交し、十一月の末に式を挙げるということにきまった。こうして春が過ぎ、夏が過ぎて、やがて秋になった。台風の晩に私が見知らぬ若い女をそのアパートへ送り届け、やがてそのアパートへ通うようになり、女のいなくなった殺風景なその部屋で一人で物を書いていた頃から、ちょうど一年ほど経《た》った。

私は今、波の音のかすかに聞える旅館の一室でこれを書いている。なぜ私がこれを書く気になったのか、それは私が何かを発見したと思うからである。なぜこんな辺鄙《へんぴ》なところに滞在するようになったのか、それは私が私のふるさとを発見したいと思ったこととの結果である。しかし私は自分の生れ故郷を訪ねたわけではない。それは東北の深い山々の間にあるだろうし、もしもその場所を訪ねあてることが出来れば、私は必ずやそれだけの感慨を催すだろう。しかし私にはふるさとはない。今さらそこへ行こうとは思わない。私が行こうと思ったのは、昔私の恋人がふるさとと呼んだ日本海に面した寂しい海岸である。賽《さい》の河原《かわら》のある荒れ果てた村である。私が書きたいのは、そこへ行った私の気持である。

香代子の告白は私を愕《おどろ》かせ、また私を笑わせた。しかし私はそれを一笑に附して歯《し》牙《が》にも挂《か》けなかったわけではない。私は戦歿学生の書簡集を購《か》って、呉伸之という青年が私の妻と識《し》り合いであったことを確かめた。何ごとにも可能性というものはあるのだし、香代子が私と妻との間に生れた子でないなどと疑うのは馬鹿げているが、妻とその大学生との間に何かがあったことは、恐らく事実に違いないと思う。私は妻が死ぬ数日前に私に言った、自分のふるさとが海にあるような気がしますという言葉を思い出した。その大学生は出征してマリアナ方面で戦死していた。最後まで妻が心のなかで想い続けていたのは、その呉伸之という私の一面識もない青年であっただろう。私は些《いささ》かの嫉妬心《しっとしん》をも覚えなかった。これは誇張でも負け惜しみでもない。もし妻にそれだけのことがあったのなら、それでよかった、それも亦《また》よかった、なぜならば私も亦ゆるされると感じたからだ。私は妻を愛したとは言わない。しかし少なくとも愛そうとはした、愛することにつとめた。にも拘《かかわ》らず私の愛は妻には通じなかった。それは結局、私が間違った、無責任な、誠意のない結婚をしたためだったろう。愛の燃え尽きた私と一緒になったばかりに、妻もまた一生愛というものを知らずに過ぎたとすれば、私は妻が可哀想《かわいそう》でならない。せめてその青年を愛したことで妻は救われたと思うし、また彼女が救われたと思うことで、私もまた救われるのだ。そのような実りのない愛を持った女として、今、私は妻をいとおしみ、妻を愛することが出来るように思う。

そして妻のことを思い出すたびに、私はふるさとということを考えた。なにがしの命《みこと》は、波の穂を踏みて常世《とこよ》の国に渡りまし、なにがしの命《みこと》は、妣《はは》の国として海原《うなばら》に入りましき、という古事記の一節は、高等学校時代の私の古い記憶のどこかに残っていた。私の妻もわだつみの彼方《かなた》に妣の国を見たに違いない。しかし私は、この足で踏めるところに私のふるさとを見出《みいだ》したかった。ふるさととは自分が生れ育った場所をのみ言うのではあるまい。人はいつも、どこかに、彼にのみ固有のふるさとがあるように感じ、その彼方に憧《あこが》れる心を持っているに違いない。古来多くの人が諸国行脚《あんぎゃ》の旅に出た。それこそ生れ故郷をあとにして、見も知らぬ国を旅し、見も知らぬ土地で病んで死んだ。死んだ場所が即《すなわ》ち旅人のふるさとだったと言えるのではないだろうか。

しかしまた生れ故郷に憧れるという心もある。香代子はふるさとを訪《たず》ねて母の墓のある城下町へ行った。ジャングルの中で私がその死を見送った戦友は、いつも新妻の待っているという山陰の小さな町の話をした。私の恋人は、日本海に面した小さな村に帰り、その断崖《だんがい》から身を投げて死んだ。しかし私には、そこに帰って死にたいと思うようなふるさとはなかった。

私に決心させて、賽の河原のあるこの海辺の村をもう一度訪ねてみたいと思わせたものは、たまたま私の眼に触れた新聞の囲み記事である。或《あ》る夕刊の娯楽面に出ていた写真とその説明である。そこにはこういう意味のことが書かれていた。＊＊映画の大作（私はもうその名前を忘れた）のためのロケーションが北陸の某市で行われたが、そこはたまたま新進女優＊＊＊子の生れ故郷の近くだったので、その町の人たちが大勢見物に押し掛けた。＊子さんは主役というわけではないが、主役以上の注目を浴びた、云々《うんぬん》。その写真の中でにっこりほほえんでいるのは、紛れもなく昨年の秋、あの掘割に面した安アパートに住んでいた若い女だった。私は微笑し、彼女の幸運を祝福した。とうとうあの女もこれでスターダムへの昇り口に達したわけだ。私を寂しい人だと呼んでくれた、気のいい、子供っぽい娘だった。

その新聞記事が私の旅行とどういうふうに結びついたものか、私には意識の内容を分析することが出来ない。ただ私はその新聞紙を折り畳みながら、どうしてもそこへ行かなければならないと感じたのだ。そこ、つまり私が三十年も前に恋人の消息を知るためにはるばると訪ねて行き、彼女が既に死んだことを教えられた日本海の沿岸にある小さな村へである。もしもふるさとというものがあるのなら、私にとって、それはまさにそこしかないだろうと私は思った。なぜならばそこに於《お》いて、私の魂とも言うべきだった彼女が死んだことによって、私の魂そのものも死んだからである。

私は北陸路の或る大きな都会に出張する機会を利用して、三十年前の記憶を頼りに、その村を訪ねた。この三十年の間に交通はすっかり便利になり、飛行機もあれば急行列車もある。観光ブームとか言って、どのような辺鄙なところにも見物客がうろうろしている。特に秋の紅葉のシーズンだったので、私はのんきそうに浮れている連中と同じ汽車に乗り合せ、不意に自分というものを不思議に感じた。私が社員の慰安旅行の一行に加わって、どこぞの温泉宿で芸者を上げて遊興していたところで、私の身分というものから見れば誰も怪しまないだろう。それを私は、どういう内面の衝迫によって導かれたものか、五十六歳にもなって、嘗《かつ》て二十五歳の秋に訪ねた場所をもう一度この眼で見たいと思って出掛けて行くのだ。私の心は沈んでいて、一等車を占領している連中の野鄙《やひ》な合唱も私の耳には入らなかった。私の耳は早くも、むかし人っ子一人いない寂しい河原に響いていた荒浪《あらなみ》の音を聞いていた。昔の恋人の、あのどうしても忘れられない、少し甘えた、歌うような声を聞いていた。わたしの田舎《いなか》は日本海のさみしい海岸沿いなのよ。そして私は、君はもうそこへ帰っちゃいけないよ、と言った二十五歳の彼の声をも聞いたのだ。しかし私は今、そこへ帰りつつあった。何かを求めて、何かを発見するために、私の罪の源《みなもと》であるその場所へ帰りつつあった。

記憶は既に古ぼけていて、私はその村、と呼ぶほどではなくて小さな部落にすぎなかったが、そこへ昔どうやって行ったものか定かには思い出すことが出来なかった。ただその村の名前だけは決して忘れなかった。それは佐比《さひ》と言った。私はその名前を頼りに、幹線から支線に乗り換え、日本海に面した小さな町にある、現に泊っているこの旅館にまず落ちついたわけである。

私が佐比へ行きたいのだと言うと、旅館の主人は改まって、先生は民俗学の方を御専攻で、と訊いて私を愕かせた。そんな不便なところに行く観光客はまったくなかったので、時たま民俗学の学者が賽の河原を研究するために行くだけだということが分った。私は苦笑したが敢《あえ》て否定もしなかった。旅行というものに何かしら目的がなければならないとすれば、私のこの旅行の目的は一体何だろうかと考えた。恐らくそれは、自分の心のなかの不可解な部分の研究、とでも言ったものだろうか。

しかし私が曖昧《あいまい》に民俗学の研究家のような顔をしたことが、私の信用を増すと共に、種々の便宜を計らってもらえることになった。私は二三の紹介状をこの旅館で貰い、旅行鞄《かばん》はそのまま預けて、次の日、ハイヤーを雇って海岸沿いに北上した。途中の町まではバスが通っていて、昔はたしか乗合馬車に乗って行ったような気がする。そのバスの終点から道はひどく悪くなり、やがて小さな町に着いたがそこからは山越えをして歩くか、それとも漁船を雇うかする他はなかった。町といっても名ばかりにすぎず、砂浜には漁船が引き上げられ、風雪除《よ》けの柵《さく》が幾重にも厳重に立て廻されていた。裏手にはすぐに険しい山が迫り、北に向かって海沿いに断崖となって続いていた。

曇った日で、まだ季節風の吹き出す時期には早かったが、沖の方はどんよりと雲が下りていた。私は紹介状のお蔭《かげ》で、小さな発動機をつけた漁船を一艘《いっそう》雇い入れることが出来た。日焼けした顔に手拭《てぬぐい》を頭からかぶった年寄の漁師が、面《めん》のような顔に精いっぱいの愛想を浮べて、私をその漁船に案内した。船が入江の岬《みさき》を廻ると荒浪が畝《うね》をなして押し寄せ、舷側《げんそく》から飛沫《しぶき》が舞い込むたびに船は危なっかしく傾《かし》いだ。私は合オーバーの襟《えり》を立て、青緑色というよりは青黒色というに近い海の色を覗《のぞ》き込んだ。

漁船は揺れながら断崖のすぐ近くを走っていた。やがて船頭が、西が浦が何とかだと言った。私にはその言葉がすぐには理解できなかったが、しきりと指で差して示すので、やがてはたと思い当った。それは削り取ったような断崖が両側から向かい合せになっている細長い小さな入江で、土地の人はそこを西が浦と呼ぶらしかった。

それはまさにそこだった。三十年前に、ひそかに私の子を身籠《みごも》ったのを恥じて、彼女が身を投げて死んだのは。私はそのあとを訪ねて断崖の上まで辿《たど》り着き、そこから下を見下した記憶がある。しかし果してその時何を見たのか、その時何を考えていたのか、今ではもう思い出すことも出来ない。私はあらためて、そそり立つ断崖の高さを身を切られるような思いで見上げていた。浪が打寄せるたびに蒼黒んだ岩肌《いわはだ》を白い飛沫が数米《メートル》も跳《は》ね上った。しかし断崖の頂上は、その飛沫の高さよりも十倍も高かった。あの頂きに立って、今この世から別れて行くと決心した時に、彼女の意識のなかにどのような面影が浮んだろうか。あのやさしい娘は最後に何と叫んだのだろうか。

私はそれを知らない。私はそれを永遠に知ることはない。断崖の頂きにあって、彼は恐怖に怯《おび》え、身をすさって逃《のが》れ去った。彼は眼の下はるかに渦巻く怒濤《どとう》を見て、自分がとうてい跳《と》び込むことの出来ない臆病者《おくびょうもの》であることを知った。しかし彼女は死ぬことによって彼女の愛を証明した。

船は私を乗せてやがて佐比の浜辺に着いた。それは何という寂しい村だったろう。私は船頭に明日また迎えに来てくれるように頼んで、一人その砂浜に下り立った。石のごろごろしている人けのない砂浜だった。打ち上げられた漁船、葉の落ちた裸の樹々《きぎ》、雪除けの柵。砂浜の先には、疎《まば》らに散在する貧しげな家があり、裏山へと続いている段々畑があり、山の背後の空を流れている冬の前ぶれのような灰色の雲があった。私は海から吹きつけて来る風を背中に受けて、そういう風景をこの眼で見ていた。昔の朧《おぼろ》げな記憶を喚《よ》び覚《さ》ましながら、今初めて見るもののように、彼女の生れそして死んだふるさとであるこの佐比の村を眺めていた。

紹介状に従って私が行った先は巫女《みこ》の家だった。巫女の家は、そこへ口寄せを頼みに遠くの部落から訪ねて来る人があるために、一種の宿屋を兼ねているらしかった。私が案内を乞《こ》うと乳呑児《ちのみご》を背負った若い嫁さんふうの女が私を中へ通した。紹介状の文句が読めたかどうかは分らないが、私が紹介先の名前を言ったし、また私の服装は口寄せをしてもらいに来たばあさん連中とは違っていただろうから、特別に奥の座敷のようなところへ案内された。もしそれを座敷と呼ぶことが出来ればの話である。そこへ行く途中は大きな広間になって薄べりが敷いてあり、口寄せの客たちはそこに泊らされるらしかった。土間の反対側の部屋が家族の居場所で炉が切ってあり、奥の寝部屋にでもいるのか子供たちのほかに巫女の姿は見えなかった。

　夕刻にはまだだいぶ間があったので、私は表へ出た。私が三十年前に訪ねた彼女の生家というのはどこだったのだろう。私は段々畑に沿った道を登って行ったが、その家を訪ねる気はなかった。訪ねたところで、あの眼を病んでいた母親はとうに死んでしまっただろう。その時でさえも、私が誰であるか、自分の娘とどういう関《かか》わりがあるのか、訊《き》こうとさえしなかった母親だった。

　しかし私はそここにある家のどの一軒にも一種の懐《なつか》しさを覚えていた。それらは板屋根の上に大きな石を載せ、風に逆らってしがみついたように斜面に散ばっていた。煙突からかすかに煙が上り風に靡《なび》いていた。私はそういう家々のみすぼらしげなたたずまいを眺めながら、岩地と葉の落ちた雑木林との間の細い道を辿り、ほぼ裏山の中腹に立って村の全体を見渡した。荒れた海が黝《くろ》ずんで広がり、水平線は一面に鼠色《ねずみいろ》に濁った雲で覆《おお》われていたが、その向うにはロシアが、アジア大陸が、ある筈《はず》だった。

しかしこの北の端《はず》れの村から見ると、海はこの世の物とは思われないような、無限に遠くつらなる虚無として感じられた。こういうところに生れた人間、別してこういうところに生れた娘にとって、この世の幸福とは何だろうか。生活は貧しく、漁も、畑も、生きるための最低の糧《かて》をしか与えてくれることはないだろう。雪は早くから降り始め、季節風は荒れ、長い冬の間、人々をこの狭い一画に閉じ籠めるだろう。そして女もまた烈《はげ》しい労働に心身を疲れさせ、子を産み子を育て、そしてその子を海に死なせて、巫女の口寄せに僅《わず》かの慰めを見出すだけなのだ。私はそのようなことを考えながら道をくだり、西が浦の方へ行くだけの勇気はとうていなかったので、海辺へ出て賽の河原へ行ってみようと思った。しかし途中で私の足は思わず止った。そこはこの部落の人たちが眠る広々とした墓地だった。

広々としたと言っても、石垣で一戸ずつを区切ったその墓地は平らかに広がっているわけではなかった。畑と同じく斜面にやはり段をなして、海に臨む相当に広い部分を占めていた。粗末な自然石のままの墓もあれば、燈籠《とうろう》や石塔を置いたものもあった。私は時間をかけてその一つ一つを見て行った。戦死した兵士たちの墓が中ではやはり立派だったが、こんな場所からもこんなに多くの青年たちが戦争に征《い》ったのかと思うと、黯然《あんぜん》たらざるを得なかった。もし私があのジャングルの中で死んでいたら、信州の城下町の藤代家の菩提寺《ぼだいじ》の墓地に、そこがふるさとというわけでもないのに、私の石碑が立っていただろう。そこに埋めるべきものは何一つなく、私が私の戦友を葬《ほうむ》ったように、二度と行くこととの出来ない異国の草の中に私の骨は朽ちていただろう。

私は自分のことを考えながら墓地の間を歩いていたのではない。私は彼女の墓を探《さが》していた。しかし同じ姓と同じような名前との多いこの墓地の中で、首尾よくそれを探し当てることは難しかった。夕暮が、というよりもいきなり夕闇が迫って来て、私は愕《おどろ》いてそこをあとにした。

宿に帰ると、すぐに狭い湯殿へと案内された。それは水に乏しいこの村の人たちの智慧《ちえ》から生れたものだろうが、僅かばかりの水を上手《じょうず》に使って、湯殿全体を蒸風呂《むしぶろ》にする仕掛けだった。ランプの下での夕食は貧しく、嫁さんはこのところ不漁だと詫《わ》びを言った。隣の広間には白髪のばあさんが泊っていて、その晩口寄せをしてもらうことになっているらしかった。

私は疲れていたので早く床を取ってもらったから、口寄せの詳細を見聞することは出来なかった。巫女というのはこの家の老婆《ろうば》らしく、盲目で、息切れのする早い言葉を喋《しゃべ》り、手に黒い珠《たま》のついた数珠《じゅず》を持っていた。仏おろしの祭文が続いている間に、私は既に眠くなった。そのあとは客のばあさんの望んだ霊が、巫女の口を借りて出現したらしく、歌うような口調で巫女が語り続けていた。しかし私にはその意味が殆《ほと》ど聞き取れなかった。難解な方言だということもあったし、巫女の声が一種の不明瞭《ふめいりよう》な発音だということもあった。また風が烈しく唸《うな》って家の戸をがたがたいわせているということもあった。しかし雰囲気《ふんいき》としては気味の悪いもので、遠くへと誘って行くような怪しい呪術《じゆじゆつ》的効果を持っていた。私は理性的な人間だから、このようにして死んだ霊が喚び出されることを信じるわけではないが、薄暗い蠟燭《ろうそく》の火の瞬《また》くところでその声を聞くのは、一種の耐えがたい気分に私を陥《おとしい》れた。私は強《し》いてこういうことを考えていた。巫女は方言しか喋らないのだから、標準語しか知らない霊を喚び出したらどういうことになるのか、などと。私の昔の恋人は、訛《なまり》はあったが、私に向かって標準語以外に決してふるさとの方言を口にしなかった。

あくる朝は一層曇って、風も昨日よりは余程はげしく吹きつけていた。浜に出てみると、石の間に流木がたくさん流れついていた。砂地の少い、岩や石のごろごろしている砂浜で、浪が砕けては引いて行くたびに、小さな石はからからと音を立てて引潮と共に動いた。私はその海辺を越えて、岩と岩との間を縫っている細い道を辿り、やがて賽の河原に達した。

そこはこの三十年間に何一つ変っていないように見えた。いきなり荒海が岩だらけの岸に迫り、大小の石からなる荒磯が続き、海の反対側に大きな洞窟《どうくつ》がぽっかりと口を開いていた。浪の砕ける音はここでは耳を聾《ろう》するように響いた。私は用意して来た懐中電燈を点《つ》けて、薄暗い洞窟の中へはいって行った。入口のお地蔵様にはやはり白い涎《よだれ》掛けがかけてあった。至るところに積み上げられた小石の塔があった。岩壁に沿って幾体もの石仏が並んでいたが、どれも子育て地蔵で、その前には消えた蠟燭と回《え》向《こう》の品などが置かれていた。私はそこにしゃがんで、私を再びこの遠くまで運んで来たものが何であろうかと考えた。

私はこの村へ来る途中の旅館で民俗学の研究家であるように誤解されたと言ったが、勿論《もちろん》そんなものではない。私は無学な一介の実業家にすぎない。しかし賽の河原はこの三十年間私にとって常に思考の戻って行く一つの場所であり、それを知るために多少の書物を読んだことはある。私の得た知識はほぼこうである。賽の河原は仏教的なものに深く影響されて、浄土和讃《わさん》の悲しい文句にあるように、幼くて死んだ子供たちが、「一つ積んでは父のため、二つ積んでは母のため」小石の塔をつくるところと言い馴《な》らされて来た。それを地獄の鬼が無慈悲にも崩《くず》してしまう。それを解釈して、子供たちが幼いままに死に、父母に孝養を尽す暇もなかったから、そのために地獄の憂《う》き目にあうとするのはあまりにも教訓的で、仏教の上に儒教の影響までがあるようだ。

民俗学者はこれを仏教以前からの風習であるように考えている。賽の河原は一方では幼児たちの霊のこもる場所であるけれども、他方にはまた地蔵は即《すなわ》ち子安神であり、子を産みたいと願う母親、丈夫な子を育てたいと願う母親たちの集まる場所でもあった。そして源に溯《さかのぼ》れば、地蔵は本来は道祖神、さえのかみ、境の神のことであった。人々は里の境に於《お》いて道祖神を祀《まつ》った。里の境にある寂しい石の原に、我々の魂の在《あ》りかを信じた。

人間の魂は成長するにつれて、使い古され、罪を重ね、穢《けが》れて死ぬ。従ってその魂は境の外に放逐され、その魂を済《す》くうために、その穢れを祓《はら》うために、幾多の行事や儀式が取り行われなければならなかった。しかし幼くて死んだみどり児《ご》たちの魂は、大して汚《けが》れてもいず危害を加えることも少いので、これを境の神の管理に委《ゆだ》ねた。やがてその場所に回向のための地蔵が立ち、またそこには幼児の霊が充《み》ち満ちていたから、子を授かるための霊験《れいげん》を求めて、女たちが集まる場所にもなった。要するに賽の河原は、もとは魂の信仰の場所であったと言うのである。

私はこの学説に、私自身をここへ導いたものの一つの動機があったように思う。それは罪である。私は基督教《キリスト》でもなく仏教でもない一つの穢れとしての罪を感じていた。これは救済とか済度とかいうのではなく、この罪から逃れたいと悶《もだ》えていた。この罪、それは神によっても仏によっても消すことの出来ないものであり、ただ彼女だけがそれをゆるすことが出来るように感じられる罪である。彼女と、そして生れることもなくて彼女と共にその胎内で死んだ私の子供とが、この賽の河原に於て、私をゆるしてくれるかもしれないような罪である。

私は暗い洞窟の中でそのようなことを考えていた。しかしまたこういうことも考えた。同じ賽の河原といっても、それは日本の各地にあるだろう。恐山《おそれざん》のそれのように、あまりにも有名な、一種の名所のようなところもあるだろう。それらの、多くは山の中にある霊地に較《くら》べて、この佐比の浜の河原の持つ暗さはどういうことなのか。それは仏教的な、御詠歌的な、つまりは地獄のあとに極楽が約束されているようなものではない。ここが即ち地獄なのだ。ここが地の果て、生のどん詰りなのだ。更に言えば、ここにあるものは決して済われることのない罪そのものの感じなのだ。眼の前には轟《とどろ》く海がある。何の感情も見せない冷たい石の河原がある。さえのかみの「さえ」は、境と共にまた罪障をも意味していた。この賽の河原は、あらゆる罪障の捨て場所としてあったのではないだろうか。私が今ここへ私の過去の罪を捨てに来たように。

私は黙禱《もくとう》し、最早《もはや》形見に一つの小石を拾うこともなく洞窟を出た。吹きつける風に混って雨が降っていた。それは冬の近いのを思わせる凍ったような雨だった。私は急いでもと来た道を引返した。合オーバーを頭からかぶって、危なっかしい岩だらけの道を走った。そして私は息を切らして一息入れるために立ち止り、眼を起し、そしてまさにそこに、私が三十年前には見なかったものを、そして私が今、見なければならないものを、見たのである。それは海沿いにあるひと囲いの無縁墓地だった。

それは裏山の中腹にあった部落の墓地に較べても、あまりにも見すぼらしい石の群落にすぎなかった。名前を刻み込んだ石碑などは一つもなかった。僅かに朽ち果てた卒塔婆《そとば》が幾つか倒れかかっていることによって、この一郭が墓地であることを示していた。これは漂い着いた水死人や、ここで行き倒れになった旅人たちの墓どころであろう。名も知られずに死んだ人、恥辱の中に死んだ人を埋めるところであろう。そして私の恋人が眠っているところも、まさにこの無縁墓地のほかにはなかった。どこの誰とも分らぬ男のために子を宿し、一家の恥として西が浦に身を投げた娘の葬られるべき場所は、名誉ある出征兵士の骨を埋めた山の墓地ではなく、この海沿いの、荒浪の飛沫《しぶき》が散りかかる無縁墓地のほかにはなかった。

私は雨に濡《ぬ》れながらそこに立っていた。賽の河原として知られる前は、あの洞窟も亦《また》、こうした無縁墓地ではなかっただろうかと私は考えた。貧しい村の母親たちが、こっそりと間引きしたみどり児を埋めに行った場所がそこではなかっただろうか。他の土地にある賽の河原については私は知らない。それは民俗学の学者の言う通りかもしれない。しかしこの佐比の浜辺の印象からすれば、ここの河原は人間的な罪の感じに暗く染められていた。生れた子に死んでもらわなければ、とうてい他の子供たちを育てることが出来ないほど、不毛の土地に生を享《う》けた母親たちの、悲しい罪のしるしをそれは持っていた。自分もまた済われないことを承知した上で、母親たちはその罪をおかした。

私は雨に濡れながら、その時初めて私の母親のことを想《おも》った。雪深い東北の村、えなの流れて来る河、暗い顔をして泣いていたであろう母親、私はこういう遠い記憶を喚《よ》び覚ました。そして母親となる前に、私への愛を抱《いだ》いてお腹《なか》の子と共に死んだ彼女のことを想った。それは罪深い行為だったと人は言うだろう。しかし誰が、彼女を責めることが出来るのか。誰が、私の母親を責めることが出来るのか。私たちはみな生きることによって、穢れた魂と罪の意識とを持ちながら、しかも生き続けて行くのではないだろうか。そのためにこそ賽の河原というものがあり、旅人は死んだみどり児の代りに、一つ一つ小石を積み重ねて自分が生きていることの証《あかし》とするのではないだろうか。

寒い風の吹き抜けるプラットホームに立って、彼は足許《あしもと》に鞄《かばん》を置いたまま、面映《おもは》ゆい顔つきで上り列車を待っていた。それは子供のように両親に附き添われているせいもあったし、また彼女がそこにいるせいもあった。父は彼の側を少し離れてホームの端に身を乗り出すようにして汽車のはいって来る方向を眺めていた。そして母は看護婦たちの前で繰返して礼を述べていた。五人ほどの非番の看護婦たちが療養所からこの停車場までわざわざ見送りに来てくれていたが、その中で彼女ひとりは目立たないように群の背後にいて、決して彼の方を見ようとしなかった。俯向《うつむ》いたり、うしろを振り返ったり、また隣のホームに先に到着している下り列車の方を眺めたりしていた。この駅で上りと下りとが交換になる以上、彼の乗る汽車がほんの二三分のうちに着くことは分っていたから、彼はしばしば、素早い視線で彼女の方を偸《ぬす》み見、その小づくりな、可憐《かれん》な、やさしげな、そして生きることを彼に決意させたその容姿を、貪《むさぼ》るように脳裏に刻み込んだ。もしも彼の両親が、そこにいる五人の看護婦たちの一人は彼の恋人であり、彼が結婚する固い意志を持っている相手だと知ったならどんなにか愕《おどろ》くだろう。そう彼は考えたが、しかし決してそれを口にすることはなかった。それには時期を選ぶ必要があった。両親に引換えて、見送りに来てくれた他の看護婦たちは、二人の仲を充分に承知していて、同情と羨望《せんぼう》との入り混った気持で彼女の存在を意識しているらしかった。

明日はお見送りに行かないわ、辛《つら》いんだもの、と彼女は前の晩、彼の個室に会いに来て言ったのだ。彼の両親は町の宿屋に泊り、明日の午前の汽車で彼を東京へ連れ帰る手筈《てはず》になっていた。彼はベッドに横になり、側《そば》に立っている彼女の冷たい手を取って自分の掌のなかで暖めた。彼女はその手をあずけたまま、ぼんやりと、でもやっぱりもう一度会いたい、と呟《つぶや》いた。君が来たら恥ずかしいな、と彼は言った。じゃ行かない方がいいかしら。そんなことはないよ、と彼は急いで打消し、でもどうせ直《すぐ》にまた迎えに来るんだから、明日見送りに来てくれようとくれまいと大したことはないよ、と附け足した。

彼女は寂しげな表情で少し微笑し、何か言いたそうにしたまま長い間黙っていた。そして不意に、何の関係もなしに、彼にこう訊いたのだ。わたしたちはみんな死んだら何処《どこ》に行くんでしょうね。彼はびっくりし、何を言い出すんだい君は、と訊き直した。しかし彼女は何か痛みをこらえているような表情をして、同じ質問を繰返した。ねえ、何処へ行くとお思いになる。さあ分らないよ、と彼は正直に答えた。およしよ、そんなことを考えるのは。そして彼は一層強く彼女の小さな拳《こぶし》を自分の掌の中に包み込み、その仄《ほの》かな体温が伝わって来るのを感じていた。彼女は更に何かを言いかけ、わたしは、と言い、そのまま口を噤《つぐ》んだ。明日からこの部屋にはもうあなたはいないのね、と呟いたが、それは彼女が心の中で考えていたこととは別のような感じがした。僕は決して君のことを忘れないよ、と彼は言った。

上りの急行列車が地響きを立ててホームにはいって来た時に、彼は昨晩のことを思い出していた。一体彼女はあの時何を言おうとしたのだろうか。そして今も、彼女は何を考えているのだろうか。しかし列車は止った。彼は両親に促されて、鞄を持ち上げて二等車のデッキの方に歩き出した。二等車はがらんとして乗客は殆どいなかった。彼は窓硝子《ガラス》を明け、口々に声を掛けている看護婦たちに向かって、さよなら、どうも色々とありがとう、と発車のベルに負けないような大きな声を出した。彼女だけは他の四人の後ろに一歩下って、じっと彼の方を見ていた。口を開かなかった。しかしその眼は無量の想いを籠《こ》めて、彼女の心のなかに秘《ひそ》んでいた何かを、この遠くへと去って行く青年に向けて訴えていた。

私はずぶ濡れになって巫女の家へ帰った。その日の午後、迎えの漁船が来た時に、私は既に風邪《かぜ》気味だった。雨は相変らず降り続け、風は厳《きび》しく吹きつけて、船頭は船を操《あやつ》るのに懸命の努力を払った。私は幾度か、船が今にも沈むのではないかと懼《おそ》れ、しかし今この海で死んであの無縁墓地に葬られるのならば、それもまた私の一生にふさわしいものだと考えていた。彼女の死んだ魂がしきりに私を呼んでいる声が聞えるような気がした。その下ぶくれの寂しげな顔が眼に浮んだ。彼女は言っていた。わたしは嬉《うれ》しいわ、あなたがまだわたしのことを忘れないでいてくれるということ。みんな不幸なのね。みんな可哀想なのね。でもあなたはわたしのことを決して忘れないわね。

僕は決して忘れないよ、と彼は言った。

僕は決して忘れないよ、と私は言った。

私の乗った漁船はどうにか風に逆らいながら、もとの小さな町に着いた。幸いに船が沈まなかったことを、私はそれほど有難いと思っていたわけではない。しかし気分は物凄《ものすご》く悪くて、そこの町からかねて約束してあったハイヤーを雇って、この旅館まで帰って来たが、その時はもう高熱を発していて、殆《ほとん》ど意識らしいものがなかった。海では死ねなかったが、ここで死ぬのかと覚悟を定めていたような気がする。

私がふと正気に戻った時に、どうも美佐子が側にいるような気配がしたが、夢を見ているのかと思いながらそのままた眠ってしまった。あとで聞けば旅館の主人が大層心配して、医者と相談の上で東京の家へ長い電報を打ったのだそうである。もっとも私の病気は肺炎の一歩手前でどうやら食い止められ、美佐子が飛行機を使って割に早く駆けつけた時には、もう峠を越していた。香代子には大丈夫だからわざわざ来る必要はないと、美佐子がしらせたらしい。美佐子はまめまめしく私の看護をしてくれたし、宿の女中さんたちも皆親切だった。私はめきめきと回復した。

数日経《た》ってからのことである。私がうとうとしていると、美佐子が部屋の隅《すみ》で小さな声で子守唄《こもりうた》をうたっていた。それは何処か遠くから響いて来るようで、私はまるで忘れていた記憶を喚び覚まされた。その子守唄は私の心の奥底へと沈んで行き、この年になってもまだ忘れることの出来ないでいる或《あ》る寂しい風景を再現させた。私は眼を開き、お前は懐《なつか》しい唄を知っているねえ、と呟《つぶや》いた。

美佐子はびっくりしたように眼を大きく見開き、まじまじと私を見た。お父さん、と迸《ほとばし》るような声を出した。お父さん、この唄を御存じなの。

ああ勿論《もちろん》知っているとも。うたってみせようか。もっともお前みたいに上手にはうたえないがね。

うたって頂戴《ちょうだい》、と美佐子は頼んだ。そして私はその昔の唄をうたい始めた。

ほらねろ　ねんねろ　ホラねろやあや
ねんねろ　ねんねろ　ホラねろやあや
ねんねろ　ねんねろ　だんだかやあや
ねんねの息子《むすこ》は　どこへ行《い》た

野越え　山越え　里へ行た
里のかえりに　何もろうた
でんでん太鼓に　笙《しょう》の笛
赤いまんまに　魚《とと》かけて
さくりさくりと　くれんべな
したから　泣かねで　ねんねろや

それを口にしている間に、私はあの河のほとりの道を、手拭《てぬぐい》をかぶった母の背中に負われてあやされていたに違いない幼い自分というものを思い出していた。それを歌ったのは私の若い母親だったのだろうか、それとも私より大して年上というのではない姉だったのだろうか。私はもうその母親の顔も、姉の顔も、何ひとつ思い浮べることは出来ない。しかしその唄の調べは、私を文字通り私のふるさとへと運んで行った。

お父さん、どうしてその唄をお父さんは知ってらっしゃるの、と美佐子は食い入るような眼をして私に訊《き》いた。

どうしても何も、これは私の生れた方でうたう子守唄だよ。訛《なまり》の多い唄だから、私の生れたくにがこれで分ってしまうといったものだな。

私は香代子との間に交《かわ》した約束を思い出しながらそう言ったのだが、美佐子の関心は私の生れたくにはなかった。異様なほどの真剣さで私に訊いた。不思議だわ、どうしてわたしがその子守唄を知っているんでしょうね。

それは何でもない、私がむかしうたって聞かせたのを覚えていたんだろう、と私は説明した。お前の小さな時に、私はこの唄を時々うたってお前をあやしたものだ。もっともお前のお母さんが側《そば》にいたり、おじいさんやおばあさんがいたりした時には、決してあやしたことはないがね。

どうして、と美佐子が尋ねた。

男にとっては、人前で子守唄をうたうのなんか恥ずかしいことなんだよ。おじいさんは昔気質《かたぎ》だったし、私だって人前でやさしそうな顔を見せるのは嫌《きら》いだった。

変ねえ、と美佐子が明るい表情で言った。ちっとも恥ずかしいことじゃないと思うわ。

それはそうだろう、お前や香代子じゃもう時代が違う。私たちはそういうふうに躾《しつけ》られていたのだ。それに私は自分の感情を殺すことも覚えていた。それでもどうにもならない時がある。心の中が溢《あふ》れて来て抑《おさ》えることの出来ない時がある。私にしたってお前が可愛《かわい》くないわけではなかった。そういう時に私はこっそりお前のそばへ行って、小さな声でこの子守唄をうたったものだ。それにこれは田舎の唄で、私が田舎で生れ田舎で育ったことの証拠のようなものだ。私はそのことを隠すようにしていたから、公然と歌うわけにはいかなかったのさ。

わたしが覚えている位だから、お父さんは何度もうたって下さったのね。

そうさなあ、私も故郷が恋しかったんだろうな。

わたし、そういうお父さんが好きよ、と美佐子は言った。お父さんはいつも御自分の心を隠そう隠そうとしていらっしゃる、そういう時にお父さんはとても寂しそう。でも本当はお父さんはずっと心のやさしい人だったのね。私たちがみんなそれを分らなかったのね。

私には負目《おいめ》のようなものがあるんだよ、と私は言ったが、美佐子は私を追求しなかった。晴れ晴れと、わたしお父さんが好きだわ、と繰返した。お父さんはわたしにも香代ちゃんにも大事な人なんだから、早くよくなって下さいね。

もう大丈夫だ。しかしお前にそんなことを言われるとは光栄だよ。もうじきお前の大事な人は私ではなくなるとしてもね。

私はつまらない軽口を叩《たた》き、美佐子が顔を赧《あか》らめるのを見ながら、しみじみと生きていることの有難さを感じた。気力の衰えていた私にとって、私を好きだと言ってくれた美佐子の言葉ほど薬になるものはなかった。

美佐子が先に東京に帰ったあと、私は毎日少しずつ運動をして体力を取り戻した。先刻私は郵便局まで散歩がてら出掛けて行き、明日帰る旨《むね》の電報を打って来た。久しぶりにからりと透き通るように晴れ上った晩秋の日で、波の音が町なかまで聞えていた。人通りの少ないアスファルトの道に、夕暮に近い太陽が私の影を細長く前に延ばしていた。私は自分の影を追うように、ゆっくりと足を踏み締めながら、今さっきこの旅館まで戻って来たところである。

初版後記

この長篇小説は雑誌分載の連作形式で次のように発表された。

一章　忘却の河――「文藝」昭和三十八年三月号
二章　煙塵――「文学界」同年八月号
三章　舞台――「婦人之友」同年九月号
四章　夢の通い路――「小説中央公論」同年十二月号
五章　硝子の城――「群像」同年十一月号
六章　喪中の人――「小説新潮」同年十二月号
七章　賽の河原――「文藝」同年十二月号

私には各々の章が独立した作品であるかのような印象を与えたいという意図があった。それ故《ゆえ》雑誌発表の際には、或《ある》いはそれらが長篇小説の一部であることに気がつかれなかった読者もあるかもしれない。こういう連作的な長篇としては、既に夏目漱石に「彼岸過迄」や「行人」があり、私もその顰《ひそ》みにならった迄《まで》である。ただ私は、各章が主人公を異にし従って視点をも異にするが、全篇を通じて主題は時間と共に徐々に進展するというふうに書きたかった。その点が漱石の方法とは違うし、また川端康成氏の連作的方法とも違っていると思う。

私はかねがね新しい形式の長篇小説を書きたいと思いながら、中途で挫折《ざせつ》して未完のままで暖めている作品が幾つかある。「忘却の河」は「風土」「草の花」に次いで、どうにか纏《まと》めることの出来た三番目の作品である。一昨年の秋書き始め、昨年の秋書き終えてすぐに手を入れるつもりでいながら、病気になったりしたために手筈《てはず》が狂った。それでも入院中に訂正したり書き足したりして漸《ようや》くここに上梓《じょうし》の運びになった。約一年半の間殆《ほとん》どこの作品にかかりきりだったから、私としては多少の思い出がある。特にこの作品の発想となった一昨年の晩秋、旅行の途中で見た石見の国波根《はね》の海岸の風景は忘れられない。私はその風景を作品の中に用いたわけではなく、賽の河原にしてもまったくの空想であるが、この作品の全体にあの海岸の砂浜に響いていた波に弄《もてあそ》ばれる小石の音が聞えている筈である。

昭和三十九年四月

解説

篠田一士

『忘却の河』は昭和三十九年五月に刊行された。その「あとがき」で作者が書いている通り、この作品は『風土』（昭和二十七年）『草の花』（二十九年）につぐ三番目の長編小説である。このあと、『海市《かいし》』（四十三年）が完成した。

福永氏の作品に多少とも親しんだことのある読者なら、氏がこうした、いくつかの長編小説の作者であると同時に、また、短編、中編小説の名手であることを承知しているだろう。たとえば、『飛ぶ男』と題する絶妙な短編小説の醍醐味《だいごみ》は一度知ったら、決して忘れられないものだろうし、また、『廃市《はいし》』などという中編小説も、はじめは、その感傷的な甘さに閉口しながらも、作者の話し上手《じょうず》についほだされて、最後まで読みおわると、そこにくりひろげられた愛と死のモチーフの狭間《はざま》には、人間存在のおそるべき深淵《しんえん》をチラリとのぞきこむ思いがするのである。

だからといって、福永氏を短編、あるいは、中編作家だと言い切ってしまうのは、氏の文業のすべてを通覧してみたとき、はなはだしく不当だろう。福永氏は、言葉のもっとも正確な意味合いにおいて、小説家、つまり、もっと厳密な言い方をするなら、romancierというフランス語を用いるべきで、ロマンシエ、すなわち、ロマンを書くひとなのである。ロマンは長編小説の謂《いい》に外ならず、フランスにかぎらず、ヨーロッパの文学において、長編小説が小説すべての基本であることは、いまさら、くりかえすまでもない。

「私小説」の袋小路《ふくろこうじ》におちこんだ日本の小説を救いあげ、なんとかして、ヨーロッパ小説の伝統に直結しようというのは、出発以来二十数年におよぶ、福永武彦氏の文業をつらぬく、まことにありがたい文学的信条である。そして、その成果をたずねるとすれば、やはり、さきにあげた四冊ほどの長編小説にまずつくべきで、しかも、そのなかで、なにからということになれば、ぼくは躊躇《ちゅうちょ》なく、この『忘却の河』をあげる。そのあとで、『草の花』『海市』と読んで、最後に、処女長編小説『風土』を手にとり、福永文学のロマネスクのありかをたずねればよい。

『忘却の河』を今度読みかえしてみて、あらためて、ぼくはこの小説の構成のみごとさに感心した。月並みな言い方になるけれども、四冊の長編小説のなかで、形式と内容との一体感が一番よくとれているのが、この『忘却の河』である。福永氏はもともとと形式に敏感な作家で、当然のことながら、小説をまずなによりも、ひとつの形式として構築することに非常な努力を傾けてきたが、ややもすると、器《うつわ》の方が立派すぎて、内容が即応せず、ときには、ギクシャクして、いたずらに感傷に流れる嫌《きら》いがあるけれども、『忘却の河』にはそうした欠陥はほとんどないといっていい。実によくできた小説だし、また同時に、そこにえがきだされた内面世界は読者を思わずひきずりこんでしまう。そして、人物たちとともに、人生いかに生くべきか、あるいは、人生とはなにか、という問題を烈《はげ》しく問いかけることになるのである。福永氏を新式小説の実験家だなどと、浮わついたことを口走る輩《やから》は、この作品をもう一度じっくり読みかえしたうえで、おのれの不明を恥じるがいい。

『忘却の河』は読者を、いきなり、ひとりの中年男の内面へつれこむ。そこには、もちろん、いま進行しはじめた現在の事件が語られてはいるけれども、むしろ、それは男の内面を流れる時間の河底に澱《よど》みのようにかくれている、さまざまな過去の事件をよびおこす。そして、この現在と過去の同時的共存は、そこに語られ、えがきだされる事件や事象から、その外的特殊性を徐々に剝奪《はくだつ》しながら、内的普遍をもつ、ひとつの世界をつくりだしてゆくのである。ごくわかりやすい実例を示そう。

「……私は向う側のアパートらしい建物が多分目当てのところだろうと見当をつけた。二階のどの窓がそれなのかと考えた。急ぐこともないので、私はそこに佇《たたず》んだまま、暫《しば》くぼんやり立っていた。川の泥くさい臭《にお》いが立ち罩《こ》め、それは決して気分のいいものではなかったが、涼しい風が時々払うように吹き過ぎていた。向う側の灯のついた窓の中で人影が時々動いた。

そして私はその時また、子供の頃のあの河のことを思い出した。えなの流れて来る河。えなばかりではなく、恐らくは幼い命が、それも命という形を取る前に、流されたかもしれない河。ひょっとしたら私も亦《また》、生れる前に、或《ある》いは生れた後に、流されたかもしれない河。そういうことは妄想《もうそう》にすぎず、どんな子沢山の農家であってもそんな酷《むご》たらしいことはしなかっただろうと理性が教えても、私はその妄想を振り払うことが出来なかった」（傍点篠田）

いま、わざわざ、ぼくが傍点をほどこした一行を境にして、一応その前半と後半の内容ははっきり区別される。すなわち、前半は現在この人物の眼前にくりひろげられる事象、後半は彼の内面において、いまよみがえりつつある事象といった具合である。

しかし、こういう区分もかりそめのものにすぎない。それよりも、前半の情景を支配する掘割のイメージがそのまま後半の河のイメージを喚起し、両者の流れは一筋の水脈となって、現在も過去もひとつなぎになってゆくというのが、読者の経験する実情ではないかと思う。だから、作者が傍点の部分によって、読者に現在から過去への遡《そ》行《こう》を容易ならしめようとしていることは事実だが、読者の方では、そうした配慮をさほど有難がることもなく、イメージの効果的な連関を手掛りに、現在から過去への流れをいともたやすくさかのぼってゆくのだ。

作者だって、こんなことは先刻承知で、この場合のように、親切な但《ただ》し書きをつけることは以後あまりせず、大抵は、現在と過去のふたつの時間の情景を説明ぬきでいきなり並列させるのである。それで構わないのだ。もともと、この小説は全編、さまざまな登場人物の内的独白として書かれてあるわけで、外的客観性を宗《むね》とするレアリスムの記述文とはちがう。内的独白においては、もともと現在と過去の区分はそれほどの意味をもたず、たとえ、時間は流れても、それは過去から現在へ、あるいは、現在から過去へという風に自由自在なのである。そうでなければ、どうして内的世界なるものが確立できようか。

この小説は七章に分れているが、それぞれ、異なった人物が登場し、その内的独白をきかせるという趣向で構成されている。第一章は会社社長の中年男、つづいて、彼の長女、二女、それに、寝たっきりの妻、さらに長女とひそかな恋情を交《か》わす、若い美術批評家といった具合に、章ごとに独白者が変ってゆき、それぞれ独立した短編小説として読むことすら可能なのである。事実、この作品が一本にまとめられるまえには、さまざまな雑誌に、一章ずつ、独立した短編小説として発表されたのである。

しかし、いまとなっては、そんな読み方をする必要はまったくない。章を追って最後までひとつづきのものとして読めばいいので、そうしないかぎり、この作品の究極の主題をつかむことも、あるいは、作品のもつ豊かな小説性を味わうこともできないであろう。たとえば、父親、ふたりの娘、母親という風に、彼らの独白を一通り読みおわる頃になると、読者の眼前には、それらの内的独白を反射光線のようにして、そこに、それぞれ悩める魂をいだいた人物群が形づくる、ひとつの家族のありようがあざやかな陰影にえがいて、浮彫りにされる。この沈んだ色調のなかに浮びあがる一家の姿は、どんな精密なリアリズム小説をもってしても到底叶《かな》うまじき、豊かな内面性をたたえた印象的な形姿を具《そな》えていて、おどろくべき作者の筆の冴《さ》えである。

しかし、それはそれとしながら、この小説の主題は、もっとはるかに内面的なものだ。どの人物の心にも、それぞれ、一筋の河が流れている。「人間の魂は成長するにつれて、使い古され、罪を重ね、穢《けが》れて死ぬ」と、最後の章で、主人公の中年男はみずからの手記のなかで書く。心のなかを流れる河は、いわば、その人間がこの世に生を享《う》け、今日にまで生きてきた人生そのものの証《あか》しに外《ほか》ならず、生が長ければ長いほど、その河はけがれ、水はそれだけ一層澱んでいる。その穢れを祓《はら》い、おのが魂を済《すく》うために、むかしのひとはさまざまな行事や儀式をとりおこなってきた。それならば、現代のわれわれはいかなる祓祭《ふつさい》をすればいいのか。この設問に真正面に答えようとしたのが、『忘却の河』の中心主題である。

人物たちは、おのがじし、おのれの心のなかの河を必死になってさかのぼる。上流にゆくにつれ、水は澄み、水源にはきよらかな泉がわきでていることだろう。まさしく、水上《みなかみ》は思うべきかなである。人物たちは口々に「ふるさと」を唱える。主人公の中年男はその「ふるさと」を、最終章に綿々と物語られる、日本海沿いにつくられた荒涼たる「賽《さい》の河原《かわら》」のなかに発見する。だが、はたして、彼の心の汚穢《おえ》はきよめられ、ゆるぎない平安がやってきたのだろうか。この作品がよびかける設問は、それほどに重く、深い。

（昭和四十四年、文芸評論家）

今、『忘却の河』を読む

池澤夏樹

この小説が発表されたのは昭和三十九年のことである。一九六四年だから、もう四十年以上の昔になる。この間に日本の社会は大きく変わった。その変化を踏まえた上で、この作品が今と未来に持つ意味を考えてみよう。

この話の一章と七章の語り手である初老の男は若い時に出征している。つまり第二次大戦に兵士として参加している。これは三十代で戦争に行った男が五十五歳になった時期の話なのだ。

では当時と今では何が変わったか。まずは消費。四十年前の日本人はずいぶん貧しかった。社会はそれを自認し、節約が奨励された。誰もがつましかった。今は消費というか、むしろ浪費が推奨されている。みんながものを買って使って捨てなければ経済は回らないと言われる。こういうことは社会の雰囲気をずいぶん変えるものだ。

男は（彼には藤代という姓があることがやがてわかるけれど、自分から名乗っていない以上、ここでは夫であり父である彼を「男」と呼ぼう)、小さいながら会社を経営しているのだから、貧しさはこの話の表には現れない。戦後の混乱期に家族を養うために彼がどれほど身を粉にして働いたかという愚痴は出るけれども、自宅に住んで住み込みのお手伝いさんを雇うこの家族の暮らしは安定している。

性に関わる倫理観も大きく変わった。四十年前、人々は今より貞節だった。もちろんどの時代にも奔放な人はいたけれど、その比率が今よりはずっと低かった。恋愛は必ずしも性的な交渉を伴わず、性への一歩を踏み出すには今以上の決意が要った。だから藤代家の二十代の娘二人はどちらも処女であるらしい。ぼくがここに書いた処女という言葉にまつわる恥じらいの喪失がこの四十年の変化を示している。

家庭というものの雰囲気も変わった。男は自分なりに妻に気をつかい、娘たちを愛していると言うけれど、しかし父としての彼はずいぶん不器用で、言うことはしばしば家父長的、つまり権威主義的である。だから今の読者から見れば、この話の中で家族は人を束ねる制度であって親密な暮らしの場ではないかの如《ごと》く見える。なぜこれほどコミュニケーションがむずかしかったのか。

いや、この家族の場合、事態はもっと深刻だった。彼は「家庭では私は、妻にとっては身勝手な人、いい気な人、冷たい人であり、娘たちにとっては一家の象徴というだけの存在だった」と自ら語る。つまり、昔の家庭だから父親が権威主義的だったのではなく、いくつもの理由があってこの家庭は冷え切っていたのだ。

時として家庭は冷えるものであり、人は苦しみつつもそれに耐えるものだ。それは今も昔も変わらない。暮らしや風俗は変わっても、心の深いところでは今も四十年前も人の心は変わっていない。それを言うならば千年前とだって変わっていないし、だからこそぼくたちは今も『源氏物語』を読むことができる。

では、この小説の中心にある主題は何か？

魂としての人間。

人には一つずつ魂があり、それがその人のいちばん核の部分であり、家族の中の立場や社会的地位などはその外側に付加されたものでしかない。むずかしいのは周囲に付加されたものを越えて魂どうしで思いを伝え合うことだ。その困難を孤独と呼ぶ。

ぼくは昔からある一枚の図柄に捕らわれている。絵として見たわけではないのに、ずっと頭の中に常住している。それは無限に続く平原に無数の塔が立っていて、ぼくたち一人々々はそれぞれの塔の屋上にいる、というものだ。魂は人格という塔の中に捕らわれている。そこから魂を解放するのは容易ではない。

隣の塔にいる者の姿は見える。声を掛ければ返事が戻ってくる。長い会話も可能だし、その相手を好きと思うこともある。しかし、その人を抱擁するためには塔を降りて地面に立たなければならない。その時こそ愛は確かなものとなるのだろうに、塔を出る勇気はなかなか湧《わ》かないのだ。妻と夫においても、親と子においても、その困難は変わらない。

これが人間のありかたである。愛の成就《じょうじゅ》にはいつも困難が伴う。『忘却の河』では親たち二人にとって過去が重い。二人の娘たちは未来への踏み出しかたがわからなくて戸惑っている。姉の美佐子は母の介護に縛られており、妹の香代子は自分の出生の謎《なぞ》を重い課題として抱いている。二人とも安定した仲の恋人を持っていない。彼らの塔の下の階にはさまざまなものがしまい込まれている。それが塔から出ることを妨げる。

過去とは何か？　人は生きてゆく途上で罪を負う。まずは自分一人の安泰を求めるのは生きる者として当然だが、それが周囲の誰かを傷つけることがある。エゴイズムから逃れることはできないし、時にはそれが死という取り返しのつかない結果に至る。そういう経験が罪の意識として、あるいは穢《けが》れとして、塔の下の階に残ってゆく。外に出ることはいよいよ難しくなる。

キリスト教徒ならば、罪は神に向かって告白すべきことだ。神が遠いならキリストや聖母マリアや聖者たちが仲介してくれるだろう。罪には悔悟で応じることができる。応じるというのは不謹慎かもしれないが、ともかくキリスト教徒は罪の意識を人生の重荷として理解し、それに対する手段を講じようとした。

この小説の作者である福永武彦の母方の一族は日本聖公会の信徒であり、母は伝道師だった。七歳にして死別した母であったけれど。作家が幼時からキリスト教に近い雰囲気の中で育ったのは間違いない。しかし彼は一度はこの信仰に背を向ける。『草の花』の主題である藤木への愛はすべての意味でプラトン的だし、その妹の千枝子との仲を裂くのは戦時中のキリスト教徒の妥協的なふるまいに対する主人公の批判である（この主題は作家の中でずいぶん重いものだったらしい。だから『心の中を流れる河』などにも登場する。社会的関心が薄いと思われたこの人にあって、これは再考に値する主題だ）。

そうやってキリスト教から離れた後も、彼は魂のことを考え続けた。生きることは罪を負うことであるとしたら、その解決はどこにあるか？　何がその罪を贖《あがな》い、何がその穢れを清めてくれるのか？

この小説の構成は巧みで、主人公を異にする短篇の連作を読んでゆくうちに読者は家族一人一人の心に入り込み、そこにあるそれぞれの根源的な苦悩を知ることになる。

ほぼ一年の月日のうちに彼らの運命は変わる。話の終わりの段階では一人は亡《な》くなり、一人は婚約し、父と娘たちは和解を遂げるに至る。

父である男と娘たちの和解を司《つかさど》るのは子守歌が導く日本の田舎の民俗的な信仰である（この和解の場には亡き妻もそっと立ち会うかの如《ごと》くだ）。彼は若い時に死なせてしまった恋人への思いに憑《つ》かれている。それゆえに愛の確証もないままに結婚し、妻となった女を幸福にできなかったと思っている。これが彼の魂が負っている罪であり穢れであった。

「私は基督教《キリスト》でもなく仏教でもない一つの穢れとしての罪を感じていた。救済とか済度とかいうのではなく、この罪から逃れたいと悶《もだ》えていた。この罪、それは神によっても仏によっても消すことの出来ないものであり、ただ彼女だけがそれをゆるすことが出来るように感じられる罪である。彼女と、そして生れることもなくて彼女と共にその胎内で死んだ私の子供とが、この賽《さい》の河原に於《おい》て、私をゆるしてくれるかもしれないような罪である」と彼は言う。この「彼女」とはずっと昔に彼の子を孕《はら》んで死んだ恋人のこと。

長い話を読んできた読者は、ここに至って一種の納得とカタルシスを覚えるだろう。われわれ日本人は（と言っていいと思うのだが）、自分の心象を周囲の地形や風景の中に投影することによって自分が何者であるかを確認する。この小説の前景にあるのは都会の生活だけれども、背景にある風景は川であり海である。水が清めるのだ。いうまでもなく、カタルシスとは浄化の謂《い》いである。

「忘却の河」は一章の扉にあるとおり「死者はこの水を飲んで現世の記憶を忘れるという」冥府《めいふ》の河だ。キリスト教以前の古代ギリシャの神話に由来するものである（この神話をキリスト教は洗礼という形で取り込んだのではないか。信徒になる前と後を水による清めで区切ったのではないか）。

福永武彦の作品には水の風景が幾度となく登場する。そこには『心の中を流れる河』があり、海の蜃気楼《しんきろう》を背景にした『海市』があり、水郷と呼ばれる柳川を舞台にした『廃市』があり、ベックリンの絵を引いた『死の島』がある。

日本文学の古典の中に、『古事記』と同じくらい古くて、しかしほとんど人に読まれることのない、祝詞《のりと》というものがある。この列島に生きる人々の世界観・宇宙観が祈りの形でそのまま現れている。その一つ、「六月《みなづき》　晦《つごもり》の大祓《おほはらひ》」は水による浄化をこう表現している。まずは人の世のあらゆる罪が集められる。ここに言う罪は穢れに近い。次にその罪は――

「遺《のこ》る罪《つみ》は不在《あらじ》と　祓《はらひ》賜《たま》ひ清《きよめ》賜《たまふ》事《こと》を　高山之《たかやまの》末《すゑ》短山之《ひきやまの》末《すゑ》より　佐久那太理《さくなだり》に落多《おちた》支《ぎ》都《つ》速川《はやかは》の瀬《せ》に坐《ま》す瀬織津比咩《せおりつひめ》と云神《いふかみ》大海原《おほうなばら》に持出《もちいで》なむ　如此《かく》持出往《もちいでいな》ば　荒塩之《あらしほの》塩《しほ》の八百道《やほち》の八塩道之塩《やしほぢのしほ》の八百会《やほあひ》に坐《ま》す速開都比咩《はやあきつひめ》と云神《いふかみ》　持可可呑《もちかかのみ》てむ　如此《かく》可可呑《かかのみ》ては　気吹戸《いぶきど》に坐《ま》す気吹　主《いぶきどぬし》と云神《いふかみ》　根国底之国《ねのくにそこのくに》に気吹放《いぶきはなち》てむ。如此《かく》気吹放《いぶきはなち》ては　根国《ねのくに》底之国《そこのくに》に坐《ま》す速佐須良比咩《はやさすらひめ》と云神《いふかみ》　持佐須良比失《もちさすらひうしなひ》てむ」

罪は神々のリレーによって川から海へ運ばれ、そこから根の国・底の国に放たれ、最後には消滅する。これが昔からこの列島に住んだ人々の罪＝穢れの始末のしかただった。

作者は七章の扉に柳田国男を引用する――「我々は皆、形を母の胎に仮ると同時に、魂を里の境の淋《さび》しい石原から得たのである」。これがこの小説が依《よ》って立つ基本の思想であるのは、この章が「賽の河原」と名付けられていることからも明らかだけれども、本当はそれ以上に折口信夫《おりくちしのぶ》のあの呪術的な魅力を持つ論文「妣《はは》が国へ、常世《とこよ》へ」の影響下にあるのではないかと想像する。

最後に申し添えれば、福永武彦はぼくの父である。だから、折口の影響についても本当なら生前に聞いておくべきだったのだが、しかし父との縁《えにし》はまこと薄いものだった。ぼくと父が生活を共にしたのは乳児の時に一年ほどしかない。青年期に再会して、年に数回会う時期が十年以上続いたけれども、父の晩年にあたる四年間は会わないままだった。父の死からもう二十八年になるし、父の周辺にあって父とぼくをつないでいた人々も多くは亡くなった。ぼくは今は父の享年を超え、同じような職業についている。

息子であるぼくがこういう文を自分の本に添えたと知ったら父がどんな顔をするか、見てみたいと思うけれども、それはこの世でかなうことではない。

（二〇〇七年七月、作家）

この作品は昭和三十九年五月新潮社より刊行された。

新潮文庫編　文豪ナビ　芥川龍之介

カリスマシェフは、短編料理でショーブする――現代の感性で文豪の作品に新たな光を当てる、驚きと発見に満ちた新シリーズ。

芥川龍之介著　羅生門・鼻

王朝の説話物語にあらわれる人間の心理に、近代的解釈を試みることによって己れのテーマを生かそうとした〝王朝もの〟第一集。

芥川龍之介著　奉教人の死

殉教者の心情や、東西の異質な文化の接触と融和に関心を抱いた著者が、近代日本文学に新しい分野を開拓した〝切支丹もの〟の作品集。

芥川龍之介著　侏儒《しゆじゆ》の言葉《ことば》・西方《さいほう》の人

著者の厭世的な精神と懐疑の表情を鮮やかに伝える「侏儒の言葉」、芥川文学の生涯の総決算ともいえる「西方の人」「続西方の人」の3編。

芥川龍之介著　蜘蛛《くも》の糸・杜子春

地獄におちた男がやっとつかんだ一条の救いの糸をエゴイズムのために失ってしまう「蜘蛛の糸」、平凡な幸福を讃えた「杜子春」等10編。

芥川龍之介著　地獄変・偸盗《ちゆうとう》

地獄変の屏風を描くため一人娘を火にかけて芸術の犠牲にし、自らは縊死する異常な天才絵師の物語「地獄変」など〝王朝もの〟第二集。

新潮文庫編 文豪ナビ 谷崎潤一郎

妖しい心を呼びさます、アブナい愛の魔術師――現代の感性で文豪作品に新たな光を当てた、驚きと発見がいっぱいの読書ガイド。

谷崎潤一郎著 痴人の愛

主人公が見出し育てた美少女ナオミは、成熟するにつれて妖艶さを増し、ついに彼はその愛欲の虜となって、生活も荒廃していく……。

谷崎潤一郎著 刺《し》青《せい》・秘密

肌を刺されてもだえる人の姿に、いいしれぬ愉悦を感じる刺青師清吉が、宿願であった光輝く美女の背に蜘蛛を彫りおえたとき……。

谷崎潤一郎著 春琴抄

盲目の三味線師匠春琴に仕える佐助は、春琴と同じ暗闇の世界に入り同じ芸の道にいそしむことを願って、針で自分の両眼を突く……。

谷崎潤一郎著 猫と庄造と二人のおんな

一匹の猫を溺愛する一人の男と、二人の若い女がくりひろげる痴態を通して、猫のために破滅していく人間の姿を諷刺をこめて描く。

谷崎潤一郎著 蓼《たで》喰《く》う虫

性的不調和が原因で、互いの了解のもとに妻は新しい恋人と交際し、夫は売笑婦のもとに通う一組の夫婦の、奇妙な諦観を描き出す。

新潮文庫編
文豪ナビ　夏目漱石

先生ったら、超弩級のロマンティストだったのね——現代の感性で文豪の作品に新たな光を当てる、驚きと発見に満ちた新シリーズ。

夏目漱石著
倫敦塔《ロンドンとう》・幻影《まぼろし》の盾《たて》

謎に満ちた塔の歴史に取材し、妖しい幻想を繰りひろげる「倫敦塔」、英国留学中の紀行文「カーライル博物館」など、初期の7編を収録。

夏目漱石著
三四郎

熊本から東京の大学に入学した三四郎は、心を寄せる都会育ちの女性美禰子の態度に翻弄されてしまう。青春の不安や戸惑いを描く。

夏目漱石著
それから

定職も持たず思索の毎日を送る代助と友人の妻との不倫の愛。激変する運命の中で自己を凝視し、愛の真実を貫く知識人の苦悩を描く。

夏目漱石著
門

親友を裏切り、彼の妻であった御米と結ばれた宗助は、その罪意識に苦しみ宗教の門を叩くが……。「三四郎」「それから」に続く三部作。

夏目漱石著
彼岸過迄

自意識が強く内向的な須永と、感情のままに行動して悪びれない従妹との恋愛を中心に、エゴイズムに苦悩する近代知識人の姿を描く。

新潮文庫編　文豪ナビ 三島由紀夫

時代が後から追いかけた。そうか！ 早すぎたんだ——現代の感性で文豪の作品に新たな光を当てる、驚きと発見に満ちた新シリーズ。

三島由紀夫著　禁　色

女を愛することの出来ない同性愛者の美青年を操ることによって、かつて自分を拒んだ女達に復讐を試みる老作家の悲惨な最期。

三島由紀夫著　金　閣　寺
読売文学賞受賞

どもりの悩み、身も心も奪われた金閣の美しさ——昭和25年の金閣寺焼失に材をとり、放火犯である若い学僧の破滅に至る過程を抉る。

三島由紀夫著　沈める滝

鉄や石ばかりを相手に成長した城所昇は、女にも即物的関心しかない。既成の愛を信じない人間に、人工の愛の創造を試みた長編小説。

三島由紀夫著　近代能楽集

早くから謡曲に親しんできた著者が、古典文学の永遠の主題を、能楽の自由な空間と時間の中に〝近代能〟として作品化した名編8品。

三島由紀夫著　春　の　雪
（豊饒の海・第一巻）

大正の貴族社会を舞台に、侯爵家の若き嫡子と美貌の伯爵家令嬢のついに結ばれることのない悲劇的な恋を、優雅絢爛たる筆に描く。

新潮文庫編
文豪ナビ 山本周五郎
乾いた心もしっとり。涙と笑いのツボ押し名人——現代の感性で文豪作品に新たな光を当てた、驚きと発見がいっぱいの読書ガイド。

山本周五郎著
柳橋物語・むかしも今も
幼い恋を信じた女を襲う悲運「柳橋物語」。愚直な男が摑んだ幸せ「むかしも今も」。男女それぞれの一途な愛の行方を描く傑作二編。

山本周五郎著
さ ぶ
職人仲間のさぶと栄二。濡れ衣を着せられ捨鉢になる栄二を、さぶは忍耐強く支える。友情を通じて人間のあるべき姿を描く時代長編。

山本周五郎著
つゆのひぬま
娼家に働く女の一途なまごころに、虐げられた不信の心が打負かされる姿を感動的に描いた人間讃歌「つゆのひぬま」等9編を収める。

山本周五郎著
虚空遍歴（上・下）
侍の身分を捨て、芸道を究めるために一生を賭けて悔いることのなかった中藤冲也——苛酷な運命を生きる真の芸術家の姿を描き出す。

山本周五郎著
お さ ん
純真な心を持ちながら男から男へわたらずにはいられないおさん——可愛いおんなであるがゆえの宿命の哀しさを描く表題作など10編。

新潮文庫最新刊

赤川次郎著
いもうと
本当に、一人ぼっちになっちゃった——。27歳になった実加に訪れる新たな試練と大人の恋。姉妹文学の名作『ふたり』待望の続編！

桜木紫乃著
緋の河
どうしてあたしは男の体で生まれたんだろう。自分らしく生きるため逆境で闘い続けた先駆者が放つ、人生の煌めき。心奪う傑作長編。

中山七里著
死にゆく者の祈り
何故、お前が死刑囚に——。無実の友を救えるか。人気沸騰中〝どんでん返しの帝王〟による、究極のタイムリミット・サスペンス。

篠田節子著
肖像彫刻家
超リアルな肖像が巻きおこすのは、おかしな現象と、欲と金の人間模様。人生の裏表をからりとしたユーモアで笑い飛ばす長編。

髙樹のぶ子著
格闘
この恋は闘い——。作家の私は、柔道家を取材しノンフィクションを書こうとする。二人の心の攻防を描く焦れったさ満点の恋愛小説。

楡周平著
鉄の楽園
日本の鉄道インフラを新興国に売り込め！商社マンと女性官僚が挑む前代未聞のプロジェクトとは。希望溢れる企業エンタメ。

新潮文庫最新刊

三好昌子著
幽玄の絵師
—百鬼遊行絵巻—
都の四条河原では、鬼が来たりて声を喰らう——。呪い屛風に血塗れ女、京の夜を騒がす怪事件。天才絵師が解く室町ミステリー。

早見俊著
放浪大名 水野勝成
—信長、秀吉、家康に仕えた男—
戦塵にまみれること六十年、七十五にしてなお現役！ 武辺一辺倒から福山十万石の名君へ。戦国最強の武将・水野勝成の波乱の生涯。

時武里帆著
試練
—護衛艦あおぎり艦長 早乙女碧—
民間人を乗せ、瀬戸内海を航海中の護衛艦に、不時着機からのSOSが。同時に急病人が発生。新任女性艦長が困難な状況を切り拓く。

紺野天龍著
幽世《かくりよ》の薬剤師
薬剤師・空洞《うろ》淵霧瑚《ぶちきりこ》はある日、「幽世」に迷いこむ。そこでは謎の病が蔓延しており……。現役薬剤師が描く異世界×医療ミステリー！

川端康成著
少年
彼の指を、腕を、胸を、唇を愛着していた……。旧制中学の寄宿舎での「少年愛」を描き、川端文学の核に触れる知られざる名編。

三浦綾子著
嵐吹く時も
その美貌がゆえに家業と家庭が崩れていく女ふじ乃とその子ども世代を北海道の漁村を舞台に描く。著者自身の祖父母を材にした長編。

忘《ぼう》却《きゃく》の河《かわ》

新潮文庫　ふ-4-2

昭和四十四年四月三十日　発　行
平成十九年九月　一　日　三十三刷改版
令和　四　年三月三十日　三十八刷

著　者　福《ふく》永《なが》武《たけ》彦《ひこ》

発行者　佐藤隆信

発行所　株式会社　新潮社

郵便番号　一六二—八七一一
東京都新宿区矢来町七一
電話　編集部(〇三)三二六六—五四四〇
　　　読者係(〇三)三二六六—五一一一
http://www.shinchosha.co.jp

価格はカバーに表示してあります。

乱丁・落丁本は、ご面倒ですが小社読者係宛ご送付ください。送料小社負担にてお取替えいたします。

印刷・大日本印刷株式会社　製本・加藤製本株式会社

ISBN978-4-10-111502-3　C0193